DU MÊME AUTEUR

Aux Éditions Gallimard

JIHAD. EXPANSION ET DÉCLIN DE L'ISLAMISME, 2000. Repris dans « Folio Actuel », n° 90, nouvelle édition refondue et mise à jour, 2002.

CHRONIQUE D'UNE GUERRE D'ORIENT (automne 2001) *suivi de* BRÈVE CHRONIQUE D'ISRAËL ET DE PALESTINE (avril-mai 2001), 2002.

Aux Éditions du Seuil

LE PROPHÈTE ET PHARAON. AUX SOURCES DES MOUVEMENTS ISLAMISTES. Nouvelle édition augmentée, 1993 (1ʳᵉ édition La Découverte, 1984).

LES BANLIEUES DE L'ISLAM. NAISSANCE D'UNE RELIGION EN FRANCE, 1987. Repris dans « Points Seuil », 1991.

INTELLECTUELS ET MILITANTS DE L'ISLAM CONTEMPORAIN, en collaboration avec Yann Richard, 1990.

LA REVANCHE DE DIEU : CHRÉTIENS, JUIFS ET MUSULMANS À LA RECONQUÊTE DU MONDE, 1991. Repris dans « Points Seuil », 1992.

LES POLITIQUES DE DIEU. Ouvrage collectif sous la direction de Gilles Kepel, 1992.

À L'OUEST D'ALLAH, 1994. Repris dans « Points Seuil », 1995.

Aux Presses de Sciences Po

LES MUSULMANS DANS LA SOCIÉTÉ FRANÇAISE, ouvrage collectif en collaboration avec Rémy Leveau, 1988.

EXILS ET ROYAUMES. Les appartenances au monde musulman. Ouvrage collectif sous la direction de Gilles Kepel, 1994.

FITNA

GUERRE AU CŒUR DE L'ISLAM

GILLES KEPEL

FITNA
Guerre au cœur de l'islam

essai

GALLIMARD

à la mémoire de
Maxime Rodinson
26 janvier 1915
23 mai 2004

REMERCIEMENTS

La rédaction d'un livre est un processus solitaire, mais qui ne saurait advenir sans que son auteur bénéficie du concours de tous les talents auxquels il s'est frotté et a emprunté, éprouve la générosité de ses amis. *Fitna* est né des circonstances exceptionnelles que traverse le Moyen-Orient à la suite du 11 septembre, de l'urgence à mieux connaître la région au moment où celle-ci subit des bouleversements inouïs. Cette urgence s'est d'abord traduite, pour moi, par des voyages incessants, qui ont fourni son substrat à ce livre, et j'ai plaisir à remercier celles et ceux qui m'ont accueilli, notamment dans la péninsule Arabique. Aux Émirats arabes unis, l'ambassadeur François Gouyette, arabisant éminent, n'a pas ménagé ses efforts pour faire aboutir la création du « réseau eurogolfe », grâce auquel j'ai eu accès à une mine de données et d'analyses sans pareille. Je sais gré à Yves Saint-Geours qui, à Paris, a encouragé de manière déterminante ce projet. Au coordinnateur général du « réseau eurogolfe » et acteur principal de sa réussite, Bernard El Ghoul, je suis infiniment redevable pour son aide, dès la gestation de ce livre, et pour nos échanges. J'ai aussi plaisir à remercier l'ensemble des postes diplomatiques français de la région, qui m'ont toujours réservé un excellent accueil, ainsi que la Fondation culturelle d'Abou Dhabi, la Fondation du roi Faysal à Riyad, la Fondation du Qatar et mes collègues de la faculté des sciences sociales de l'université du Koweït, comme tous les amis qui ont partagé avec moi leur savoir sur le Golfe.

Aux États-Unis, j'ai bénéficié de nombreux concours pour déchiffrer l'univers des néoconservateurs. Ma gratitude va à Hillel Fradkin, ainsi qu'à tous ceux qui, au sein de ce courant, ont accepté de se prêter avec moi à des débats contradictoires et toujours stimulants. Pierre Thénard, l'hôte parfait de mes multiples séjours à Washington, m'a accompagné, tout au long de cette recherche, d'une amitié exigeante et fidèle.

Enfin, à Sciences Po, je suis reconnaissant envers Richard Descoings, le directeur de l'établissement, de l'estime qu'il m'a témoignée en me confiant la responsabilité de la chaire Moyen-Orient-Méditerranée, grâce à laquelle nous pouvons donner aux remarquables étudiants qui nous rejoignent chaque année, en provenance du monde entier, des conditions de travail à la mesure de leur talent. Quand l'auteur d'un livre est un universitaire, sa dette est d'abord immense envers ses élèves, pour la stimulation permanente qu'ils procurent, les pertinentes impertinences que leur autorise la jeunesse. Ce travail a été « testé » pendant deux semestres sous forme orale dans le cadre d'un cours sur la crise du Moyen-Orient : merci à celles et ceux qui y ont participé et dont les interrogations m'ont aidé à réfléchir. Parmi les étudiants spécialisés dans l'étude du Moyen-Orient, je voudrais dire ma gratitude particulière à Stéphane Lacroix, Thomas Hegghammer, Omar Saghi, Abdellah Tourabi, Youssef Belal, Coralie Chambon, ainsi que Myriam Benraad, qui a été une assistante de recherche talentueuse, efficace et exigeante. Elles et ils m'ont fait directement bénéficier de leurs connaissances exceptionnelles du terrain et des sources. Toutes et tous sont issus du programme doctoral sur le monde musulman de Sciences Po, fondé en 1985 ; au moment où celui-ci disparaît pour se transmuer dans le cadre d'une réorganisation administrative, il m'est agréable de rendre hommage à cette pépinière unique, où se sont formés la jeune génération universitaire et bon nombre d'experts de la région dans de multiples professions.

Pour finir, Ianis-Augustin a accepté de bonne grâce que son père distraie son attention quotidienne dès les petites heures pour se consacrer à son jumeau de papier. Qu'il sache que sans son affection, celle de Yasmina, Charlotte et Nicolas, de Milan, rien n'aurait été possible.

INTRODUCTION

En décembre 2001, circule sur Internet un manifeste en langue arabe qui fournit la justification politique des attentats du 11 septembre par l'un de ses principaux instigateurs. Signé du médecin égyptien Ayman al Zawahiri, idéologue d'Al Qa'ida et mentor de Ben Laden, le texte s'intitule *Cavaliers sous la bannière du Prophète*. Il permet de comprendre pourquoi les adeptes radicaux du *jihad* ont frappé les États-Unis — l'« ennemi lointain » dans leur langage — et ce qu'ils attendent du cataclysme qu'ils ont déclenché. Le docteur Zawahiri établit d'abord un sombre diagnostic pour les années 1990, au regard des espoirs qu'avait fait naître le *jihad* triomphant en Afghanistan. De l'Égypte à la Bosnie, de l'Arabie saoudite à l'Algérie, les activistes jihadistes ont partout échoué en définitive à mobiliser derrière eux les « masses musulmanes » pour abattre les régimes au pouvoir — qualifiés d'« ennemi proche ». Pour renverser le cours de ce déclin, il faut changer radicalement de stratégie en frappant un grand coup contre les États-Unis. Par son audace et sa magnitude, il doit galvaniser ces populations indécises du monde musulman et les convaincre de la puissance irrésistible des forces du *jihad* comme de la faiblesse de la superbe Amérique, protectrice des dirigeants « apostats » du Moyen-Orient ou d'Afrique du Nord. Mais cette provocation terroriste sur le territoire de l'Occident ne saurait distraire les militants, dans l'esprit de Ben Laden et Zawahiri, de leur objectif premier : mener une guerre au cœur de l'islam, destinée d'abord et avant tout à assurer aux militants jihadistes l'emprise sur les esprits de leurs coreligionnaires, afin d'instaurer partout, par la lutte armée, « l'État islamique ».

L'échec des années 1990, note Zawahiri, est dû à l'absence d'une grande cause rassembleuse, portée par « l'avant-garde » islamiste, à laquelle auraient pu s'identifier spontanément les populations du monde musulman dans leur majorité. Au tournant du siècle, la Palestine leur fournit soudainement celle-ci. La faillite de la paix d'Oslo, le déclenchement de la seconde Intifada à l'automne 2000 et sa répression massive par le gouvernement de M. Sharon, rendent la lutte armée légitime pour le téléspectateur moyen de la chaîne Al Jazeera et de ses consœurs, qui en diffusent quotidiennement les images. À l'été 2001, les attentats suicides organisés par les islamistes palestiniens, requalifiés en « opérations-martyre » par les prédicateurs d'un bout à l'autre du monde musulman, y incarnent la résistance contre la supériorité militaire écrasante de l'État hébreu. Ce climat délétère constitue l'aubaine attendue par les commanditaires du 11 septembre. Le carnage de New York et Washington se veut la prolongation poussée au paroxysme des attentats suicides palestiniens, dont Ben Laden tente de capter, de détourner la popularité à son profit — comme il le signifie dans sa déclaration télévisée du 7 octobre depuis une grotte afghane en jurant « par Allah qui a élevé les cieux sans colonnes, que jamais l'Amérique ne dormira tranquille » tant que dureront les souffrances des Palestiniens et des enfants d'Irak.

Tandis que les militants du *jihad* poursuivent, par l'exemplarité de la violence, une stratégie précise qui vise d'abord à conquérir la suprématie dans leur propre univers musulman, l'insertion du Moyen-Orient dans le monde globalisé et unipolaire postérieur à l'effondrement soviétique connaît une crise majeure. La résurgence violente du conflit israélo-palestinien à l'automne 2000 en est le symptôme le plus frappant, mais elle constitue (comme le 11 septembre dans son domaine) l'aboutissement d'un processus souterrain bien plus ancien. Celui-ci a son origine dans une vision du monde influente à Washington dès avant l'élection du président George W. Bush, et qui devient prédominante après les attentats contre le World Trade Center et le Pentagone : le néoconservatisme. À l'instar des jihadistes, les néoconservateurs font un diagnostic accablant des années 1990 au Moyen-Orient — mais pour des raisons diamétralement opposées. La paix d'Oslo, qu'abhorrent également Ben Laden et ses affidés car elle détourne les Arabes du *jihad* pour détruire Israël, est vue par les « neo-cons », qui se font les champions de l'État hébreu, comme un leurre. D'une part, elle crée une illusion de sécurité pour ce dernier, dont les voisins arabes n'auraient accepté l'existence qu'à cause de leur faiblesse conjoncturelle — dans l'attente d'une reprise des hostilités dès qu'ils en recouvreraient les moyens. D'autre part, elle favorise un déplorable statu quo donnant à de mauvais gouvernements arabes, autoritaires et corrompus, l'aval de la Maison-Blanche qui ne questionne pas leurs pratiques antidémocratiques dès lors qu'ils participent au chorus d'Oslo, ou favorisent les intérêts — notamment énergétiques — des États-Unis. Dès le milieu des années 1990, le courant néoconservateur — dont plusieurs idéologues sont intellectuellement proches du Likoud israélien — pousse à une redistribution générale des cartes au Moyen-Orient, qui comporte deux aspects. L'un, militaire, vise à briser les reins aux États considérés comme une menace pour Israël (la Syrie baassiste et l'Iran des mollahs, mais d'abord l'Irak de Saddam Hussein). L'autre, prolongement civil du premier, à favoriser des réformes démocratiques qui mettront à bas les dictatures, et amèneront aux commandes des représentants de la société civile bien intégrés dans une mondialisation sous hégémonie américaine. Là encore, si les objectifs finals entre jihadistes et néoconservateurs divergent, ils sont les uns et les autres désireux de renverser les régimes en place dans la région, dont ils dénoncent l'autoritarisme et la corruption, que ce soit au nom des idéaux de l'islamisme radical ou de la démocratie. La coïncidence n'est pas purement anecdotique : elle témoigne que les équilibres politiques sur lesquels est bâti le Moyen-Orient sont tenus pour illégitimes par des acteurs prêts à recourir à la force pour les modifier — les uns grâce au terrorisme, les autres à l'action militaire. Or cette portion du globe est principalement caractérisée, en termes économiques, par la présence massive dans son sous-sol d'hydrocarbures qui fournissent une part essentielle de l'énergie de la planète, tandis que les États qui vivent de l'exploitation de cette rente détiennent — lorsque les prix du baril sont élevés, comme cela est le cas en 2004 — des masses de liquidités financières qui déterminent de manière cruciale la marche du monde. Les enjeux sont démesurés, et d'autant plus complexes que les « fondamentaux » de la région, comme l'ont éloquemment rappelé les rapports du Pnud (Programme des Nations unies pour le développement) sur le développement humain arabe parus à partir de 2002, sont globalement désastreux : surpopulation, faible niveau de l'emploi et des salaires, accès déficient à l'éducation et aux moyens modernes de télécommunication, etc. Cela crée les conditions fertiles pour des affrontements d'une ampleur extraordinaire, dont l'un des objectifs est le contrôle du système idéologique dominant qui assure les équilibres politiques et sociaux de la région : l'islam.

Ainsi le séisme du 11 septembre advient-il au croisement de deux logiques sous-jacentes, chacune porteuse d'un projet majeur de transformation radicale du Proche-Orient : les jihadistes d'un côté, les néoconservateurs de l'autre. Les premiers s'emploient à transformer leur essai, à accroître le nombre de leurs recrues directes et de leurs sympathisants — dans l'objectif de se faire les porte-parole, les défenseurs du monde de l'islam agressé désormais, selon eux, par la « guerre contre la terreur » lancée par le président Bush. Ils cherchent à tirer avantage d'un cycle politique classique, où leur provocation a suscité la répression, laquelle produit des effets pervers et des bavures qui permettent de capitaliser la solidarité avec les victimes de celle-ci (femmes, enfants, blessés ou morts, prisonniers maltraités dont le caractère musulman est mis en avant par les militants). Les seconds « vendent », à l'occasion du 11 septembre, leur projet radical de redistribution des cartes au Moyen-Orient, à un gouvernement américain qui s'est laissé surprendre par les attentats, et qui, sous le choc, accepte d'infléchir les équilibres traditionnels de la politique des États-Unis dans la région en appliquant pour l'essentiel l'*agenda* néoconservateur. Alors que Washington s'efforçait jusque-là de tenir la balance égale entre les deux impératifs de la sécurité d'Israël et des approvisionnements en hydrocarbures, la « guerre contre la terreur » met le soutien à la politique de l'État hébreu au premier plan, relativisant les attaches avec l'Arabie saoudite, producteur pétrolier prééminent, dont la famille royale, liée à la famille Bush, est une alliée indéfectible des États-Unis — mais d'où sont originaires quinze des dix-neuf terroristes du 11 septembre.

La « guerre contre la terreur » comporte trois dimensions principales : la traque d'Al Qa'ida, les pressions sur l'Arabie saoudite, le renversement de Saddam Hussein suivi de l'occupation de l'Irak. La traque est menée avec des moyens militaires considérables, des armes de destruction massive « intelligentes » issues de l'arsenal formidable qui avait été développé pour abattre l'URSS. Celles-ci s'avèrent largement inadaptées face à un ennemi ductile et insaisissable : la « base » (telle est la signification du terme arabe *al Qa'ida*) n'est pas tant territoriale que « base de données » rassemblant les jihadistes connectés par Internet à travers la planète. Le bombardement américain de l'Afghanistan et l'éradication des Talibans manquent la proie pour l'ombre. Ben Laden disparaît dans l'espace sidéral du monde numérique — où il incarne la figure d'un hacker maléfique dont émanent des communiqués en ligne et des enregistrements audio qui revendiquent en arabe des attentats sanglants à travers le monde. La guerre contre l'Irak viendra parachever — et pour une large part tentera de compenser — la traque inachevée contre le réseau polymorphe du terrorisme islamiste. Avec Ben Laden, Washington traitait les symptômes du mal. Avec Saddam Hussein, il s'attaque à sa cause supposée : l'élimination du dictateur irakien, incarnation sanguinaire du despotisme arabe, doit faire d'une pierre deux coups. D'une part mettre en selle un régime démocratique d'inspiration américaine destiné à servir de modèle aux sociétés civiles arabes voisines, ce qui éliminera les frustrations politiques engendrant le terrorisme, et permettra d'accueillir Israël au cœur d'un « Grand Moyen-Orient » réconcilié. D'autre part réintroduire sur le marché une production pétrolière irakienne réduite à la portion congrue par une décennie d'embargo et de sanctions, ce qui affaiblira la suprématie saoudienne, et hâtera les transformations d'une société dont les blocages ont engendré le monstre du terrorisme jihadiste — mais dont toute déstabilisation aurait des conséquences catastrophiques sur le marché mondial de l'énergie, si la pleine capacité irakienne ne pouvait en compenser les défaillances temporaires.

Menée de manière unilatérale et traduite par une victoire militaire rapide sur une armée conventionnelle du tiers-monde, l'offensive américaine contre Saddam Hussein trouve rapidement ses limites tant aux États-Unis qu'en Irak. Outre-Atlantique — comme outre-Manche chez le fidèle allié britannique — elle fragilise des gouvernements accusés en rétrospective d'avoir berné l'opinion en « gonflant » le danger qu'auraient représenté des armes de destruction massive irakiennes, en réalité inopérantes. En Irak, loin de se traduire en le succès politique immédiat prédit par ceux qui assimilaient la chute de Saddam à celle du mur de Berlin, manifestant ainsi leur ignorance du Moyen-Orient, elle ouvre la boîte de Pandore. En sort l'irrédentisme kurde, chiite et sunnite, propice à propager de nouvelles lignes de faille dans lesquelles se réinvestissent, avec la résistance armée contre l'occupant, les logiques du terrorisme islamiste que l'élimination du régime de Bagdad était censée éradiquer.

Ce chaos, qui met en péril le Moyen-Orient, qui menace ses lieux saints et déchire le tissu social, représente la hantise séculaire des oulémas, les docteurs de la Loi. Ils le nomment *fitna*, ou guerre au cœur de l'islam.

Commencée sur les écrans de télévision, avec la retransmission sur les chaînes par satellite des images spectaculaires des tours jumelles qui s'effondrent le 11 septembre, puis prolongée par les apparitions soigneusement scénarisées de Ben Laden et de ses comparses devant une grotte afghane, cette guerre au cœur de l'islam envahit, avec l'occupation de l'Irak, l'univers sauvage planétaire des images circulant librement sur la Toile. S'y exhibent sans contrôle, à la faveur des liens hypertextes que se transmettent les internautes, tant les photos de prisonniers irakiens soumis à des sévices sexuels par leurs gardiens américains que le film de la décapitation d'un otage américain en Irak au cri de « *Allah Akbar!* » Par le biais de l'Internet, la guerre a investi l'espace privé, elle redéfinit des attitudes, induit des comportements qui effacent les frontières traditionnelles, géographiques, du *dar al islam* (le domaine de l'islam) et du *dar al harb* (le domaine de la guerre) qui structuraient la géopolitique musulmane à travers les quatorze siècles de son histoire. Le monde entier devient un espace indifférencié où se mêlent l'un et l'autre.

Deux ans et demi exactement après les attentats de New York et Washington, le 11 mars 2004, le terrorisme islamiste fait 191 morts dans une gare de Madrid. L'Espagne est à la fois un pays d'Europe, une part de l'Occident dont les troupes participent alors à l'occupation de l'Irak, mais aussi, dans l'imaginaire des jihadistes, l'ancienne Andalousie qu'il faut reconquérir — une terre musulmane usurpée par des infidèles, à l'instar d'Israël, du Cachemire ou de la Bosnie, dont il est licite de tuer les « occupants » impies. Dans la réalité, c'est également un pays d'immigration musulmane, où vivent des centaines de milliers de personnes, originaires du Maroc pour l'essentiel, à l'instar de leurs millions de coreligionnaires sédentarisés et ayant fait souche en France, au Royaume-Uni, en Allemagne et dans les autres pays de l'Union européenne depuis les années 1970, en provenance du Maghreb, du Moyen-Orient, de Turquie, du sous-continent indien. Ces populations sont traversées par des contradictions exacerbées — qui font de l'Europe, par-delà l'acuité des conflits qui se déroulent aujourd'hui en Palestine ou en Irak, le champ le plus important, sur le plan des symboles, de la bataille qui se joue pour le cœur et l'âme de l'islam dans le proche avenir.

Aux sites salafistes en ligne qui déprécient en toutes langues l'Europe comme « terre de mécréance » et appellent leurs fidèles de Londres ou Paris à subordonner l'acceptation de ses lois à la supériorité de la *chari'a*, la loi islamique, s'opposent, à l'autre bout du spectre, les jeunes issus de l'immigration des pays musulmans lorsqu'ils participent de plain-pied à la société démocratique du Vieux Continent, ont accès à son éducation libérale, et deviennent acteurs de sa prospérité. Ils peuvent aussi représenter, par l'exemple qu'ils donnent à leurs coreligionnaires à travers le monde, la sortie de l'impasse dans laquelle sont bloquées les sociétés de leurs pays d'origine, prises entre l'autoritarisme et la corruption des élites d'un côté, et les diverses variations d'un islamisme, de l'autre, dont le *jihad* armé est l'expression paroxystique. Mais cela suppose que les sociétés européennes mènent à bien le processus d'intégration de populations encore trop souvent handicapées par leur appartenance aux couches déshéritées, accompagnent de manière volontaire leur ascension sociale.

Le défi suppose de surmonter des égoïsmes tenaces, mais il se doit d'être relevé, car il conditionne l'avenir d'un islam aujourd'hui mêlé intimement à l'Occident — et donc de l'Occident lui-même. Face au terrorisme et aux impasses de la « guerre contre la terreur », plus qu'à New York et Washington, à Gaza, Riyad ou Bagdad, c'est dans les banlieues européennes que se joue la bataille de longue haleine par où s'achèvera la guerre au cœur de l'islam.

PROLOGUE

La faillite de la paix d'Oslo

Le 28 septembre 2000, au crépuscule du XXe siècle, le processus de paix israélo-arabe, dont on avait cru, une décennie durant, qu'il insufflerait une vie nouvelle au Moyen-Orient, entre soudain en agonie. En effectuant à Jérusalem une « promenade » jugée provocatrice sur le mont du Temple des juifs, qui est aussi l'esplanade des Mosquées des musulmans, Ariel Sharon, alors candidat à la candidature du Likoud pour le poste de Premier ministre d'Israël, sape ostensiblement la logique de paix telle que l'ont établie les négociations issues des accords d'Oslo. Yasser Arafat, président de l'Autorité palestinienne, l'ébranle à son tour le lendemain : des manifestations de protestation palestiniennes sont réprimées dans le sang le 29 septembre et le raïs déclenche à cette occasion l'« Intifada d'Al Aqsa ». Elle est ainsi nommée en référence au premier soulèvement palestinien de 1987 et à la principale mosquée située sur cette esplanade. Sharon comme Arafat se lancent alors dans une surenchère de violence.

Chacun est soumis, dans son propre camp, à une pression extrême. Une part croissante de la population israélienne comme palestinienne tient — pour des raisons opposées — les négociations de paix pour un marché de dupes. À Jérusalem comme à Ramallah, on est tenté de recourir au rapport de forces et à la violence pour rétablir en sa faveur la situation, on veut en finir avec les arguties diplomatiques. Le moment paraît opportunément choisi : la fin prochaine du mandat de Bill Clinton, très impliqué personnellement dans la mise en œuvre du processus de paix, changera la donne. Son successeur à la Maison-Blanche ne saura fournir aux deux parties des garanties politiques comparables — et Israël comme l'Autorité palestinienne peuvent espérer mettre à profit la transition à Washington pour se présenter devant le nouveau président avec une meilleure main, après avoir affaibli l'adversaire. Mais dans ce poker menteur entre deux septuagénaires prêts à en découdre pour vider une querelle ancienne au prix de milliers de morts palestiniennes comme israéliennes, les adversaires n'ont pas exactement le même jeu. Arafat s'efforce, par la violence, de faire pression pour obtenir des concessions d'Israël et revenir à la table des négociations avec plus d'atouts. Sharon, au contraire, souhaite, en présentant Arafat comme « terroriste » puis en l'éliminant, se débarrasser tout à trac du processus de paix issu des accords d'Oslo, et obtenir un bouleversement des rapports de forces dans l'ensemble du Moyen-Orient qui garantisse pour de bon la sécurité de l'État hébreu. Or l'engrenage qui s'enclenche dès cet instant entraînera dans son irrépressible logique, au-delà même du Moyen-Orient, le monde entier pris en otage par une vague inouïe de terrorisme qui marquera le tournant du siècle et frappera les esprits comme jamais.

Côté palestinien, les récriminations à l'encontre de la « paix d'Oslo » se déclinent en une litanie de plaintes : les implantations de colonies israéliennes se poursuivent, tous les artifices juridiques et les sanctions sont bons pour étrangler l'économie embryonnaire des territoires autonomes, la proclamation de l'État, jamais opportune, est sans cesse retardée, etc. Avec l'un des croîts démographiques les plus élevés du monde la jeunesse palestinienne constitue un gigantesque réservoir de frustrations et de mécontentement. Le phénomène atteint son paroxysme dans les camps de réfugiés qui abritent, sur le territoire de la Palestine autonome, ceux dont les familles paupérisées proviennent d'Israël dans ses frontières de 1948. Au lieu de les apaiser, le processus de paix a radicalisé ces jeunes, car en reconnaissant l'État hébreu, l'OLP leur ôte l'ultime espoir de retour. Leur rage menace Arafat, accusé de trahison. Ce dernier, sans ressources économiques à redistribuer à la population, excepté des subventions provenant surtout de l'Union européenne — qu'une rumeur insistante accuse son entourage de détourner à des fins privées — et des dons raréfiés originaires de la péninsule Arabique, doit offrir un exutoire aux *chebab*, les jeunes de Gaza et de Cisjordanie. Il lui faut éviter que ses adversaires islamistes de Hamas et du Jihad Islamique se fassent les tribuns de l'opposition, rassemblent derrière l'étendard de l'islam la jeunesse pauvre marginalisée des camps et les classes moyennes des villes privées d'accès aux réseaux du pouvoir politique, seules sources réelles d'enrichissement.

Or, l'année 2000 a été marquée par le retrait de l'armée israélienne du Sud-Liban, occupé depuis juin 1978, sur décision du Premier ministre Ehoud Barak au mois de mai. Justifié à Jérusalem par les progrès de la technologie militaire dont dispose Tsahal, qui rendent inutile l'occupation du terrain — cela représente, vu du monde arabe, une véritable retraite, célébrée triomphalement. C'est le premier succès remporté sur le champ de bataille contre un État hébreu qu'on s'imagine en déroute. On l'impute à la guerre de harcèlement menée par le Hezballah libanais, dont les attentats suicides à répétition ont forgé un imparable fer de lance. La preuve semble ainsi administrée que la violence — en recourant à des actes de terreur, présentés par la presse arabe comme autant d'« opérations-martyre » — parvient à contraindre la puissance israélienne à céder. Elle touche à son talon d'Achille : une société peu nombreuse, prospère et développée, une démocratie où la vie de chaque citoyen compte, en face d'un environnement arabo-musulman densément peuplé, pauvre, aux structures politiques obsolètes, où les perspectives d'existence paraissent si lamentables que le sacrifice volontaire de la vie en deviendrait presque un choix rationnel.

En déclenchant l'« Intifada d'Al Aqsa », Arafat table sur plusieurs atouts : la notion même d'intifada évoque la « révolte des pierres », le premier soulèvement de masse palestinien déclenché en décembre 1987, qui a terni la réputation de l'État d'Israël et entaché son image sur les écrans de télévision du monde. Le cliché récurrent d'un char de Tsahal bravé par un enfant pierre à la main dénatura brusquement les descendants de la Shoah, les métamorphosant en oppresseurs au visage pâle d'un peuple du tiers-monde démuni. Devant les téléspectateurs les Palestiniens s'emparèrent pour de bon des symboles et du langage de la victimisation, les retournèrent contre les juifs, et se mirent à en toucher les bénéfices politiques.

La seconde Intifada a d'abord pour objectif de rendre son lustre à cette rhétorique, après plus d'une décennie où l'image d'une Autorité palestinienne brouillée par des négociations byzantines où elle s'englue, écornée par des soupçons de corruption, a vu son vernis s'écailler. L'opération ne réussira qu'imparfaitement. En référant ce « soulèvement » à Al Aqsa, la mosquée élevée à l'endroit d'où, selon la tradition musulmane, le prophète Mohammed aurait effectué son « ascension » (*mi'raj*), et qui passe pour le troisième lieu saint de l'islam après La Mecque et Médine, Arafat s'efforce de détourner à son profit le discours islamiste, qui fait de la Palestine un enjeu religieux et de sa libération l'objet d'un *jihad* universel. Le président de l'Autorité palestinienne, en se présentant comme le défenseur par excellence d'une cause islamique par-delà sa dimension nationale, s'emploie à couper l'herbe sous le pied de ses adversaires de Hamas et du Jihad Islamique.

C'est le Tanzim (l'*organisation* du parti originel d'Arafat, le Fatah) qui prend en charge les opérations. Contrairement à l'Intifada de 1987, il ne s'agit plus d'une révolte spontanée venue d'en bas et canalisée ensuite par des forces politiques concurrentes, OLP et islamistes, mais d'une opération organisée d'en haut. Sur le plan intérieur, le but de la mobilisation consiste à attiser la révolte des jeunes paupérisés des camps en l'orientant exclusivement contre Israël. Arafat espère ainsi détourner leur animosité de l'Autorité palestinienne vilipendée pour son incurie, et éviter que les mouvements islamistes oppositionnels ne la captent. Sur le plan extérieur, le soulèvement vise à faire pression sur Israël pour le contraindre à des concessions afin que le raïs palestinien retrouve aux yeux de sa population le lustre perdu à mesure que les négociations s'enlisent, la vie quotidienne se dégrade, et les perspectives politiques du processus d'Oslo s'évanouissent. Le président de l'Autorité, en rejouant le rôle de chef et d'incarnation de la résistance qu'il personnifia le plus clair de sa vie et en ravivant le charisme du combattant nationaliste d'antan, tente de compenser l'usure du pouvoir. Dans un premier temps, les actions violentes sont circonscrites, visant des cibles militaires ou des implantations de colons — afin qu'une pression graduée s'exerce sur la société israélienne, dans l'espoir que le camp de la paix en vienne à sacrifier les colonies en échange de la sécurité des citoyens juifs d'Israël dans ses frontières de 1948. Jusqu'au printemps 2001, les islamistes ne parviendront à participer au soulèvement qu'à la marge. Les actions trop aisément identifiables à du terrorisme aveugle seront évitées dans la mesure du possible par les responsables du Tanzim, pour ne point encourir l'opprobre international et perdre le soutien des « démocrates sincères » à travers le monde.

Pareille stratégie s'avérera une faute politique majeure pour Arafat. En effet, la dynamique militaire de la seconde Intifada a pris pour modèle le harcèlement par le Hezballah de Tsahal et de ses affidés locaux au Liban. Convaincu de l'affaiblissement de l'État hébreu, le vieux raïs palestinien refuse les offres de renégociation que lui fait Ehoud Barak à Camp David à l'automne 2000, sous les auspices d'un Bill Clinton en fin de mandat, et fait monter les enchères en réclamant le « droit au retour » de tous les Palestiniens sur le territoire d'Israël dans ses frontières de 1948. Cette revendication, destinée à galvaniser la jeunesse désespérée des camps de réfugiés de Cisjordanie, de Gaza voire des pays arabes environnants, est perçue par l'ensemble des Israéliens, *peaceniks* inclus, comme une dénégation pure et simple de la pérennité de l'État hébreu. De plus, le Sud-Liban n'était pas considéré, vu de Tel-Aviv ou de Jérusalem, comme partie intégrante du territoire israélien. Il n'a représenté qu'une zone tampon, occupée temporairement pour des raisons de sécurité, autant que de besoin. En revanche, la seconde Intifada, associée au slogan du « droit au retour » des Palestiniens en Israël, touche à un enjeu considéré comme non négociable : le « droit au retour » des juifs, base de la doctrine sioniste. Elle coupera la cause palestinienne de l'essentiel de ses amitiés israéliennes — voire de la gauche libérale juive dans le monde. Ariel Sharon saura utiliser à son profit ce désarroi du judaïsme libéral qui perd soudain toute confiance en Arafat.

Premier ministre au lendemain des élections anticipées de février 2001, Sharon doit son succès au déclenchement de l'Intifada d'Al Aqsa face à Ehoud Barak désemparé par le double jeu d'un Arafat simultanément partenaire et adversaire. De même, Benjamin Netanyahou, après l'assassinat d'Yitzhak Rabin, avait dû sa victoire électorale face à Shimon Peres en 1996 aux attentats sanglants perpétrés alors par le Hamas contre des cibles civiles israéliennes. Dans les deux cas, le triomphe du Likoud et de ses faucons a été favorisé délibérément par une organisation palestinienne, islamiste ou nationaliste, jouant la politique du pire. Élu sur le thème de la sécurité d'Israël, Sharon a désormais un mandat populaire pour liquider Arafat. Il s'engage dans une spirale ascendante de mesures de rétorsion et de violences calculées destinées à briser l'Autorité palestinienne et à faire capituler son président — manifestant ainsi aux yeux du monde qu'il serait vain d'exciper du retrait de Tsahal du Sud libanais en mai 2000 quelque signe de faiblesse.

Dans le même temps, le « parrain » américain du processus de paix retrouve le geste ancestral de Ponce Pilate, autrefois garant de la *pax romana* en Palestine. Le président George W. Bush, qui prend ses fonctions en janvier 2001, un mois avant Ariel Sharon, fait savoir qu'il ne désire pas s'impliquer, se lavant ainsi les mains de la seconde Intifada et de ses conséquences. Ce faisant, il dit tirer les leçons de l'échec de son prédécesseur, jugé coupable d'avoir dégradé la dignité de la présidence des États-Unis en négociant personnellement avec un personnage aussi peu convenable qu'Arafat, auquel l'équipe Bush dénie d'emblée le statut d'homme d'État. Le monde arabe ne mesure pas alors de quelle influence jouit, dans les coulisses de la Maison-Blanche, le courant « néoconservateur », selon lequel le processus de paix issu des accords d'Oslo est un piège pour la sécurité d'Israël. Les sympathies de ce groupe d'intellectuels, de politiciens et d'hommes d'influence vont au Likoud, qui se sait encouragé par le nouveau pouvoir américain dans une ligne dure et sans concessions. Dès 1996, un groupe d'universitaires appartenant à cette mouvance, à l'occasion de la rédaction d'un mémorandum destiné à Benjamin Netanyahou, alors candidat du Likoud au poste de Premier ministre, avait estimé caduque la dynamique issue d'Oslo; pour eux, un règlement durable au Moyen-Orient était conditionné par le traitement préalable de la question irakienne, l'élimination du régime de Saddam Hussein et son remplacement par une démocratie parlementaire pro-occidentale — seul moyen de briser les reins au refus arabe d'Israël. Ce document passa inaperçu du grand public à l'époque de sa rédaction, mais il aide à comprendre rétrospectivement pourquoi Ariel Sharon s'est engagé dans la répression de la seconde Intifada avec un tout autre objectif qu'Arafat, et se sait assuré de la compréhension de cercles influents du nouveau pouvoir américain.

Pourtant, les Américains d'origine arabe ont voté en masse pour George W. Bush, issu d'une dynastie de pétroliers texans — traditionnellement sensibles aux intérêts arabes — et contre son adversaire Al Gore, candidat d'un

Parti démocrate soutenu par la majorité des organisations juives américaines et dont le candidat à la vice-présidence, Joe Lieberman, est un juif pieux et assez conservateur. Dans le monde arabe, l'élection du « fils Bush » est considérée d'excellent augure : son père a fait pression sur Yitzhak Shamir en 1991 pour qu'il aille rencontrer des dirigeants palestiniens au sommet de Madrid. Sa défaite en 1992 face à Bill Clinton est attribuée à un « vote sanction » de l'électorat juif américain, qui l'aurait puni pour avoir forcé la main à Israël. Son fils aura à cœur de venger la famille et de renouer avec la politique paternelle, s'imagine-t-on dans les capitales arabes. En avril 2001 encore, Yasser Arafat et son entourage, recevant l'auteur à Ramallah, se disaient confiants dans le destin « gaullien » de Sharon, désireux selon eux de ne pas entrer dans l'histoire comme le « boucher » des camps palestiniens de Sabra et Chatila, mais comme le négociateur d'une paix durable avec l'État palestinien à laquelle le pousserait inéluctablement l'exécutif américain, parrain d'un « processus de paix » vital pour les intérêts des États-Unis au Moyen-Orient.

Le raïs palestinien calcule en effet, à travers les opérations violentes menées par le Tanzim du Fatah, que son adversaire israélien devra revenir à la table des négociations en ayant pris la mesure de la détermination palestinienne. Il fera les concessions nécessaires à la sauvegarde du processus de paix, procédant notamment au sacrifice des colonies de peuplement qui mitent le territoire de la Palestine autonome, et ne bénéficient d'aucune sympathie internationale.

Or, Sharon n'a aucune intention de revenir négocier. La spirale de la violence, mise en route par l'Intifada, et de sa répression lui est bénéfique en politique intérieure, car elle ruine la crédibilité de ses adversaires travaillistes liés au « camp de la paix », et garantit, quelles que soient les vicissitudes sanglantes du terrorisme, une adhésion de la majorité de l'électorat israélien aux méthodes musclées et à la ligne dure qu'il incarne. De plus, elle détruit la réputation d'Arafat. Aux États-Unis tout d'abord, l'homme de paix que le président Clinton avait reçu plus souvent que tout autre dirigeant étranger apparaît désormais, après avoir relancé la violence, comme un factieux dénué de fiabilité. Il perd la plupart de ses appuis à Washington et à New York. Non seulement la Maison-Blanche de George W. Bush, gagnée aux thèses des adversaires d'Oslo, lui demeure fermée, mais les relais d'influence patiemment construits par les Palestiniens depuis des lustres dans les milieux libéraux de la communauté juive américaine se retrouvent trahis, désemparés et amers lorsque leurs partenaires palestiniens relancent la violence.

Plus grave encore, sur le terrain, Arafat ne parvient pas à garder longtemps la seconde Intifada sous le contrôle du Tanzim : les structures en sont graduellement cassées par l'armée israélienne, les responsables arrêtés ou tués, et le passage à la violence se transmue en boîte de Pandore. Nul Palestinien ne parvient plus à la refermer — d'autant que les bénéfices politiques escomptés du soulèvement se font attendre, que la répression durcit les antagonismes. La radicalisation qui s'ensuit déborde l'appareil du Fatah et permet le retour en scène des groupes islamistes. Hamas comme le Jihad Islamique parviennent, dès le printemps 2001, à réaliser des attentats suicides spectaculaires et meurtriers, visant les autobus, les marchés et cherchant délibérément à tuer un maximum de civils, de femmes, d'enfants. C'est là une rupture avec la logique de la violence graduée voulue originellement par Arafat, qui sanctionne l'échec de celle-ci.

Très vite, les attentats suicides bénéficient du soutien de nombreux prédicateurs à travers le monde musulman, même parmi les islamistes « modérés » à l'instar du cheikh Qardhawi, vedette de l'émission religieuse de la chaîne de télévision par satellite Al Jazeera, qui justifie le meurtre des civils israéliens au prétexte que ces derniers sont tous, hommes comme femmes, des réservistes de l'armée, et donc les cibles militaires légitimes d'un *jihad* visant la reconquête d'une terre musulmane usurpée par des impies. Soudain dotés d'une légitimité renouvelée par les médias arabes transnationaux et les mosquées, Hamas et le Jihad Islamique se trouvent renforcés face à Arafat. Ils paraissent rejouer ce qui a si bien réussi au Hezballah libanais quelques années auparavant : incarner la résistance à Israël. Ils espèrent ainsi dépasser leur base de soutien strictement islamiste pour aspirer derrière eux la mouvance nationaliste désemparée par les impasses de la stratégie d'affrontements contrôlés d'Arafat, qui s'avère sans prise sur l'obstination d'Ariel Sharon. Contrairement au raïs, ils n'ont pas pour objectif de faire pression sur Israël afin d'obtenir de meilleures conditions de négociation. Leur but premier consiste à renverser en leur faveur et au détriment de l'Autorité, à l'intérieur du camp palestinien, le rapport de forces. À cette fin, ils mobilisent contre Israël, par la surenchère à la violence, la jeunesse pauvre des camps et les étudiants radicalisés qu'ils embrigadent. Et aux yeux d'une large part de l'opinion arabe, leur stratégie de terreur semble mieux adaptée que celle d'Arafat face à la politique jusqu'au-boutiste du Likoud. Le temps n'est plus à la négociation.

De fait, la montée en puissance des activistes terroristes de l'islamisme radical, dont les attentats éclipsent à partir de l'été 2001 les opérations armées du Tanzim — bientôt évacué des médias —, met à mal la représentativité d'Arafat. Celui-ci est tenu en outre par le gouvernement israélien pour responsable de tout acte de violence (y compris les attentats suicides) en sa qualité de président de l'Autorité et d'initiateur de la seconde Intifada. À la veille du 11 septembre 2001, la violence en Israël et en Palestine a porté au paroxysme le conflit du Moyen-Orient, alors que tous les efforts de la Maison-Blanche au long de la décennie écoulée avaient visé, grâce au processus de paix, à désamorcer la tension. Surtout, le monde arabe et, plus largement, le monde musulman d'Asie, d'Afrique voire des banlieues européennes, sont galvanisés dans la solidarité avec la cause palestinienne et la détestation de la politique d'Israël. Dans bien des cas, ce dernier sentiment basculera sans nuances dans une judéophobie nourrie des images transmises par les télévisions satellitaires arabes. Al Jazeera et ses consœurs racontent quotidiennement les récits d'une guerre où les « opérations-martyre » sont autant d'actes héroïques, où les téléspectateurs s'identifient avec les victimes de l'armée israélienne dont ils voient les funérailles. Ils se perçoivent à leur tour comme les victimes d'une humiliation généralisée qu'infligeraient aux masses musulmanes, par-delà le seul État hébreu, les États-Unis complices, voire l'Occident indifférent. À l'inverse des années Clinton, il se répand la conviction que George W. Bush ne joue plus le rôle de l'« honnête garant » entre les parties, mais a basculé avec armes et bagages du côté de Sharon.

À cette amertume s'ajoute le constat de l'impuissance des armées arabes, jamais révélée sous un jour plus cru. Le rapport de forces avec Israël leur est tellement défavorable que les protestations du Caire ou de Damas, les déclarations de la Ligue arabe ou d'autres instances comparables sont qualifiées par l'opinion arabe de *kalam fadi,* de « mots vides », de paroles verbales sans aucun effet sur la réalité. Les États sont discrédités comme acteurs politiques, distancés par les activistes. L'avancée technologique d'Israël — qui a accès aux armes américaines les plus performantes — se manifeste de façon récurrente par les « assassinats ciblés » de responsables politico-militaires palestiniens, issus pour la plupart des groupes islamistes à qui sont imputés les carnages des attentats suicides, et qu'un hélicoptère invisible anéantit dans leur voiture ou leur bureau grâce à un infaillible missile guidé par un marqueur laser. Les protestations de solidarité avec les Palestiniens dans le monde arabe s'en tiennent à des manifestations impuissantes, vite contenues ou réprimées par les régimes en place dès qu'elles risquent de tourner à la mise en cause de la passivité de ceux-ci.

Les militaires au pouvoir dans la plupart de ces pays justifiaient traditionnellement leur autoritarisme, le refus de la démocratisation et du pluralisme politique au nom du

« danger sioniste ». L'armée défendait les frontières, était garante de l'intégrité territoriale face à l'État hébreu, traquait les complots de tous ordres à lui attribués, excipant en contrepartie de sa prétention au pouvoir absolu. Or en 2001 chacun sait que, depuis la disparition du fournisseur soviétique en 1992, aucune armée arabe n'est plus capable d'assurer la parité militaire avec Israël, voire de répliquer à une attaque ou même à un coup de semonce en forme de tir de missile. Cela met à mal la légitimité politique des régimes issus du corps des officiers, et le déséquilibre des forces conventionnelles arabes avec celles de l'armée israélienne amène l'opinion, notamment la jeunesse, à chercher d'autres modes de résistance. Dirigés d'abord contre Israël, ils se veulent aussi une marque de défiance, une sanction contre l'impuissance des États arabes et de leurs institutions en général.

Face à l'insurmontable suprématie technologique de l'État hébreu, le terrorisme, sous la forme spécifique de l'attentat suicide, commence à passer, à l'été 2001, pour la réponse idoine, le seul mode de rétorsion valable, aux yeux d'une partie croissante de la jeunesse et de groupes politiques du monde arabo-musulman, qui débordent les cercles restreints des militants islamistes radicaux. L'« opération-martyre », comme la qualifient ses zélateurs, semble imparable, et assure, à sa manière, une sorte d'« équilibre de la terreur » face aux invincibles « armes intelligentes ». Mais une condamnation morale sans appel s'attache dans le monde au terrorisme, et exclut la force politique qui s'en réclamerait du concert des « nations civilisées », la ravalant dans l'enfer des « États voyous ». Aucun État, aucune institution reconnue ne peut se permettre d'en assumer la responsabilité explicitement. Il reviendra à d'autres acteurs masqués, auxquels Ben Laden et Al Qa'ida serviront d'icône, de se faire le vecteur par excellence des attentats suicides, de leur donner une répercussion planétaire. Ils tenteront, en prolongeant le geste de l'« opération-martyre » jusqu'à frapper New York et Washington, sous les yeux des téléspectateurs du monde entier, de se faire les tribuns cathodiques de la mouvance islamiste radicale d'où sont issus les activistes de la terreur, de pousser la jeunesse à s'y identifier, à travers une fuite en avant où la violence appelle davantage de violence. En dépit des gains politiques à brève échéance que celle-ci paraît apporter, elle s'avérera plus dévastatrice, sur le moyen terme, pour les sociétés du monde musulman qui n'ont pas su s'en prémunir et s'en trouveront gangrenées durablement que pour Israël et les sociétés occidentales, cibles de prédilection, qui parvien· dront à en contenir les effets.

Pour comprendre comment l'« option terroriste », en particulier la forme spécifique de l'attentat suicide, est devenue l'expression des rapports de forces politiques au Moyen-Orient à l'été 2001, il est nécessaire de remettre en perspective le pourrissement du processus de paix, de réta- blir les ambiguïtés qui ont présidé à sa mise en œuvre, et dont les concepteurs espérèrent — en vain — qu'elles seraient emportées par une dynamique positive. Au début de la décennie 1990, le bouleversement des lignes de force des relations internationales s'enchevêtrait avec les enjeux propres au Moyen-Orient en un lacis complexe, dénouant certains blocages de la donne régionale mais butant sur des nœuds qui entravaient le changement ouvert ailleurs dans le monde par la chute du système communiste, et la floraison sur ses ruines d'États démocratiques. L'effondrement du bloc soviétique altéra les équilibres régionaux en privant les clients traditionnels de l'URSS de leurs appuis diploma- tiques et de leurs approvisionnements militaires. Or ces clients, au premier chef l'OLP et la Syrie, s'inscrivaient au rang des ennemis structurels d'Israël, qui les percevait comme une menace directe sur le champ de bataille. Pour l'État hébreu, l'étau externe se desserra soudain, compen- sant la pression intérieure exceptionnelle que constituait, depuis décembre 1987, la première Intifada. Celle-ci lui avait infligé des dommages inouïs en ternissant sa légitimité morale aux yeux d'une jeune génération de téléspectateurs

du monde pour laquelle la Shoah et le nazisme appartenaient à l'histoire plutôt qu'à la mémoire, à l'ère surannée
des documentaires en noir et blanc diffusés tard le soir et
non au temps immédiat des actualités quotidiennes en couleurs du journal de vingt heures.

La violence et sa répression grevèrent l'économie
d'Israël, mobilisant ses citoyens réservistes dans des tâches
de police qui répugnaient à la plupart. Du côté palestinien,
le bilan du premier soulèvement, par-delà sa dimension
massive et le succès de son affichage médiatique et moral,
s'avéra mitigé : la société sortit ruinée par des années de
grèves, de démission des employés des administrations
israéliennes et de sanctions économiques. Le champ politique, autrefois sous le contrôle quasi exclusif de l'OLP
d'Arafat, vit la mouvance islamiste emmenée par Hamas
(créé en décembre 1987 dans la foulée des premiers accrochages) conquérir des positions de force dans l'organisation
quotidienne de l'Intifada, emporter diverses instances élues
dans les universités ou les chambres de commerce — ce qui
divisa les rangs palestiniens, que la crise terminale de
l'URSS privait d'un soutien essentiel. À titre de compen-
sation, s'accrut la dépendance palestinienne envers les
appuis financiers provenant des pétromonarchies arabes,
où régnait un islamisme conservateur, enclin à favoriser
Hamas, doctrinalement plus familier que les nationalistes
de l'OLP.

Plus de deux années après le début de l'Intifada, alors
qu'Israéliens et Palestiniens s'épuisaient dans une guerre
d'usure à l'issue confuse, l'invasion du Koweït par Saddam
Hussein le 2 août 1990, puis sa défaite face à la coalition
internationale dirigée par les États-Unis au printemps suivant, déclenchèrent un séisme qui ébranla l'ensemble de la
région. Cela permit paradoxalement de bouleverser les
positions figées et sortit, pendant la dernière décennie du
siècle, le Moyen-Orient de la stagnation.

Arafat et l'OLP applaudirent à l'invasion, qui leur
paraissait, comme à de nombreux Arabes, la promesse de

revivre le rêve brisé de l'Unité arabe. Cela devait représenter en outre pour la cause palestinienne un renfort financier
et politique majeur — si l'Irak conservait durablement sous
son emprise les gisements d'hydrocarbures koweïtiens raz-
ziés par le « nouveau Saladin » de Bagdad, qui multipliait
les appels à « libérer Jérusalem » afin de parfaire la légitimité de son coup de force contre l'ex-État frère koweïtien.
L'importante et prospère communauté palestinienne du
Koweït, généreuse contributrice à l'OLP, collabora dans
l'enthousiasme avec les soldats irakiens. Les quelques missiles Scud lancés sur Tel-Aviv par l'armée de Saddam firent
accroire aux secteurs les plus émotifs de la population des
territoires palestiniens que la victoire était proche — tandis
que les Israéliens couraient aux abris.

L'irruption du facteur irakien dans le conflit en Terre
sainte n'eut pourtant pas les effets escomptés par Arafat : la
déroute de Saddam se traduisit par l'expulsion des Palestiniens du Koweït libéré, et par l'ostracisme envers l'OLP
dans les pétromonarchies remises de la terreur que leur
avait infligée Saddam Hussein. Les budgets de l'organisation atteignirent alors leur étiage historique — tandis que
Hamas comme le Jihad Islamique, plus prudents dans
l'expression de leurs sympathies au cours de l'opération
Tempête du désert, ne souffraient d'aucune rétorsion financière. Enfin, la victoire militaire sans appel de la coalition
dirigée par les États-Unis transforma la donne en Israël et
Palestine d'une manière inattendue. En effet, le président
Bush père parvint à imposer aux dirigeants d'Israël une
concession politique majeure qui devait les amener à négocier avec des représentants palestiniens. Pour cela, il mit à
profit la paralysie militaire de l'État hébreu — auquel
Washington avait interdit de répliquer aux Scud irakiens
pour éviter que les armées arabes membres de la coalition internationale contre Saddam Hussein ne quittassent
celle-ci sous la pression d'une « rue arabe » surchauffée en
cas d'attaque de l'Irak par l'« entité sioniste ». La Maison-
Blanche tira également parti de l'essoufflement d'une

société israélienne traumatisée par la gestion sécuritaire difficile de l'Intifada, et qui était mûre pour une issue négociée à l'inextricable engrenage de la violence. Quant à l'OLP — éprouvée par son appui désastreux à Saddam, privée du soutien d'une Union soviétique défaillante, trop impécunieuse pour subventionner indéfiniment un soulèvement palestinien qui avait plongé dans la misère les habitants des territoires, une grève insurrectionnelle après l'autre —, elle était talonnée par la concurrence de Hamas, dont les associations caritatives riches en pétrodollars maillaient graduellement le tissu social à Gaza et en Cisjordanie. Arafat ne pouvait plus opposer d'alternative à la paix américaine.

Les États-Unis contraignirent Israël et la Palestine d'envoyer des représentants à la conférence de Madrid de décembre 1991. Cette première rencontre entre négociateurs des deux camps, où Moscou, définitivement affaibli, jouait les utilités, enclencha un processus sur lequel il ne semblerait plus possible de revenir, tout au long de la dernière décennie du xxe siècle. Elle fut suivie deux ans plus tard, à l'initiative de Rabin et d'Arafat, et sous les auspices de Bill Clinton, par la paix israélo-palestinienne, négociée en secret par les « accords d'Oslo » et consacrée par la signature d'une « déclaration de principes » à Washington le 13 septembre 1993.

Interpréter la mise en œuvre et les ressorts de cette « paix américaine » des années 1990 est le préalable indispensable à l'analyse de sa faillite ultérieure. Celle-ci déclenchera à son tour l'engrenage menant au terrorisme planétaire du 11 septembre 2001 puis à la « guerre contre la terreur » consécutive. Pour comprendre la séquence de ces événements, par-delà leur survenue au gré d'une actualité disparate, il faut restituer les raisons qui ont poussé la superpuissance américaine à s'engager à corps perdu au Moyen-Orient, tandis que l'effacement soviétique la transmuait en « hyperpuissance » désormais unique.

La politique américaine dans la région a pris sa dimension présente dans les lendemains immédiats de la Seconde

Guerre mondiale. Autrefois acteur secondaire d'une zone sous domination coloniale dans la première moitié du xxᵉ siècle, les États-Unis, à la suite de l'affaiblissement de la France et du Royaume-Uni durant la guerre de 1939-1945, et face à la menace de l'expansion soviétique vers les mers chaudes, sont devenus le protagoniste principal dans les lendemains immédiats de la conférence de Yalta. Le 14 février 1945 en effet, le président Franklin D. Roosevelt, au sortir de la station balnéaire de Crimée où il s'était entretenu avec Churchill et Staline, se rendit sur le canal de Suez, où il rencontra, à bord du croiseur *Quincy* de l'US Navy, le roi d'Arabie saoudite Abd al-Aziz Ibn Saoud. En échange de la livraison du pétrole saoudien au cartel de compagnies américaines Aramco, les États-Unis s'engageaient à protéger le royaume sur la durée. L'opération Bouclier du désert, en dépêchant les troupes américaines sur la frontière saoudienne, face aux soldats de Saddam Hussein qui avaient envahi le Koweït le 2 août 1990, devait manifester, près d'un demi-siècle plus tard, la pérennité de cet engagement.

Après le 14 février 1945, l'emprise des États-Unis s'est substituée au quasi-protectorat britannique, si prégnant jusqu'alors que certains surnommaient l'Arabie saoudite « *Made in England* ». Le nouveau mode d'influence se voulait indirect — se concentrant sur l'exploitation des champs d'hydrocarbures exceptionnels de la région orientale du royaume, où s'établit une « colonie américaine ». Par l'acte inaugural du *Quincy*, les États-Unis mirent le pied dans une région qui prendrait une place primordiale sur la liste des priorités mondiales de leur politique étrangère. Le Moyen-Orient recelait, et recèle toujours, en quantités inégalées ailleurs et au coût d'extraction le plus bas du monde le carburant, pour ainsi dire, de toute-puissance sur la scène internationale. Les États coloniaux européens furent dégagés en touche d'un jeu auquel leurs compagnies pétrolières ne pourraient plus participer que derrière les *majors* américaines, tandis que les États-Unis prenaient précaution contre les velléités d'expansion soviétique vers les champs d'hydrocarbures. On anticipa à Washington comme à Moscou que le contrôle du pétrole serait l'une des clefs du développement du complexe militaro-industriel, qui assurerait la victoire finale de l'un des deux blocs.

L'entrée en force des États-Unis au Moyen-Orient s'effectua d'abord et principalement par le biais du facteur énergétique. Celui-ci ne fut relativisé qu'avec la guerre des Six Jours entre Israël et les États arabes en juin 1967. Au fil des années de la guerre froide, Washington veillait surtout à prévenir, contenir — ou réprimer si nécessaire — les menées philo-soviétiques de divers mouvements et partis communistes, socialistes ou « progressistes ». S'ils conquéraient le pouvoir et signaient dans la foulée des traités d'alliance et d'amitié avec Moscou, ils menaceraient les approvisionnements pétroliers de l'Occident. La question israélienne ne constituait pas encore, dans les deux décennies postérieures à la fin de la Seconde Guerre mondiale, ce prisme qui focaliserait par la suite de manière croissante le regard américain sur le Moyen-Orient. Ainsi, lors de l'expédition tripartite de Suez en 1956, les États-Unis n'hésitèrent pas à exercer une pression déterminante sur Paris et Londres — dont Washington voulait hâter la déprise régionale en encourageant la décolonisation — ainsi que sur Tel-Aviv pour retirer leurs trois armées de l'Égypte envahie à la suite de l'annonce de la nationalisation du canal de Suez par Nasser.

La vision américaine a changé à partir de la victoire israélienne sur ses voisins arabes dans la guerre de juin 1967, de l'occupation des territoires palestiniens, du Sinaï et d'une partie du Golan, et de la volte-face du général de Gaulle, alors que la France était jusque-là le principal allié d'Israël. Dans sa conférence de presse fameuse du 27 novembre 1967, de Gaulle déclara : « Israël, ayant attaqué, s'est emparé en six jours de combat des objectifs qu'il voulait atteindre. Maintenant il organise, sur les territoires qu'il a pris, l'occupation qui ne peut aller sans oppression, répression, expulsions, et il s'y manifeste contre lui une résistance qu'à son tour il qualifie de terroriste. » « Il est bien évident, poursuivit le Général, que le conflit n'est que suspendu et qu'il ne peut pas avoir de solution, sauf par la voie internationale. » De ces propos prémonitoires, la France tira les conséquences en prononçant l'embargo sur les livraisons d'armes aux pays du champ de bataille alors que Paris avait fourni à l'État hébreu les avions Mirage qui lui assurèrent la maîtrise du ciel en juin 1967.

À l'opposé, les États-Unis, en prenant le relais de la France comme allié exclusif d'Israël, faisaient de celui-ci un pilier nouveau de leur politique au Moyen-Orient. Par-delà les grands principes, le désamour franco-israélien était un élément constitutif de la nouvelle politique arabe de Paris, destinée à fournir à la vision gaullienne de la grandeur de la France un levier international, une fois l'hypothèque coloniale définitivement levée avec la fin de la guerre d'Algérie. De même la substitution de Washington à Paris comme principal allié et soutien d'Israël était due à une série de facteurs plus significatifs que la soudaine défection française. Au Moyen-Orient, la victoire israélienne fut remportée sur deux clients de l'URSS : l'Égypte et la Syrie (la Jordanie, client britannique, qui perdit en juin 1967 la rive occidentale du Jourdain, se dissocia ensuite de ses deux alliés).

Pour les États-Unis, la guerre des Six Jours s'inscrivit d'abord dans l'antagonisme planétaire entre Occident et bloc soviétique, la dimension régionale israélo-arabe se retrouvant marginalisée par rapport à cette lecture en termes de blocs. Là où de Gaulle insistait sur les enjeux de l'occupation et du terrorisme — qui feraient retour jusqu'au 11 septembre 2001 inclusivement selon des schèmes récurrents —, le président Johnson vit dans le soutien à Israël l'occasion d'un succès bienvenu contre Moscou, qui compenserait opportunément la dégradation de la situation dans la péninsule Indochinoise, où la guerre du Vietnam tournait mal pour les États-Unis. Cet arbitrage global l'emporta, dans l'urgence, sur les équilibres de la politique américaine au Moyen-Orient, qui avaient jusqu'alors accordé la première place au facteur pétrolier ; et les États arabes liés à Washington, à l'instar de l'Arabie saoudite, semblaient trop dépendants de l'appui américain pour pouvoir marquer quelque rétorsion.

À ces raisons de politique étrangère qui situent la transformation de l'engagement américain dans la région en 1967 se sont adjoints des enjeux de politique intérieure. Les États-Unis des mouvements pour les droits civiques des *sixties* ont vu, à côté des acquis des Noirs américains, des avancées significatives pour les juifs jusqu'alors victimes de diverses mesures discriminatoires, notamment à l'Université, qui limitaient leur accès à l'establishment politique. En parallèle, arrivait à l'âge adulte une génération d'enfants d'immigrés ashkénazes démunis : ils avaient connu une mobilité sociale et intellectuelle considérable par rapport à leurs parents, devenaient fonctionnaires, enseignants, travailleurs sociaux, militants de gauche, et se mobilisaient aussi sur des thèmes de politique étrangère. La solidarité avec Israël mêlait identité juive et idéaux socialistes incarnés alors par le Parti travailliste au pouvoir à Tel-Aviv, par l'expérience des kibboutzim, etc. Et la cause israélienne apparaissait à beaucoup d'Américains de toutes origines et de tous bords comme morale : il fallait, à leurs yeux, défendre ce petit pays démocratique et occidental, fondé par les survivants de la Shoah, face aux menaces d'un environnement arabe hostile, perçu comme rétrograde par certains, philo-soviétique par d'autres. Enfin, les organisations juives américaines, encore majoritairement ancrées à gauche de l'échiquier politique en ces années, étaient souvent actives dans la mobilisation contre la guerre au Vietnam. Pour Johnson, le rapprochement avec Israël fut l'occasion de renouer avec celles-ci, de tenter de regagner leur soutien électoral perdu à cause du dossier vietnamien.

Cette irruption de l'enjeu israélien dans la politique américaine au Moyen-Orient dès les lendemains de la guerre des Six Jours de juin 1967 effectua un rééquilibrage au détriment des hydrocarbures depuis l'époque de la rencontre sur le *Quincy* entre Roosevelt et Ibn Saoud en février 1945. C'est une évolution majeure. Aux côtés d'Israël on verra s'engager le Parti démocrate — pour des raisons à la fois idéologiques et confessionnelles propres à la sociologie de son électorat de l'époque. En face, le Parti républicain se montrera dans l'ensemble plus sensible aux sollicitations des *majors* pétrolières, qui disposent d'une puissance financière considérable pour faire avancer leurs intérêts, et sont davantage à l'écoute des partenaires arabes sur le territoire desquels se situent les champs d'hydrocarbures.

Relayé par le jeu changeant des alternances à la Maison-Blanche entre démocrates et républicains, par les influents lobbies du Congrès, le dilemme de la politique américaine au Moyen-Orient consista dès lors à marcher sur deux jambes allant en sens inverse. Cela contraignit Washington au grand écart : il s'agissait de garantir un approvisionnement en hydrocarbures, abondant, régulier et peu onéreux tout en considérant comme non négociable l'impératif de la sécurité de l'État hébreu. Or ce grand écart imposait des acrobaties diplomatiques délicates, d'autant plus risquées tant qu'existait l'Union soviétique ; celle-ci était prête à exploiter toute ouverture qui lui serait offerte par le ressentiment arabe envers l'appui des États-Unis à l'État hébreu. L'URSS de Khrouchtchev avait marqué des points régionaux, dans une zone où le « partage du monde » issu de la conférence de Yalta n'a pas établi, contrairement à l'Europe, de frontière bien marquée entre les deux blocs.

Nasser, fasciné par le modèle américain quand il s'est emparé du pouvoir en 1952, s'est tourné en désespoir de cause vers Moscou après le refus occidental de financer la construction du haut barrage d'Assouan, et il édifie le socialisme en Égypte — ou à tout le moins y sape les bases sociales de toute opposition de la société civile à son pouvoir prétorien en brisant la bourgeoisie urbaine dont les biens sont mis sous séquestre, en étatisant le secteur bancaire, et en imposant à la campagne la réforme agraire. Les régimes baassistes qui s'emparent du pouvoir dans les années 1960 en Syrie puis en Irak mettent en œuvre des programmes de nationalisation des usines, de collectivisation des terres et de destruction des classes moyennes entrepreneuriales ; ils imitent le modèle russe et soudent une alliance politico-militaire avec le Kremlin. Face à ces avancées soviétiques, Washington, porté en politique intérieure par la sympathie croissante de la population américaine pour Israël, accroît après 1967 son soutien à l'État hébreu, tenu en définitive pour le relais militaire le plus fiable (avec l'Iran du chah, qui tombera en 1979) à même de limiter la contagion pro-soviétique dans l'Orient méditerranéen livré à une « guerre froide arabe » aux contours flous. Mais cet appui tend à porter une ombre sur les relations que Washington entretient avec les pétromonarchies arabes du Golfe, contraintes à leur tour de multiplier les professions de foi anti-israéliennes pour masquer, aux yeux de leur propre population et face aux critiques venant des capitales arabes « progressistes » qui exercent alors l'hégémonie idéologique sur la région, la réalité de leur dépendance politique envers les États-Unis.

Le besoin qu'ont ces pétromonarchies pro-américaines d'un discours de légitimation alternatif face aux socialismes arabes nassérien ou baassiste se traduit, dès les années 1960, par la confection de la doctrine islamiste moderne. Prônant un système politique fondé sur les injonctions contenues dans le Coran et les textes sacrés de la tradition musulmane, ce courant fonde une utopie mobilisatrice alternative. Issu des Frères musulmans, nés en Égypte à la fin des années 1920, il fait de l'avènement de l'État islamique l'objectif de son combat politique en affrontant en théorie comme en pratique, avec son slogan « Le Coran est notre Constitution », le nationalisme ou le socialisme. Ces idéologies sont inconnues jusqu'alors dans les sables de l'Arabie. On s'y satisfait d'une croyance rigide bornée par la tradition locale, peu à même d'affronter des défis planétaires, de défendre *urbi et orbi* l'alliance des monarques locaux avec les États-Unis. L'hybridation entre cette dernière croyance — nommée généralement salafisme, par référence aux « pieux ancêtres » (*as salaf as sâlih*) censés incarner la pureté des fondements doctrinaux de l'islam originel — et les Frères musulmans réfugiés des États voisins constituera un mélange détonant.

Ainsi, après la défaite arabe dans la guerre des Six Jours de juin 1967 face à Israël, qui porta un coup décisif à l'emprise de Nasser et des régimes pro-soviétiques sur le sentiment populaire, la politique des États-Unis au Moyen-Orient se trouva graduellement écartelée entre son appui à Israël et son soutien à des pétromonarchies dont l'idéologie légitimante évoluait lentement d'un islam conservateur et américanophile à une prise de distance plus explicite envers l'Occident en général. Celle-ci passa d'abord par l'expression d'une hostilité assez farouche à l'encontre de l'État hébreu, puis de son parrain américain.

La guerre d'octobre 1973 marque, dans l'esprit des masses arabes, un net infléchissement en ce sens, et l'équilibrisme des États-Unis s'en trouve accru. Connue dans la région sous le nom de « guerre du Kippour » ou « du Ramadan », car elle coïncida avec la fête juive et le jeûne musulman, elle débuta par une offensive arabe — ce qui manifeste que les armées égyptienne et syrienne étaient une dernière fois capables de prendre l'initiative militaire face à Tsahal. Cette offensive, qui reposait sur l'effet de surprise dû à la désorganisation israélienne à l'occasion du jour chômé par excellence du calendrier juif, fut rapidement annulée par une contre-offensive de l'État hébreu, grâce, notamment, à des livraisons massives de matériel militaire américain assurées par pont aérien.

Mais la victoire politique appartient au camp arabe : les pays exportateurs de pétrole décident d'appliquer un embargo progressif sur les livraisons d'hydrocarbures aux alliés occidentaux d'Israël, contraint dès lors d'arrêter sa contre-offensive au kilomètre 101, sur la route qui mène de

Suez au Caire. Outre la richesse fabuleuse procurée aux pétromonarchies par l'embargo qui lance la spirale ascendante des prix du brut pendant la décennie suivante, cette guerre, à laquelle les deux adversaires donnent une dénomination religieuse, marque une inflexion importante dans le rééquilibrage entre l'enjeu israélien et l'enjeu arabo-pétrolier pour la politique des États-Unis au Moyen-Orient. Washington a été contraint de mettre tout son poids du côté d'Israël, afin d'assurer la victoire militaire de son allié pris au dépourvu par l'offensive militaire égypto-syrienne. En face, et pour la première fois, les pays arabes producteurs ont fait du pétrole une arme leur permettant de conquérir une autonomie par rapport aux termes de l'échange définis par le pacte du *Quincy* — qui stipulaient que, en contrepartie de la protection apportée par Washington aux oligarchies pétrolières, celles-ci limitaient leurs ambitions financières attachées à la rente et ne tiraient pas avantage des hydrocarbures pour exercer des pressions politiques anti-israéliennes. De ce point de vue, les effets de la guerre d'octobre 1973 paraissent négatifs pour Washington. Mais en réalité ils préparent, à moyen terme, une évolution positive pour les intérêts américains, en mettant en place les soubassements d'une paix israélo-arabe au Moyen-Orient sous les auspices exclusifs des États-Unis, et au détriment de l'Union soviétique et des ses clients.

En effet, l'Égypte de Sadate n'est entrée en guerre que pour pouvoir négocier au mieux sa propre paix avec Israël grâce à un retournement complet d'alliances qui la voit quitter le camp soviétique et devenir un protégé américain. Le raïs est convaincu qu'il ne parviendra à récupérer le Sinaï perdu en 1967 qu'à ce prix, et il offre à Washington, en échange d'une aide économique considérable, dont il espère qu'elle permettra à l'Égypte de redresser une situation sociale rendue précaire par la gabegie du socialisme nassérien et l'explosion démographique, la paix avec Israël. Il ne s'agira pas d'une paix complète, car l'Égypte est isolée des autres pays arabes par sa démarche.

Mais cette « paix séparée » rend inopérante pour l'avenir toute offensive militaire conventionnelle arabe contre l'État hébreu : sans l'Égypte, il n'est pas de guerre possible, et, en ce sens, les accords de Camp David qui scellent en mars 1979 la paix égypto-israélienne paraissent une victoire diplomatique américaine sans appel. Washington a assuré la sécurité d'Israël en achetant son principal adversaire — arraché à l'alliance soviétique —, et espère désamorcer ainsi la tension israélo-arabe, ce qui facilitera la relation américaine privilégiée avec les pays arabes producteurs de pétrole.

Cette architecture repose sur des bases fragiles. Tout d'abord, en éliminant la menace militaire conventionnelle contre Israël, la paix séparée va favoriser un autre type de menace, qui s'y substituera graduellement : la révolte violente des sociétés arabes voisines d'Israël ou soumises à son occupation, au Liban-Sud et en Palestine principalement, qui évoluera, au gré des impasses, des calculs et de la répression, vers le « terrorisme » que prophétisait de Gaulle au lendemain de la guerre des Six Jours. Ce terrorisme trouve un aliment et un soutien lorsque, cette même année 1979 où sont signés les accords de Camp David, se produisent dans l'est du Moyen-Orient deux événements majeurs qui déstabiliseront par ricochet cette région : la révolution islamique qui porte Khomeyni au pouvoir en Iran au cri de « Mort à l'Amérique » en février, et l'invasion de l'Afghanistan par l'Armée rouge en décembre — elle-même suivie du lancement d'un *jihad* antisoviétique financé par les services secrets américains et les pétromonarchies de la péninsule Arabique.

L'Iran, en quittant le giron américain, dans lequel se love désormais l'Égypte, ne se réfugie pas pour autant dans le camp soviétique également exécré par les militants islamistes chiites au pouvoir à Téhéran. La République islamique cherche à se situer ailleurs, au cri de « Ni Ouest, ni Est, Révolution islamique ». Elle mène une politique étrangère révolutionnaire, prend en otage, au mépris d'usages respectés tout au long de la guerre froide, des diplomates accrédités — après l'assaut donné à l'ambassade américaine à Téhéran en novembre 1979. Ses velléités d'expansion, rapidement contrées par la guerre déclenchée par l'Irak de Saddam Hussein, avec la bénédiction des Occidentaux en septembre 1980, utilisent des armes non conventionnelles : le suicide de masse des jeunes sans-culottes chiites, les *bas-sidji*, qui vont se faire sauter sur les champs de mines ira-kiens, le front ceint du bandeau des martyrs orné d'un « *Allah Akbar* » en constitue un exemple. Simultanément, la République islamique ouvre un second front explicitement terroriste dans la région, par la prise d'otages occidentaux au Liban, qu'entreprennent des organisations chiites locales radicales manipulées, accompagnée par les attentats sui-cides au camion piégé contre les soldats américains et fran-çais de la Force multinationale d'interposition à Beyrouth en octobre 1983 et, le mois suivant, à Tyr, contre le QG des forces israéliennes qui ont envahi le sud du pays en 1982.

L'« opération-martyre », euphémisme pour « attentat suicide », est expérimentée avec succès dès le début des années 1980 dans les milieux chiites révolutionnaires inspi-rés par Khomeyni. Elle était, jusqu'à cette date, rarissime, sinon inconnue, dans la culture politique des mouvements sunnites même les plus extrémistes, pour lesquels la recherche délibérée de la mort n'est recommandable qu'en toute dernière instance. Le suicide est tenu pour un péché abominable contre le Créateur qui a donné la vie et doit seul décider de la reprendre à sa créature. La religiosité chiite, où l'exemplarité du martyre — incarné par l'imam Hussein, « prince des martyrs » — joue un rôle cardinal, a en ce domaine un moindre scrupule. Cette tactique inaugu-rée par l'Iran révolutionnaire est exportée au monde arabe par l'intermédiaire des organisations chiites libanaises extrémistes inspirées par la « ligne de l'imam Khomeyni ». Elle viendra opportunément combler le déficit en armes conventionnelles dont pâtit le camp arabe.

Ainsi, après la paix séparée israélo-égyptienne de 1979,

l'État hébreu peut se permettre de mener en 1982, avec l'invasion du Liban intitulée « paix en Galilée », une opération de police destinée à éliminer du pays du cèdre une OLP dont les tirs de roquette menacent les villages israéliens du nord du pays. Cette expédition est marquée, dans la mémoire arabe, par les massacres des camps palestiniens de Sabra et Chatila, dans la banlieue de Beyrouth, qu'accomplissent des milices chrétiennes libanaises sous le regard complaisant de l'armée d'occupation israélienne aux ordres de son ministre de la Défense d'alors, Ariel Sharon. Elle avait pour objectif d'éliminer militairement les bases de l'OLP, ce qui devait consacrer la disparition aux frontières de toute menace après la neutralisation des armées conventionnelles arabes consécutive aux accords de Camp David. Elle parvint à ses fins en boutant l'organisation palestinienne hors du Liban. Mais à celle-ci se substitua un adversaire plus redoutable : la résistance chiite, dont le Hezballah constitue le fer de lance, et dont l'attentat suicide devient la signature — rendant celui-ci légitime aux yeux du monde arabe, toutes sensibilités confondues, dès lors que les artificiers du « parti d'Allah » parviennent à trouver le défaut de la cuirasse israélienne.

Les prémices des « opérations-martyre » apparaissent ainsi, dans l'est puis le centre du Moyen-Orient, dès le début de la décennie 1980, à l'époque où la paix fraîchement signée entre Begin et Sadate sous les auspices du président Carter donne le sentiment fallacieux que les États-Unis ont marqué un point décisif. Ils ont attiré dans leur orbite l'Égypte, le plus important pays de la région par sa démographie et par le rayonnement culturel qui fait encore du Caire pour quelques années la capitale arabe par excellence — avant d'être supplantée dans les années 1990 par les *media cities* du Golfe comme Doubaï ou Qatar, sièges des chaînes de télévision par satellite Al 'Arabiyya et Al Jazeera. La carte maîtresse égyptienne que Washington et Tel-Aviv comptent alors dans leur jeu se révélera de faible valeur lorsqu'il faudra faire chuter les adversaires d'Israël et de l'Amérique à la fin du xxᵉ siècle, dans le nouveau jeu régional où l'atout sera fait de terrorisme et de maîtrise des médias arabes transnationaux, de virtuosité dans l'art d'effectuer des transferts bancaires à travers le monde et de surfer sur Internet entre Tora Bora, Bali et Tampa.

Vue de Washington, la sécurisation d'Israël par le traité de paix de Camp David en 1979 est complétée par les effets vertueux escomptés du *jihad* mené, à partir de 1980, par les militants radicaux islamistes venus des quatre coins du monde aider les moujahidines afghans en lutte contre l'Armée rouge. En effet, la cause palestinienne perd durant cette décennie sa place axiale dans l'imaginaire révolutionnaire au profit de la cause afghane. Celle-ci n'est plus arabe, mais islamiste — et elle a pour objet premier non plus la destruction d'Israël, mais la défaite de l'Armée rouge. Pour l'État hébreu, ce déplacement des tensions vers l'est, loin de son territoire, constitue un répit d'autant mieux venu que divers jihadistes palestiniens (comme Abdallah Azzam, natif de Jénine et héraut des brigades arabes d'Afghanistan) semblent avoir tiré la leçon de l'impossibilité de lutter par les armes contre Israël. En substitution ils partent guerroyer, voire mourir — ce sera le cas d'Azzam — dans un grand combat contre l'URSS subventionné et armé en partie par l'allié stratégique de Tel-Aviv, Washington. Ce dernier voit dans le *jihad* en Afghanistan l'occasion de porter l'estocade à Moscou, tout en affaiblissant l'ennemi de ses alliés pétroliers dans la région du Golfe, l'Iran révolutionnaire khomeyniste.

Téhéran a multiplié les déclarations hostiles aux « laquais des États-Unis » que constituent les pétromonarchies, particulièrement l'Arabie saoudite. Elle est exécrée par les mollahs pour son sunnisme intransigeant qui lui fait tenir les chiites comme des déviants à peine musulmans (*rafidun*) et pour son alignement sur les intérêts économiques et politiques de Washington. Le principal foyer de tensions régional se transfère de la Méditerranée vers le

Golfe, d'Israël vers les champs de pétrole, l'armée de Saddam Hussein et celle de Khomeyni se font face dans une épouvantable guerre de tranchées qui dure huit ans et saigne les forces vives de leurs pays avec plusieurs centaines de milliers de morts et des dévastations massives de l'appareil productif. Cela permet à la politique étrangère américaine de conforter les alliés fournisseurs d'hydrocarbures — dont les cours connaissent leur étiage durant la seconde moitié de la décennie. La victoire en Afghanistan des moujahidines sunnites payés par l'Arabie saoudite et entraînés par les Pakistanais sous supervision de la CIA sonne le glas des espoirs du chiisme révolutionnaire iranien de galvaniser à son exemple le reste de l'Oumma, la communauté des croyants. Incapable de l'emporter militairement sur Saddam Hussein, l'ayatollah Khomeyni doit se résoudre à signer un cessez-le-feu en été 1988, et tente un dernier baroud en lançant une fatwa sur la tête du romancier Salman Rushdie pour son livre *Les versets sataniques* le 14 février 1989 — la veille du retrait de l'armée soviétique de Kaboul, effectivement occulté dans les médias de l'époque par la stupéfiante condamnation à mort de l'écrivain sur décret religieux. Cette ultime tentative iranienne de reprendre la main, par-delà sa dimension spectaculaire et son succès médiatique, n'en change pas pour autant un rapport de forces désormais favorable aux alliés pétroliers locaux des États-Unis — et Khomeyni, en mourant en juin 1989, emporte dans la tombe la volonté iranienne d'exporter la révolution islamiste à travers le monde.

Le retrait soviétique d'Afghanistan, le 15 février 1989, annonciateur de la chute du mur de Berlin en novembre de la même année, prépare l'effacement de l'URSS. La menace que faisait peser celle-ci sur les champs d'hydrocarbures du Golfe s'évanouit par la même occasion. Les États-Unis se sont débarrassés de leur principal adversaire en faisant infliger à l'Armée rouge une défaite décisive par la guérilla des moujahidines afghans et des brigades internationales jihadistes : l'islamisme radical sunnite a ainsi été stipendié au service d'un projet plus vaste, qui parachève la ruine de l'Union soviétique causée par la course aux armements entre les deux blocs. La voie paraît libre pour parfaire la réconciliation entre les deux objectifs de la politique des États-Unis au Moyen-Orient : la sécurité d'Israël et l'accès aux hydrocarbures du Golfe, sans plus craindre l'interférence soviétique. L'appui apporté à cette occasion aux mouvements sunnites radicaux est relativisé par les déclarations des stratèges américains, persuadés que ce phénomène est passager, fragmenté, sous contrôle, et qu'il cessera d'exister dès lors que les États-Unis et leurs alliés arrêteront de l'armer et de le financer.

Toutefois, le passif de la stratégie de *containment* de l'Iran khomeyniste, confiée à Saddam Hussein, se fait sentir dès le début de l'année 1990 : l'Irak ruiné, harcelé par ses créanciers des pétromonarchies arabes, qui ne lui accordent aucun moratoire, alors que les cours du brut sont au plus bas, attaque et conquiert le Koweït le 2 août 1990. En application du gentleman's agreement du *Quincy* en février 1945, l'armée américaine, à la tête d'une large coalition internationale, se déploie sur le territoire saoudien et mène la reconquête du Koweït. L'armée irakienne en est expulsée et battue à plates coutures, mais le régime de Saddam Hussein n'est pas éliminé dans la foulée, alors qu'il chancelle. Curieusement, l'insurrection des chiites irakiens, soumis à une répression politique et culturelle féroce, et qui forment la majorité de la population, est initialement encouragée par les États-Unis, mais ne bénéficie finalement d'aucune aide concrète. Les éléments de la garde républicaine sunnite fidèle à Saddam peuvent ainsi la noyer dans le sang en toute tranquillité. Ce comportement américain n'a guère été compris par nombre d'observateurs, et, en rétrospective, à l'occasion du déclenchement de la guerre du printemps 2003 contre l'Irak par George W. Bush, bien des voix se sont élevées pour demander pourquoi Bush père n'avait pas éliminé le régime de Saddam dès 1991, quand l'occasion s'en présentait à moindres frais. Bush père ayant fait répondre qu'il ne disposait pas de mandat de l'Onu à cette fin, beaucoup ont traité par l'ironie ce qu'ils percevaient comme un sarcasme, Bush fils se passant de tout accord préalable des Nations unies pour déclencher, en 2003, l'invasion de l'Irak.

Loin du sarcasme pourtant, l'invasion de l'Irak en 1991 aurait en effet fragmenté la coalition, exceptionnelle par son ampleur, qui s'était rangée derrière les États-Unis : les dirigeants des pays arabes, en particulier, n'auraient pu supporter que l'un des leurs — à qui ils avaient volontiers rappelé que la conquête d'un État voisin était illicite — fût éliminé par les armes américaines « impérialistes ». Ils auraient connu les pires difficultés à faire entériner pareil interventionnisme par une « rue arabe » réticente dans son ensemble au déclenchement même de l'opération Tempête du désert — à moins que pareille élimination d'un despote par une force étrangère appuyée sur la société civile ne donnât des idées aux représentants des sociétés civiles des autres pays arabes... Dans tous les cas, Le Caire, Damas ou Rabat ne souhaitaient pas que fût outrepassé le mandat donné à la coalition par l'Onu : restaurer la souveraineté du Koweït. Le « lâchage » des chiites irakiens s'inscrit dans cette perspective : les pétromonarchies sunnites de la péninsule Arabique, clientes choyées des États-Unis, appréhendent davantage l'émergence d'un Irak dominé par sa majorité chiite et appuyé sur un Iran également chiite, où la fièvre révolutionnaire est à peine retombée, qu'elles ne redoutent le maintien au pouvoir d'un Saddam sunnite, qui leur a causé tant de frayeur.

Le châtiment infligé au régime irakien consiste à lui imposer un embargo sous contrôle des Nations unies. Avec son corollaire la politique de sanctions, cette mesure punit en premier lieu la population irakienne et non son pouvoir, ravage la société civile en brisant ses ressources propres. Mais peu en chaut aux États membres de la coalition victorieuse : il leur importe d'abord de « geler » l'Irak en le neutralisant par force, le rendant ainsi inoffensif pour ses voisins. Cette solution offre également l'attrait de maintenir au minimum les capacités d'exploitation et d'exportation du pétrole irakien, ce qui réduit l'offre globale dans une période où les cours sont bas — et la part de marché des pétro-monarchies voisines s'en trouve confortée. Mais par-delà ces considérations propres à la géopolitique du Golfe et à ses équilibres internes, la décision de maintenir au pouvoir le régime bridé de Saddam relève d'un choix géostratégique crucial qui est au cœur de la politique américaine dans la région, et qui paraît aboutir enfin à la réconciliation de ses deux objectifs contradictoires : assurer simultanément la sécurité d'Israël et des approvisionnements en hydro-carbures, dans une conjoncture historique où l'effacement de l'URSS semble permettre de réaliser ce rêve dans les conditions optimales.

En se refusant à renverser le tyran de Bagdad et en maintenant intacte l'homogénéité de la coalition victorieuse, au terme d'une guerre éclair dans laquelle la supériorité écrasante des armes américaines et de leur technologie avancée a été démontrée avec éclat, le président George Bush père utilise cette force immense pour faire levier sur le conflit israélo-palestinien. La victoire des armes américaines au Koweït permet de forcer une issue hors de l'impasse militaro-politique née de la première Intifada. Tous deux, empêtrés — tant Arafat, discrédité par son soutien à Saddam et ruiné par le lâchage financier de ses sponsors du Golfe, que Shamir miné par l'effet médiatique désastreux du soulèvement sur l'image d'Israël et par l'interdiction américaine de répliquer aux tirs de Scud irakiens sur Tel-Aviv —, n'ont d'autre choix que d'obtempérer à la *pax americana* qu'impose le président Bush. Triomphant sans appel au terme de l'opération Tempête du désert, celui-ci fait de la conférence de Madrid de décembre 1991 le point d'orgue d'une politique américaine cohérente au Moyen-Orient, qui concilie les contraintes propres à la région. Il n'est pas indifférent qu'elle ait été mise en œuvre par un président républicain dont la fortune privée s'est bâtie dans le pétrole texan, et qui incarne plus que tout autre la sensibilité à ce facteur. Elle comporte en effet un élément de contrainte forte envers Israël.

L'État hébreu a subi un double revers, qui manifeste le découplage entre ses intérêts propres et ceux des États-Unis. En interdisant à M. Shamir de se défendre face aux Scud irakiens, Washington a traité comme quantité négligeable les impératifs immédiats de la sécurité d'Israël. Ensuite, la participation à la conférence de Madrid, qui prépare à la reconnaissance de l'OLP par Israël, est imposée par la présidence américaine aux dirigeants israéliens — privés, là encore, de faire valoir leurs intérêts, voire de déterminer leur politique dans un domaine crucial qui touche à la sûreté. Washington fixe son attitude en fonction de ses intérêts propres, et l'équipe du président Bush père manifeste sans aménité qu'Israël ne jouit d'aucun privilège par rapport aux impératifs de sécurité énergétique et d'économie pétrolière des États-Unis : l'État hébreu ne peut prétendre en la matière qu'à une stricte égalité de traitement, mais ne saurait imposer son *agenda* particulier. Telle est la base de la résolution du conflit israélo-arabe selon les intérêts bien compris de Washington dans l'expression que leur donne la présidence de George H. Bush.

Ce coup de force ne parvient à s'imposer aux parties que dans le cadre d'une conjoncture exceptionnelle résultant de l'effacement soviétique, du triomphe des armes américaines au Koweït libéré, et du consensus dont bénéficie, au niveau des États du Moyen-Orient comme de la communauté internationale, le « nouvel ordre mondial », comme on le nomme, alors sous hégémonie américaine. Mais cette situation exceptionnelle ne saurait masquer l'absence de conviction tant dans une partie des sociétés arabes qu'au sein de composantes importantes de l'establishment israélien, qui se soumettent *nolens volens* aux injonctions de Washington. À l'intérieur, le président Bush *senior* n'a pas pu transformer son succès militaire en apothéose électorale, et doit céder la place à Bill Clinton en janvier 1992. À l'étranger, les États-Unis triomphants au Moyen-Orient sont touchés à leur talon d'Achille, lorsque l'opération militaire *Restore Hope,* déclenchée pour rétablir l'ordre et la sécurité en Somalie dans la foulée de la victoire au Koweït, tourne court. Des militants islamistes harcèlent les troupes américaines de restauration de la paix, et Clinton doit retirer les troupes sans avoir rempli les objectifs initiaux, en 1993.

Sous le rapport de forces géostratégique conventionnel qui s'exprime aux lendemains de l'opération Tempête du désert, commencent à poindre d'autres acteurs qui altéreront celui-ci et, tels les Lilliputiens, empêtreront dans leur rets minuscule le Gulliver américain endormi sur les lauriers chimériques de son hyperpuissance. En effet, le contretemps américain en Somalie, où les soldats de l'US Army sont pris pour cible par des activistes islamistes revenus du *jihad* en Afghanistan — qui contraignit la Maison-Blanche à se retirer dans la confusion en évacuant les cadavres de ses *boys* dans des sacs en plastique sous les caméras de télévision —, est le premier signe annonciateur des menées islamistes radicales qui traceront leur voie tortueuse au long des années 1990, pendant la décennie de paix illusoire israélo-arabe, à travers les guérillas inabouties d'Algérie, d'Égypte et de Bosnie, vers le terrorisme planétaire. Nul stratège n'y prête l'attention nécessaire, négligeant cet accident de parcours dans ce qu'on prend alors généralement pour le cortège triomphal américain au Moyen-Orient.

Au long de ses deux mandats, le président Clinton approfondit la logique de paix israélo-palestinienne dont le cadre a été défini par son prédécesseur. Mais il confie la gestion du dossier pour l'essentiel à des partisans d'Israël de sensibilité démocrate. Ce faisant, il rétablit l'équilibre face aux républicains de sensibilité pétrolière dont les vues avaient triomphé lors de la conférence de Madrid, au détriment d'Israël. La nouvelle équipe est proche, en Terre sainte, du Parti travailliste — qui a conquis le pouvoir, sous

la direction de MM. Rabin et Peres, après avoir fait mordre
la poussière au Likoud d'Yitzhak Shamir en juin 1992. Ces
nouvelles dispositions rassurent la plupart des partisans
d'Israël, confiants que le général Rabin ne saurait prendre à
la légère la question de la sécurité et de la pérennité de
l'État hébreu. Elles permettront, le 13 septembre 1993, à la
suite de pourparlers discrets à Oslo entre représentants
d'Arafat et de Rabin, au président Clinton de parrainer la
signature de la déclaration de principes, dans la roseraie de
la Maison-Blanche, entre les dirigeants palestinien et israélien. Ce symbole extraordinaire, relayé par toutes les télévisions du monde, ouvre la voie à la paix.

Nul ne nourrit pourtant d'illusions sur les arrière-
pensées des protagonistes — comme le montre, à l'image, la
répugnance de Rabin à serrer la main d'Arafat malgré les
encouragements d'un Clinton jovial. Arafat a besoin d'offrir
à sa population un territoire palestinien autonome, fût-il
fragmenté. Il joue son va-tout face à une mouvance islamiste qui le talonne, nimbée de l'auréole de la résistance
après l'expulsion spectaculaire, au Liban, par le gouvernement Rabin, de 415 activistes islamistes à la mi-décembre
1992 — à la suite de l'enlèvement puis de l'assassinat d'un
garde-frontière sur le territoire d'Israël. Malgré les critiques
qui ont assimilé à des bantoustans les territoires octroyés à
la souveraineté limitée palestinienne, Arafat fait un retour
en libérateur à Gaza et Jéricho en 1994. Le gouvernement
Rabin, de son côté, a souhaité se débarrasser au plus vite de
l'épineux problème du maintien de l'ordre à Gaza, qui use
l'énergie et le moral de l'armée citoyenne : les accords
d'Oslo sous-traitent à l'Autorité palestinienne cette fonction. Les armes légères dont sont dotées les forces de police
et les multiples services de sécurité palestiniens doivent leur
permettre de brider Hamas et le Jihad Islamique, mais en
aucun cas, en principe au moins, de menacer l'État d'Israël.

On a communément appelé « processus d'Oslo » la
période qu'ouvre la signature de la déclaration de principes
à Washington, pour marquer que ces derniers ne consti-

tuaient que le déclencheur d'une dynamique, d'un cercle vertueux sans lequel ils risquaient de rester lettre morte. En eux-mêmes, les accords étaient la somme de deux démarches négatives : ni Arafat ni Rabin n'avaient d'alternative, mais aucun ne souhaitait s'engager positivement, tant demeurait immense la méfiance envers l'adversaire d'hier, partenaire forcé d'aujourd'hui. Le moteur nécessaire de cette dynamique se trouvait à la Maison-Blanche : l'engagement personnel de Bill Clinton fut constant tout au long de sa présidence — et la fin du *processus* de paix, marqué par le début de la seconde Intifada, à l'automne 2000, coïncida précisément avec la fin du second mandat du président et l'élection d'un successeur qui ne croyait plus à Oslo. Le terme « processus » signifie à la fois que la paix israélo-palestinienne a vocation à s'élargir à l'ensemble du monde arabe — ce qui remettrait sur le métier la démarche inaboutie de la paix de 1979 entre Sadate et Begin — et qu'une dynamique économique viendra compléter la démarche politique, afin d'assurer aux gouvernements impliqués, israélien, palestinien et arabes en général, des dividendes tangibles qu'ils pourront redistribuer à leurs populations.

En effet, la culture politique des pays arabes environnants est soumise à des contraintes nouvelles. Depuis l'indépendance postcoloniale, les élites au pouvoir se sont opposées avec succès à leur renouvellement par l'invocation rituelle du danger sioniste aux frontières. Elles ont justifié à ce titre l'autocratie, qu'elle provienne de dynasties du sang, de coteries militaires, de sectes confessionnelles, de tribus ou d'un mixte entre ces divers éléments constituants. Sous le prétexte de cette impérieuse union sacrée se sont perpétués des blocages impropres à toute innovation, des recherches de rente de situation, répression féroce à l'appui bien souvent, qui ont inhibé le développement économique et son corollaire le progrès social. Les États confisqués par ces élites politiques soustraites à toute concurrence à l'intérieur des frontières le paient au prix du déclin, de la non-compétitivité internationale, se retrouvent confrontés à une crise aiguë, dont les symptômes les plus voyants sont l'explosion démographique et le sous-emploi massif qui en découle. Pour tenter de perpétuer leur pouvoir dans ce contexte, les dirigeants arabes, conscients des limites de la ritournelle incantatoire contre l'« ennemi sioniste », ont besoin de nouvelles ressources. Dans le contexte né de la victoire américaine dans l'opération Tempête du désert, il leur faut trouver des dividendes plus économiques que politiques. Ils vont les chercher, mi-contraints, mi-convaincus, dans les retombées escomptées de la paix d'Oslo — et ne la soutiendront qu'à la condition d'y trouver ce bénéfice.

C'est pourquoi le rôle des États-Unis comme garant de ce processus polyvalent est critique : seul Washington peut mobiliser les moyens qui s'agrégeront autour de la paix, pour faire du Moyen-Orient une région économique, intégrée et prospère. Selon la vision de Shimon Peres, la congruence du savoir israélien, des capitaux pétroliers du Golfe et de la pléthorique main-d'œuvre arabe doit favoriser l'émergence d'une nouvelle « civilisation » régionale, un « *new Middle East* ». En ancrant définitivement Israël comme un partenaire indispensable de ce cercle économique vertueux, il enrichira par ricochet les dirigeants égyptien, syrien et autres grâce à une croissance comparable à celle des « dragons » asiatiques. Ils pourront, en redistribuant une part de cette croissance à leur société, acheter l'acquiescement de celle-ci à leur maintien au pouvoir, dans un contexte où ni idéologie ni répression n'ont plus l'efficacité d'antan. Pour que ce scénario riche d'impondérables fût mis en scène, joué et eût fait recette, il aurait fallu surmonter la méfiance des acteurs « partenaires de la paix » les uns envers les autres, et surtout créer au plus vite un flux d'investissements internationaux propres à financer l'opération. Or ces financements restèrent limités à des gestes politiques — ainsi des engagements de l'Union européenne qui permirent la construction de très nombreuses infrastructures dans les territoires palestiniens (dont beaucoup seraient ravagées par les opérations punitives israéliennes durant la seconde Intifada) et le fonctionnement de l'Autorité palestinienne.

Mais le secteur privé, en dépit de moult conférences internationales, organisées notamment par le Forum économique mondial de Davos, ne s'engagea pas, faute d'anticiper positivement les retours sur investissements dans la zone israélo-palestinienne. À titre d'anecdote, l'auteur, animant à l'occasion diverses tables rondes du Forum de Davos destinées à encourager ce processus, remarqua que les dirigeants des grandes firmes multinationales annoncés pratiquaient la politique de la chaise vide, laissant seuls face à eux-mêmes les représentants de compagnies des eaux palestiniennes, de gaz israéliennes ou d'électricité jordaniennes. Sans doute ces capitaines d'industrie jugeaient-ils que le jeu n'en valait pas la chandelle, ni quelques heures de leur précieux temps. Plus prosaïquement, certains, interrogés sur leur absence, la justifièrent par le comportement des investisseurs issus de la région, originaires notamment des pétromonarchies : ces derniers, faisait-on remarquer, plaçaient l'essentiel de leurs immenses réserves de liquidités sur les marchés occidentaux, manifestant leur défiance profonde envers un *Middle East* qu'ils connaissaient mieux que quiconque, pour en être natifs et résidents. Pourquoi des étrangers devraient-ils prendre un risque que les locaux se gardaient bien de courir ? Pareil manque de confiance dans le monde économique trouva, trois ou quatre ans à peine après la signature des accords d'Oslo, son écho dans le monde politique : la panne des investissements et l'aspect chimérique que prenait, chaque jour davantage, la perspective d'une croissance quelconque érodèrent la confiance dans le processus de paix d'une fraction de plus en plus large des élites dirigeantes, arabes comme israéliennes, soumises aux pressions grandissantes d'opinions publiques qui ne voyaient rien venir.

Côté palestinien, la violence sporadique des mouvements islamistes, entraînant des mesures de rétorsion israéliennes, rongea le crédit d'Arafat, responsable de l'ordre à Gaza et en Cisjordanie, et inapte à empêcher des attentats anti-israéliens spectaculaires. Du côté d'Israël, l'assassinat d'Yitzhak Rabin le 5 novembre 1995 par un extrémiste juif ultrareligieux manifesta la persistance d'oppositions radicales au processus d'Oslo — qui y voyaient comme un risque fatal pour la pérennité de l'État hébreu. L'élection consécutive de Benjamin Netanyahou au poste de Premier ministre, motivée par des attentats islamistes palestiniens sanglants, est un signe avant-coureur que l'électorat juif, sous le choc de la violence palestinienne, ne met pas sa confiance entière dans le processus d'Oslo, voire doute des garanties du parrain américain des accords. En dépit du retour au pouvoir d'une coalition dirigée par les travaillistes sous la houlette d'Ehoud Barak, en mai 1999, une large part de l'establishment israélien est désormais dubitative.

Elle commence à se retrouver dans la vision stratégique des néoconservateurs américains, dont une grande partie est constituée d'intellectuels juifs venus de la gauche ou de l'extrême gauche : ils proposent une alternative au processus d'Oslo, qui passe par la redistribution générale des cartes au Moyen-Orient, en commençant par l'élimination du régime irakien et son remplacement par un pouvoir démocratique, pro-américain, et disposé à reconnaître Israël. Cela suppose le sabotage d'Oslo. Sharon par sa promenade sur l'esplanade des Mosquées et Arafat par le lancement de la seconde Intifada en seront les indissociables complices, l'un volontaire, l'autre inconscient.

Pour comprendre dans quel contexte international cette déflagration a embrasé la planète tout entière, il faut se transporter, avant même les grottes afghanes et les écrans de télévision par satellite où Ben Laden et ses jihadistes préparent leurs attentats et en mettent en scène les effets, dans les bureaux feutrés en deçà de la Beltway, ce boulevard périphérique du Washington intra-muros où se concentrent les instruments de la puissance politique. Une vision idéologique du monde s'y déploie avec insistance : celle de la mouvance néoconservatrice, dont l'influence s'avère décisive pour ouvrir une ère nouvelle dans la politique américaine au Moyen-Orient sous la présidence de George W. Bush.

CHAPITRE 1

La révolution
néoconservatrice

Le séisme du 11 septembre 2001 surprend les États-Unis au moment où leur classe politique est divisée par un débat complexe sur le rôle international de l'Amérique après l'effondrement soviétique et face aux nouvelles menaces non conventionnelles imputables aux « États voyous ». Le président George W. Bush, faute d'un clair arbitrage entre doctrines concurrentes, s'est fait connaître jusqu'alors pour son hostilité au *nation-building* à l'extérieur des frontières, répugnant à engager les finances et les militaires américains dans des missions destinées à accoucher des États viables à partir du chaos ethnique ou religieux — au contraire de ce qu'avait voulu Bill Clinton en intervenant dans les Balkans au terme des guerres civiles nées de la décomposition de la Yougoslavie. Les nombreuses gaffes du nouveau président lorsqu'il aborde les thèmes de politique étrangère manifestent une brouille ancienne avec la géographie et l'histoire du monde, et il a très peu voyagé en dehors de son pays natal avant d'accéder à la magistrature suprême. Au Moyen-Orient, il prend, là encore, son prédécesseur à contre-pied en refusant de s'impliquer personnellement dans le « processus de paix » — suivant la ligne résumée par son secrétaire d'État Colin Powell avec cette formule sibylline : « Assister, sans insister. »

En apparence, la présidence a fait le choix d'un recen-

trage sur les enjeux de politique intérieure, et la presse titre
sur le « nouvel isolationnisme » de l'occupant de la Maison-
Blanche. En réalité, son équipe de conseillers pour les
affaires étrangères, animée par Condoleezza Rice, chef du
Conseil national de sécurité, instance appartenant à la
Maison-Blanche, est divisée entre deux grands courants qui
disputent sur la marche à suivre, et entre lesquels le président n'arbitrera qu'au lendemain du 11 septembre. L'un,
principalement représenté par Colin Powell et le Département d'État, fort de sa tradition diplomatique institutionnelle, ainsi que par la CIA, prône un réalisme prudent
qui évite tout bouleversement de l'ordre mondial en dépit
de la disparition de l'adversaire soviétique. Il souhaite user
des instruments multilatéraux traditionnels, comme l'Onu,
en y pesant du poids prépondérant des États-Unis, désormais hyperpuissance sans rivale. L'autre, dont les relais
majeurs se situent parmi les responsables civils du Pentagone et qui a pour chef de file le « secrétaire-adjoint » à la
Défense Paul Wolfowitz, prône une transformation radicale
de l'ordre international traduisant l'omnipotence américaine et la « fin de l'histoire » qu'elle serait censée exprimer.
Elle exhorte à la propagation universelle du modèle démocratique des États-Unis, soumettant à cette fin les moyens
idoines — sans s'embarrasser d'instances internationales
jugées désuètes. Ces idéologues doublés de guerriers optent
pour une politique unilatérale. Sous la contrainte des attentats du 11 septembre, George W. Bush se range dans
l'urgence et pour l'essentiel à la vision du monde de ces derniers. Ce président si mal à l'aise et défiant en politique
étrangère engage soudain les États-Unis dans un interventionnisme militaire exceptionnel, résumé par le vocable
de « guerre contre la terreur ». Une fois obtenu le consensus
des Nations unies pour anéantir le pouvoir des Talibans en
Afghanistan, hôtes du réseau d'Oussama Ben Laden, à
l'automne 2001, il se passera de l'accord du Conseil de
sécurité avec l'invasion de l'Irak puis le renversement du
régime de Saddam Hussein et l'occupation de ce pays à partir du printemps 2003.

Par-delà les enjeux propres au Moyen-Orient, où l'engagement armé est destiné, après la faillite du processus d'Oslo, à reprendre la main pour y accomplir par la force le double objectif permanent des États-Unis (garantir simultanément la sécurité des approvisionnements pétroliers et la pérennité d'Israël), la révolution que connaît la politique étrangère américaine après le 11 septembre a vocation à restructurer l'ordre du monde selon une ligne idéologique précise, qualifiée par la plupart des commentateurs de projet « néoconservateur ». La réalité des arbitrages rendus par le président Bush est plus complexe et ne se réduit pas aux idées de ce courant, doté avec un zèle identique de toutes les vertus ou de tous les péchés selon l'angle d'où on l'observe. Mais il est indéniable que l'influence des « *neocons* » est extraordinaire, au niveau le plus élevé de la décision politique, pour un groupe relativement restreint de quelques dizaines d'intellectuels et d'universitaires adeptes d'une *Weltanschauung*, une vision du monde doctrinale et idéologique. Ils ont su « vendre » celle-ci avec brio au lendemain du 11 septembre, et la faire prévaloir, dans l'émotion du moment, sur les considérations pragmatiques et réalistes qui, en dernier ressort, influencèrent traditionnellement la conduite de la politique étrangère américaine ces dernières décennies — exception faite des deux mandats de Ronald Reagan (1980-1988), pendant lesquels, déjà, certains néoconservateurs occupaient des responsabilités gouvernementales, mais à un moindre rang, en raison du jeune âge de beaucoup d'entre eux.

Pour comprendre dans quel contexte américain le 11 septembre 2001 se produit, et quels types de réactions il engendre, il est crucial de rétablir les grandes lignes du débat de politique étrangère tel qu'il a été mené depuis l'élection de George W. Bush, et de situer la place centrale et problématique qu'y occupe la question du Moyen-Orient — sous ses deux espèces, pétrolière et israélienne. Le *jihad* contre l'Armée rouge en Afghanistan reste le point de départ complexe, mais refoulé, au sens freudien du terme, de la situation internationale dont hérite le nouveau président. Débutant à la fin du mandat de Jimmy Carter, à l'initiative de son conseiller national pour la sécurité Zbigniew Brzezinsky, dans le contexte désastreux d'une opération ratée destinée à secourir les otages américains en Iran, mais conduite pour l'essentiel pendant les années Reagan, la guérilla antisoviétique a porté l'estocade à Moscou. Elle a été pensée comme telle, dans les cercles de pouvoir à Washington, par les jeunes néoconservateurs qui l'avaient pénétré, en même temps que d'autres opérations anticommunistes au sens large, impliquant également le Moyen-Orient dans une stratégie planétaire. Ainsi de la fameuse affaire dite « Iran-*contras* », qui finançait, à travers un montage compliqué, l'insurrection pro-américaine et antisandiniste au Nicaragua grâce à la vente clandestine de pièces de rechange pour l'armée de l'air de l'Iran khomeyniste engagée alors dans une guerre contre l'Irak de Saddam Hussein — bien que le dictateur de Bagdad fût soutenu officiellement en ces temps-là par les États-Unis et les États européens.

Le *jihad* en Afghanistan a bénéficié de l'appui opérationnel et financier de la CIA comme des subsides des pétromonarchies du Golfe, et a rassemblé, au côté des moujahidines afghans, des « combattants de la guerre sainte » venant de divers coins du monde : les jihadistes — arabes, pakistanais, indonésiens, beurs parfois, etc. Sur le plan militaire, les combattants reçurent des armes particulièrement performantes qui clouèrent l'aviation soviétique au sol, argument déterminant pour contraindre Gorbatchev à retirer définitivement ses soldats le 15 février 1989. Ces armes livrées par les États-Unis, des missiles sol-air Stinger, transportables par un guérillero se déplaçant à pied et ne bénéficiant d'aucune compétence technique particulière, représentaient une révolution militaire et politique — elles se retourneraient bientôt contre leurs concepteurs, comme le *jihad* se retournera contre les apprentis-sorciers américains et saoudiens qui en attisent alors les braises pour

consumer l'Armée rouge. Alliant la maniabilité d'une arba-
lète, voire d'une humble fronde, à des performances de
DCA exceptionnelles, fusionnant âge de pierre et ère informatique, le Stinger, en permettant, pour un prix très
modique au regard du montant et de l'ampleur des dommages qu'il peut causer, de paralyser une armée conventionnelle d'occupation et de la défaire en la contraignant à
évacuer le pays conquis, change la donne de la guerre
moderne. Ses « piqûres d'insecte » venimeuses achèveront
le pachyderme soviétique essoufflé, qui entraînera dans son
écroulement l'équilibre planétaire fondé sur la dissuasion
entre les deux blocs issus de Yalta. Ceux-ci ont accumulé
des arsenaux conventionnels et nucléaires pour ne pas s'en
servir, mais ont été contraints de se lancer en parallèle dans
une course à la haute technologie militaire qui a eu des
effets divergents sur les États-Unis d'un côté, l'Union soviétique de l'autre.

Moscou en est sorti épuisé — incapable de renouveler
un système socialiste coupé des forces vives de sa société,
nécrosé par l'appareil bureaucratique omnipotent du Parti
communiste. Washington, à l'inverse, a tiré de cette concurrence une double stimulation. La recherche militaire, financée par le contribuable, a permis d'effectuer un nombre
incalculable de découvertes suivies d'applications civiles
(l'Internet en est l'une des plus populaires) assurant l'avancée technologique américaine sur le reste du monde. Elle a
également rendu possible, parallèlement à la construction
de l'arsenal nucléaire de dissuasion, l'élaboration d'armes
« intelligentes » qui seront utilisées sur le champ de bataille
et creuseront la distance avec l'URSS — ce qui donnera aux
États-Unis à la fin du xxe siècle le sentiment fallacieux
d'une puissance invincible dont le terrain d'expérimentation
par excellence s'avérera, avant la guerre d'Irak de 2003, la
campagne d'Afghanistan à l'automne 2001. À la base de ces
exceptionnels résultats, on trouve le « projet Solarium »,
selon l'appellation donnée à l'initiative du président Eisenhower en 1953, alors que la guerre froide battait son plein et

que le modèle communiste attirait des adeptes en nombre croissant dans la classe ouvrière comme dans le monde intellectuel occidentaux. Le président américain fit rassembler les grands esprits du temps et commandita à trois équipes travaillant en parallèle des scénarios sur la meilleure stratégie à long terme destinée à triompher du bloc soviétique. C'est dans ce cadre que fut élaboré le projet des armes « intelligentes », privilégiant la qualité sur la quantité, la sophistication et la créativité du combattant sur la simple obéissance, le ciblage précis des objectifs sur le bombardement aveugle et massif — tous développements qui demandaient un investissement financier considérable dans la recherche et développement, dans l'informatique, dans l'éducation supérieure et ses liens avec l'industrie de pointe, etc.

L'un des pères de cette stratégie est un mathématicien doublé d'un penseur politique, lecteur de Raymond Aron : Albert Wohlstetter (1913-1997). New-yorkais, licencié en mathématiques et logique au City College — où se forma dans les années 1930 l'élite méritocratique américaine issue notamment de familles immigrées et démunies —, il poursuit ses études supérieures à l'université patricienne Columbia et occupe diverses fonctions qui le conduiront, après la Seconde Guerre mondiale, à la Rand Corporation, un *think-tank*, un centre de recherches travaillant pour la défense et le renseignement, situé en Californie — dans la région de Los Angeles (où le rencontrera le jeune Richard Perle, inspiré depuis lors par celui-ci et aujourd'hui l'un des principaux représentants du courant néoconservateur). Il y reste basé de 1949 à 1962, et c'est là qu'il s'investit tout entier dans les questions stratégiques, dont il deviendra le penseur par excellence, tant pour l'usage confidentiel des gouvernements américains successifs que dans les cercles de réflexion intellectuels majeurs de la guerre froide. Albert Wohlstetter enseigne ensuite à l'université de Chicago jusqu'à sa retraite de professeur des universités en 1980 — sur un campus où l'on retrouvera d'autres universitaires appartenant à une même famille de pensée au sens large, comme l'économiste monétariste Milton Friedman, et le philosophe politique Leo Strauss. Parmi ses étudiants, qui deviendront des disciples influents, se distingue Paul Wolfowitz, qui rédige alors sa thèse sur la prolifération nucléaire au Moyen-Orient, région placée au cœur de ses préoccupations très tôt dans sa carrière.

La postérité d'Albert Wohlstetter est essentielle, par le rôle éminent qu'occupent certains de ses élèves dans les premiers cercles du pouvoir sous la présidence de George W. Bush, mais également par les développements de sa pensée propre dans le domaine militaire, bien au-delà de la victoire américaine sur l'URSS, dont il a été l'un des principaux théoriciens. Dubitatif sur la doctrine de l'« équilibre de la terreur » qui fonde la dissuasion nucléaire, il se rend célèbre pour privilégier la logique dite de « seconde frappe », qui doit permettre aux États-Unis, en cas d'attaque surprise de l'URSS, d'infliger à celle-ci des dommages irréparables : elle sera à la racine d'une course aux armements qui ruinera Moscou, tout en évitant dans les faits la guerre nucléaire. Mais Wohlstetter ne limite pas sa pensée stratégique au nucléaire, même si le plus clair de son immense prestige est porté au crédit de la vision qui lui a permis de trouver la faille dans la logique de la dissuasion, et ainsi de précipiter la défaite soviétique sans apocalypse atomique.

Selon lui, les conflits sur un « théâtre » limité sont cruciaux pour la supériorité des armes et de la pensée militaro-politique américaines. Or, en ce sens, la guerre du Vietnam est désastreuse. Il estime que les États-Unis l'ont perdue par la faute des erreurs des stratèges de l'époque, notamment McNamara et Rostow, incapables d'arbitrer entre les priorités de l'action : soit se donner les moyens de promouvoir au Sud-Vietnam un État démocratique champion des idéaux des États-Unis dans le Sud-Est asiatique et doté d'une force d'attraction idéologique, soit écraser militairement l'armée nord-vietnamienne en utilisant les forces américaines à leur pleine capacité. En se limitant à accomplir un peu de chaque option, en faisant prévaloir des compromissions tactiques à court terme sur une vision à long terme, Washington a abouti à l'échec, tant militaire que moral. Pour Wohlstetter en effet, la suprématie n'a de sens que si elle est mise au service de valeurs clairement affirmées — une vision du monde dont les réalistes comme Henry Kissinger ne s'embarrassent guère.

Après les succès antisoviétiques des guérilleros du *jihad* afghan équipés de Stinger, ce sera la victoire sans appel, et quasiment sans dommages dans leurs rangs, des États-Unis et de leurs alliés lors de l'opération Tempête du désert au Koweït en 1991 qui représentera de manière exemplaire la mise en application des théories de Wohlstetter sur la primauté donnée aux frappes aériennes préventives. Celles-ci détruisent les communications de l'ennemi et anéantissent le maximum de sa capacité de combat avant l'entrée en scène de l'armée de terre, toujours plus coûteuse en vies humaines. Dans les deux cas, les pertes de soldats américains (citoyens, électeurs et issus de familles d'électeurs) sont minimisées : l'Afghanistan des années 1980 a été sous-traité à des barbus patibulaires rebaptisés pour la circonstance « combattants de la liberté », et dont la mort au combat ne coûte aucun prix sur le marché électoral des États-Unis. Aucune mère de ces soldats issus de pays lointains n'imaginerait défiler un jour pour protester sur le Mall de Washington devant la Maison-Blanche — à l'inverse de ce qui s'était passé à l'époque de la guerre du Vietnam : ni les jihadistes, ni leurs familles, aime-t-on alors à penser outre-Atlantique pour se rassurer, ne détiennent la citoyenneté américaine et son corollaire le droit de vote. La guerre de libération du Koweït de 1991, quant à elle, a fait la part belle à des bombardements précisément ciblés qui ont brisé toute velléité de résistance de la « formidable » armée irakienne, ce colosse au pied d'argile. Ces succès d'application de la « doctrine Wohlstetter » n'ont de limites que dans une technologie encore imparfaite ; elle atteindra son apogée, après le décès de son concepteur, avec les deux premières guerres postérieures au 11 septembre 2001.

Lors de l'offensive contre les Talibans à l'automne 2001 en effet, quelques groupes épars de « bérets verts », les forces spéciales américaines présentes sur le terrain, équipées de marqueurs laser et de téléphones satellitaires, commandent en temps réel à d'invisibles bombardiers de lancer des missiles téléguidés, ou bien des redoutables bombes « coupe-marguerites » (qui ravagent tout à la hauteur du sol). Elles anéantissent des ennemis distants de quelques dizaines de mètres des soldats amis, au moment où ils montent à l'assaut de leurs positions par vagues humaines. Cela a persuadé les plus frustes des rares Talibans survivants que seule l'intervention maléfique de Satan expliquait de tels massacres dans leurs rangs sans qu'un coup de feu fût tiré par les Américains au sol. Ultérieurement, la phase conquérante de l'offensive en Irak de mars et avril 2003 s'est caractérisée par l'usage inégalé à ce jour d'armes intelligentes qui visaient leurs cibles (palais présidentiels, ministères, casernes) avec une précision inouïe en minimisant les « dommages collatéraux ». Chaque téléspectateur a en tête les images des correspondants de guerre en direct à l'écran depuis Bagdad bombardé, tandis que les voitures circulaient tranquillement, en arrière-plan, sur les ponts et par les avenues de la capitale irakienne — spectacle stupéfiant —, comme si leurs conducteurs avaient l'assurance que l'exactitude et la minutie de la trajectoire des missiles tombant en pluie sur les bâtiments officiels prémunissaient de tout danger les passants.

Cette extrême fiabilité des armes de précision est l'aboutissement de la stratégie militaire qui procède de la vision de Wohlstetter. Elle conditionne la conversion de leur usage en instrument décisif de politique étrangère. Grâce à elles, l'offensive n'est plus contrainte d'anéantir l'ennemi de manière indéterminée — comme c'était le cas à la fin de la Seconde Guerre mondiale par exemple, lorsque les bombardements alliés sur Dresde infligeaient des dommages insupportables à la population civile allemande. L'objectif recherché consiste ici à « cibler » sélectivement l'appareil dirigeant du régime à éliminer, en épargnant autant que possible la société que l'attaquant souhaite gagner à sa cause, ainsi que les infrastructures industrielles et urbaines réutilisables par le vainqueur et les alliés locaux dont il favorisera la venue au pouvoir. Cette stratégie combine de manière neuve le militaire et le politique. Elle permet de détruire des régimes préalablement stigmatisés moralement — par leur appartenance à « l'axe du Mal » ou leur nature de « voyou » —, de châtier État, parti, hiérarchie, appareil, décriés comme viciés et pervertis, tout en se targuant de promouvoir et de renforcer la société civile « vertueuse ».

Pareille disposition opérationnelle, où le militaire se veut l'instrument parfaitement efficace et soigneusement ajusté du politique, s'inscrit dans une représentation du monde qui prétend placer au poste de commande la morale universelle et la substituer à la realpolitik. Elle est théorisée en 1992 par le grand disciple de Wohlstetter, Paul Wolfowitz, dont l'étoile brille déjà au firmament de Washington durant la présidence Bush *senior* : directeur du *Defense Planning Board* (Conseil de planification de la défense), l'instance stratégique du Pentagone dirigé alors par Dick Cheney, il rédige le document d'orientation (*Defense Planning Guidance Paper*) qui définit les priorités stratégiques des États-Unis après la guerre froide. Ce texte, rendu public par le *New York Times* grâce à une fuite, a été décrit comme un projet visant à assurer la suprématie mondiale des États-Unis après la fin de la guerre froide à travers l'affrontement militaire avec les pôles de puissance régionaux qui contesteraient l'hégémonie absolue américaine, ou, à tout le moins, grâce au désarmement de ceux-ci. Il plaide en ce sens pour une politique d'assertion de la puissance de Washington partout où existent des intérêts vitaux américains, l'approvisionnement pétrolier et la sécurité d'Israël s'inscrivant en tête de liste. Très critiquée par l'esta-

blishment libéral, comme par les conservateurs « isolation-
nistes » à l'instar de Pat Buchanan, cette vision du monde
est officiellement mise sur la touche pendant les deux mandats de Bill Clinton, entre 1992 et 2000. Ces années, consi-
dérées dans l'ensemble par la mouvance néoconservatrice
comme un mélange de pusillanimité politico-militaire et
d'abjection morale, fournissent à Albert Wohlstetter, qui
décède en 1997, matière à son ultime bataille, à propos de la
guerre en ex-Yougoslavie. Selon lui, la morale comme la
stratégie commandent une action américaine d'envergure
contre les Serbes et en soutien aux Bosniaques. Après que
la présidence Clinton a traduit d'abord par son indécision
tant une défaillance des valeurs que l'Amérique doit propager dans le monde qu'une impéritie stratégique dont les
ennemis des États-Unis tireront parti, selon la vision néoconservatrice, elle se ralliera paradoxalement à une logique
inspirée par le « document Wolfowitz » de 1992 en intervenant finalement contre les Serbes, au côté des Bosniaques
puis des Kosovars.

Cette vision globale, née dans le contexte de la guerre
froide, adaptée dans sa mise en œuvre mais constante dans
sa ligne directrice après l'effondrement soviétique, fruit
d'une pensée stratégique élaborée à l'origine par Albert
Wohlstetter, puis prolongée dans la réflexion et l'action de
Paul Wolfowitz, est relayée au niveau opérationnel par le
patron du Bureau des évaluations (*Office of Net Asses-
ments*) du Pentagone, Andy Marshall. Durant plus de trois
décennies et jusqu'à ce jour, M. Marshall, ancien de la Rand
Corporation, stimule et accompagne l'invention de nouvelles armes et de manières de faire la guerre « intelligentes », qui vont de la recherche technologique ou
biologique le plus en pointe à l'usage de la révolution
numérique et des télécommunications, à travers des agences
spécialisées dotées d'importants budgets et passant des
contrats avec les laboratoires d'universités prestigieuses.

Pareille stratégie suppose que le critère éthique au nom
duquel s'effectue la distinction du mal à pourchasser et du

bien à commander bénéficie d'un consensus tant parmi l'opinion américaine qu'au sein des « nations civilisées ». Or ce consensus pose problème. La distinction binaire entre le Bien et le Mal en relations internationales, en l'an 2000, porte l'héritage des conceptions issues de Yalta et de la guerre froide, qui ont opposé le « monde libre » au « bloc soviétique » pendant la seconde moitié du siècle écoulé. Mais la disparition du pôle du Mal, l'URSS, contraint les intellectuels et les universitaires proches du pouvoir américain à penser à nouveaux frais la victoire du Bien, à en redéfinir l'identité dans un contexte bouleversé. Cet effort de l'esprit se traduit par le « lancement » de deux concepts à mi-chemin entre prophétie et slogan publicitaire, matière immédiate à best-sellers homonymes. Ce seront la « fin de l'histoire » hegelienne revue et mise en scène par Francis Fukuyama, et le « choc des civilisations » de Samuel Huntington, qui pointe la rémanence de lignes de faille culturelles derrière lesquelles se profilent les nouvelles figures du Mal.

« La fin de l'histoire » tire les leçons de la réussite de l'Occident en l'élevant, par-delà la supériorité technologique et militaire de Washington sur Moscou, au stade d'une consécration morale finale. Durant la guerre froide, les certitudes éthiques ont parfois fluctué : les idéaux se sont longtemps trouvés du côté du socialisme, et le capitalisme a subi le poids des critiques qui le dépeignaient, dans la postérité du discours marxiste et des nombreuses idéologies hybrides par lui engendrées, comme le fruit de l'exploitation de l'homme par l'homme et de la recherche effrénée du profit. Il fallut la montée en puissance de la dissidence dans le bloc soviétique, la répression du Printemps de Prague en 1968, la diffusion dans les milieux intellectuels de la gauche occidentale de la figure du Goulag comme aboutissement du communisme, l'émergence de Solidarnósc en Pologne couplée à la montée de Karol Wojtyla sur le trône de saint Pierre en 1978, pour que le monde socialiste commence à perdre graduellement, à partir du dernier quart du XXe siècle, tout magistère moral. Cette déprise était due aux effets pervers spontanés du système soviétique, liberticide et inefficient économiquement. Mais elle fut encouragée, tant par le financement de la dissidence que par la publicité donnée à celle-ci, grâce à l'action de *think-tanks,* de groupes de pression et de réseaux universitaires américains au sein desquels la nébuleuse néoconservatrice joua un rôle cardinal. Il devait notamment lui revenir de faire basculer les sympathies de pans entiers de la classe intellectuelle, qui allaient vers les idéaux socialistes, en direction du « monde libre » — avec d'autant plus de conviction que nombre d'idéologues « *neo-cons* » sont d'anciens sympathisants de gauche voire d'extrême gauche passés à droite.

Loin des compromis pragmatiques dans lesquels se complaît le réalisme du milieu traditionnel des affaires, ils ont conservé de leurs anciennes amours politiques le zèle militant à défendre leur idéologie propre et à pourfendre celle de l'adversaire. Au nom de la défense de la liberté, face à leurs collègues de gauche, qui dénoncent la répression « fasciste » du général Pinochet au Chili contre les démocrates, mais détournent pudiquement le regard lorsque le système concentrationnaire et répressif communiste est mis en question, ils prennent fait et cause pour ceux qui luttent en faveur de cette même liberté et de la démocratie derrière le rideau de fer. C'est de cette volonté de reprendre le témoin des valeurs morales, et de ne pas en laisser le monopole à la gauche d'inspiration socialiste ou libérale, qu'est né, en 1982, pendant les années Reagan, le *National Endowment for Democracy*, le Fonds national pour la démocratie. Ouvert à tous les courants de pensée, il maintient une sorte de balance égale entre la critique des dictateurs de droite ou d'extrême droite alliés aux États-Unis et des dictatures socialistes, et promeut face à tous la conception américaine de la démocratie, se voulant le porte-étendard des valeurs à vocation universelle qu'incarne celle-ci, par-delà les intérêts particuliers de l'État américain ou de ses lobbies industriels ou financiers.

Ce faisant, il récupère au service de la droite le discours sur la démocratie que s'était approprié de manière dominante, sur les campus à tout le moins, la gauche. C'est à l'occasion du vingtième anniversaire du NED que le président George W. Bush prononce le discours qui prône la « démocratisation » du Moyen-Orient, au nom de laquelle sera menée l'invasion de l'Irak en 2003.

Cette « révolution néoconservatrice », qui influe si fortement sur les cercles de décision en politique étrangère à partir des lendemains du 11 septembre, a pris ses sources dans les années 1960. Elle a connu des heurs et malheurs, et a suivi un cours accidenté, marqué par des phases d'incompréhension et, selon les dires de ses adeptes, de persécution (relative), notamment dans les milieux universitaires. Elle a aussi vécu des moments de puissance et d'accès privilégiés au pouvoir, jusqu'à ce qu'elle s'impose finalement aux sommets de l'État et y fasse prévaloir avec force ses vues, dont l'invasion et l'occupation de l'Irak au printemps 2003 constituent l'expression ultime. L'histoire de cette mouvance, tissée de légendes et faufilée de rumeurs, tout uniment noires ou roses selon les penchants du narrateur, est mal fixée, et fait l'objet de lectures divergentes, jusque dans les rangs des premiers concernés. Le moment fondateur a, rétrospectivement, valeur de rupture originelle, voire de figure mythique, dont la signification fondamentale sera perpétuellement réactualisée en fonction des aléas de l'histoire — comme il est de mise dans toute religion, secte ou parti fondé sur une doctrine affirmée.

Dans les années 1960, un groupe d'intellectuels désenchantés, dont beaucoup proviennent des cercles « libéraux » au sens américain — correspondant peu ou prou en Europe à la social-démocratie —, a pris ses distances avec les certitudes communément partagées par ce milieu, en politique tant intérieure qu'étrangère. Dénoncés comme traîtres par leurs anciens camarades de combat restés fidèles aux idéaux originaux, ils se voient brocardés dans la revue de gauche *Dissent* sous le vocable ironique et un tantinet méprisant de

« néoconservateurs » ; ils en retourneront le stigmate en emblème. Selon la formule imagée de l'un des pères de la mouvance, et l'une de ses principales figures tutélaires, l'essayiste Irving Kristol, « les néoconservateurs sont des libéraux qui se sont fait braquer par la réalité ». En politique intérieure, ils ont émis des réserves sérieuses sur le projet de *Great Society* auquel s'attelle le président démocrate Lyndon Johnson, et dont les effets les plus visibles sont l'intervention autoritaire de l'État fédéral pour forcer l'intégration raciale face aux réticences, notamment dans le sud du pays, où les enfants noirs sont conduits en bus, sous la protection de la garde nationale, dans des écoles publiques de qualité fréquentées par les élèves blancs — lesquels fuiront alors ces établissements pour rejoindre un enseignement privé onéreux et exclusif. L'« ingénierie sociale » mise en œuvre alors par les démocrates au pouvoir a effectué des transferts de richesse des classes salariées et imposables blanches vers les minorités ethniques de couleur, ce qui a coupé, graduellement, le parti de sa base populaire, organisée par le mouvement syndical.

Dans le même temps, les présidences de Johnson puis du républicain Nixon sont marquées par l'escalade américaine au Vietnam, suivie du retrait des *boys* et de la chute finale de Saigon aux mains des communistes, qui s'emparent également du Laos et du Cambodge — autant de défaites face au bloc soviétique qui traumatisent une opinion américaine où les mouvements d'hostilité à la guerre sont bien représentés sur les campus, dont les étudiants redoutent d'être appelés au Vietnam — à une époque où la conscription est encore en vigueur. L'un des principaux négociateurs américains de cette période peu glorieuse, pendant les années Nixon, est Henry Kissinger. Chef du Conseil national de sécurité puis secrétaire d'État des présidents Nixon et Ford, il conservera de son héritage de médiateur une approche prudente et réaliste face à l'adversaire soviétique, basée sur une stratégie de lente évolution dans l'équilibre entre les deux blocs, et caractérisée par le

concept de détente. Prévaut dès lors l'ouverture économique à l'URSS — censée, être corrompue à terme par les
biens matériels et l'abondance procurés par l'économie de
marché — sur l'affrontement idéologique et les considérations morales. Cela fait les beaux jours des céréaliers et
autres exportateurs américains, soucieux à leur tour d'éviter
tout incident politique nuisible à leurs affaires, tandis que
les généralissimes des deux blocs empilent des armes de
destruction nucléaire et des missiles balistiques et inter-
continentaux.

Dans cette approche à long terme de la compétition
avec Moscou, la dissidence qui se développe derrière le
rideau de fer fait désordre aux yeux des stratèges de
Washington pendant les années Nixon, méfiants à l'encontre d'individus incontrôlés, écrivains, peintres et autres
poètes, qui expriment à travers leur œuvre l'horreur et
l'imbécillité du « socialisme réel » et de son « avenir
radieux » — selon l'usage ironique de cette expression chez
le romancier Alexandre Zinoviev — à travers les textes
clandestins du *Samizdat*. La figure par excellence de ces dissidents impatients, qui se moquent du temps long des architectes de la détente et de l'infinie cautèle des artisans de la
realpolitik, est Alexandre Soljenitsyne. Contraint à se réfugier aux États-Unis, l'auteur de *L'archipel du Goulag* n'y
est pas reçu à la Maison-Blanche, sur interdiction expresse
d'un Henry Kissinger qui hait tout mouvement intempestif
risquant de déplacer les lignes d'équilibre de la détente avec
le Kremlin. C'est dans l'opposition à ce type d'attitude que
se définit le courant « néoconservateur ». Dubitatif face aux
politiques publiques de l'ère Johnson, il est plus critique
encore de la façon dont est menée la relation avec le bloc
soviétique.

Le relais du groupe dans les cercles de pouvoir de
la capitale était le sénateur démocrate de l'État de
Washington Henry « Scoop » Jackson, très lié à la puissante
centrale syndicale AFL-CIO, bien représentée dans les
usines Boeing de Seattle, métropole économique dudit État.

Les dirigeants de l'AFL-CIO sont à la fois des défenseurs des intérêts des salariés contribuables et des anticommunistes virulents. Pour Jackson, dont Richard Perle était alors l'assistant parlementaire, il importait d'adopter, face aux régimes liberticides de Moscou et de ses alliés, une attitude sans compromis : la « détente » ne devait pas être menée à n'importe quel prix, certainement pas en sacrifiant le soutien moralement juste aux dissidents du bloc de l'Est, porteurs, sur place, des valeurs identiques à celles de la démocratie américaine défendues par l'AFL-CIO.

Cette posture propre au champ politique a son parallèle dans le monde universitaire. Parmi d'autres, deux intellectuels jouent un rôle fondateur : Irving Kristol et Leo Strauss. Le protéiforme Irving Kristol, qui a estampillé le syntagme « néoconservatisme », accomplit sa carrière, outre l'université de New York, dans le monde parascientifique des *think-tanks*, les « réservoirs d'idées », et autres fondations liées à la poursuite d'un intérêt particulier : mise en œuvre d'une politique spécifique, défense d'une catégorie socio-professionnelle, d'une branche de l'industrie, d'un parti, d'une idée, etc. Si ces instances ont au départ une moindre « dignité » intellectuelle que l'Université, dédiée au savoir en soi et à la recherche de la Vérité, elles sont souvent mieux dotées financièrement — et recrutent, en sus de leur personnel propre, des professeurs dont elles complètent le revenu, bénéficiant en retour des retombées de l'aura scientifique de ces derniers. Aujourd'hui leur influence est devenue telle que le débat public américain est structuré par les mieux dotés des *think-tanks*; ils lancent les idées, alimentent les mass media, — au détriment des revues indépendantes ou des départements de sciences sociales des universités. La question du Moyen-Orient, en particulier, est sous l'emprise de ces *think-tanks* et des vues normatives dont ils financent la diffusion, au préjudice de l'accumulation des connaissances et de l'élaboration d'un savoir universitaire objectif; elle illustre le triomphe du *partisanship* sur le *scholarship*, de l'engagement sur la science, du normatif sur l'analytique. Le temps fort du débat intellectuel américain sur le Moyen-Orient était autrefois le congrès annuel de la MESA (*Middle East Studies Association*), où des ateliers sur toutes sortes de sujets, politiques, anthropologiques, linguistiques, historiques, etc., reflétaient la fantastique richesse du monde universitaire d'outre-Atlantique, exprimaient une créativité qui faisait pâlir de désespoir l'orientalisme sclérosé de la « vieille Europe », dont les jeunes chercheurs ne rêvaient que du voyage à la MESA — ils y rencontraient tous ceux qui comptaient dans le champ, Américains comme Arabes, Européens comme Iraniens et Israéliens. Aujourd'hui, le basculement général de la MESA dans un postmodernisme « politiquement correct », reflet d'un engagement anti-impérialiste et anti-sioniste, en tient à l'écart la masse de ceux qui ne se reconnaissent pas dans ces exclusives. Profitant de cette dérive, les relais d'influence philo-israéliens ont fait des sessions publiques du WINEP (*Washington Institute for Near East Policy*), le centre de recherche qui émane de leur lobby, le lieu du débat américain par excellence. Ils invitent volontiers leurs adversaires à des rencontres confortablement organisées, mais l'*agenda* est déterminé par leurs intérêts propres.

Plus que d'autres, les néoconservateurs ont été les artisans de cet « engagement » du savoir au service d'une cause, prolongeant en l'inversant l'engagement des intellectuels de gauche envers le socialisme, voire la dictature du prolétariat. Irving Kristol en incarne la quintessence. Issu d'un milieu d'immigrants juifs pauvres de Brooklyn, il a fréquenté le City College de New York (comme Albert Wohlstetter), dont il fut diplômé en 1940. Pendant ces années, il a rejoint l'organisation de jeunesse de la section américaine de la IVe Internationale, de stricte obédience trotskiste. Les militants de la Young People's Socialist League se retrouvaient chaque jour dans le même coin de la cafétéria, où ils partageaient d'humbles sandwiches aux œufs durs ou au beurre de cacahuète, refaisaient le monde tout en surveillant du coin de l'œil les étudiants communistes « staliniens » installés à la table voisine. De cette formation initiale trotskiste, dont il évoque les années non sans nostalgie, Irving Kristol a conservé tout au long de son existence et de son engagement, jusques après son passage à droite, plusieurs traits marquants. De l'antistalinisme, il gardera une indécrottable défiance à l'encontre de l'URSS, manifestée avec force pendant les années de « détente », où il voit un piège stalinien tendu à la naïve Amérique. De la *minority politics* estudiantine et de son corollaire l'entrisme, il entretiendra le goût de créer des revues iconoclastes, à contre-courant, agitatrices d'idées (comme *The Public Interest*, fondé en 1965, qui se rapprochera ensuite de la revue *Commentary*, créée par Norman Podhoretz dans le milieu intellectuel juif new-yorkais) et de pénétrer des organismes plus vastes pour les inséminer d'idées — le point culminant de cette démarche sera la prise de contrôle de l'American Enterprise Institute créé en 1943, et devenu le porte-avions de la flottille des institutions, associations et organes de presse armés de la *Weltanschauung* néoconservatrice. De l'engagement « radical » contre l'establishment, autrefois exprimé en termes de lutte des classes, il maintiendra la volonté d'en découdre avec les certitudes rassies d'une classe politique américaine prête à sacrifier l'effort d'une vision à long terme pour les aménités du court terme, soucieux de privilégier le militantisme sur la contemplation philosophique, assoiffé de changer le monde au lieu de l'interpréter.

C'est dans l'articulation entre ce postulat quasi marxien et son aboutissement néoconservateur que le professeur Leo Strauss joue un rôle cardinal. Contrairement à Irving Kristol, Strauss (1899-1973), immigré européen appartenant à la génération antérieure, a suivi un parcours exclusivement universitaire, ce qui lui confère un magistère et une aura qu'aucun *think-tank* ne saurait délivrer. Jeune philosophe juif allemand, dont les premiers écrits furent rédigés pendant la République de Weimar, il vécut l'effondrement de celle-ci sous les coups de boutoir conjugués du communisme et du nazisme — cela le contraignit à l'exil américain en 1937. De cette expérience, il conclut que la démocratie ne peut se permettre la faiblesse, et doit pour perdurer face au mal user de la force. Professeur à l'université de Chicago à partir de 1949 (l'année où Albert Wohlstetter entre à la Rand Corporation), Strauss, qui rédige dès lors son œuvre en anglais, s'interroge sur les causes de la survenue, au XXᵉ siècle, de ces deux idéologies totalitaires ou « tyrannies », pour reprendre le vocabulaire grec dont Strauss est infatué —, de leur acceptation par le peuple et de la défaillance des intellectuels en réaction à celles-ci. Il en impute l'origine au rejet des valeurs du Droit naturel engendré par la modernité issue des Lumières ; celles-ci, en permettant l'émergence d'une pensée des sciences sociales empreinte de relativisme, d'historicisme et de ce que Max Weber nommait la « neutralité axiologique », ont révoqué en doute la recherche du Bien qui doit être le fondement de la démocratie, d'un Bien dont l'expression dans la vie de la cité est la *virtù* telle que la définit Machiavel — la « vertu civique ».

Appliquée à la situation du monde dans les années 1960 et au début des années 1970, époque du décès de Strauss, cette philosophie politique se traduit par une mise en garde contre toute tentation de « convergence » au nom de la realpolitik entre les États-Unis et l'URSS, qui laisserait accroire à une équivalence morale entre Bien et Mal, entre Démocratie et Totalitarisme. Les dernières années de la vie de Strauss se déroulent au moment où les campus américains manifestent dans l'effervescence leur opposition à la guerre du Vietnam, et remettent en cause les valeurs mêmes au nom (ou au prétexte) desquelles l'Amérique s'y est engagée, à savoir l'usage de la force pour défendre la démocratie contre l'expansion du communisme en Asie du Sud-Est.

L'œuvre est marquée par un pessimisme profond quant aux capacités de la masse — aisément séduite par les démagogues du siècle, de Lénine à Hitler — à discerner la voie du

Bien. Lecteur et commentateur de Platon, Strauss retrouve dans la rhétorique populaire nazie ou communiste la figure des sophistes contre lesquels ferraillait Socrate avec les armes de la philosophie. Or, la foule menée par ces mêmes sophistes a fait condamner et exécuter Socrate. Platon en déduit que le meilleur des régimes politiques, dans l'intérêt bien compris d'un peuple volage par nature, procède d'un philosophe-roi, éduqué à la vertu civique, et connaisseur du Vrai et du Bien. Exégète de Machiavel, Strauss conduit ce raisonnement jusqu'à justifier que le Prince, au nom de la poursuite d'un souverain Bien imperceptible à la masse fruste, dissimule ou mente à celle-ci, lorsque l'opportunité le requiert.

La postérité de Strauss a largement dépassé le cercle des néoconservateurs ; comme mouvement de pensée, elle a été popularisée à titre posthume en 1987 avec l'essai en forme de manifeste d'Allan Bloom *L'âme désarmée*, « essai sur le déclin de la culture générale », publié à des centaines de milliers d'exemplaires et traduit en de nombreuses langues — alors que les tirages des textes de Strauss sont restés faibles, voire confidentiels. L'auteur de cette sotie, traducteur de *La République* de Platon, professeur renommé à Chicago et consommateur assidu au Café de Flore pendant ses congés européens, plaide, dans une veine straussienne, pour une éducation élitaire nourrie aux sources classiques grecques et latines de la pensée occidentale. À l'époque, les campus américains sont balayés par la déferlante multiculturaliste, féministe, gay & lesbienne et tiers-mondiste qui pourchasse sans relâche les *dead white males* (les auteurs masculins blancs décédés), dont les œuvres sont impitoyablement rayées des bibliographies et remplacées par des textes jugés « politiquement corrects ». Pour les disciples de Strauss, les années 1970 et 1980 à l'Université sont vécues comme une chasse aux sorcières : le stigmate straussien y est une flétrissure qui interdit à beaucoup d'entre eux le recrutement par les *committees* de professeurs dominés par la gauche. Cette « persécution » favorise a contrario l'émergence d'une forte solidarité de groupe : le milieu disparate des élèves et de leurs épigones commence dès lors à se structurer comme une phratrie (y compris à travers des mariages endogames), et investit, faute d'accès aux campus, les *think-tanks* et les fondations, les revues militantes et les cercles du pouvoir reaganien.

En démasquant des pratiques universitaires inquisitoriales au visage pourtant moderne et avenant et en prescrivant comme antidote le retour aux sources propres de la culture occidentale, Bloom (qui décède en 1992) a contribué pour beaucoup à créer un terrain favorable à la diffusion de l'idéologie néoconservatrice dans un lectorat vaste qui s'éveille par là à des enjeux dont il n'avait pas conscience, touchant une classe moyenne répartie dans des milieux professionnels variés. Pourtant, les auteurs néoconservateurs eux-mêmes sont divisés sur leur lignage straussien ; si Irving Kristol ou Paul Wolfowitz s'en réclament, Richard Perle ou l'essayiste du *Weekly Standard* David Frum — coauteurs, en 2003, du manifeste *An End to Evil / How to Win the War on Terror* (« La fin du Mal ; comment gagner la guerre contre la terreur ») — dénient leur paternité intellectuelle à l'auteur des *Pensées sur Machiavel*. Richard Perle, interrogé par l'auteur de ce livre sur ce qu'il devait à Strauss, lui répondit : « Zéro ! Rien ! », arguant qu'il ne pratiquait nulle dissimulation machiavélique de sa vision du monde, mais l'exposait à longueur de colonnes et d'émissions télévisées.

La combinaison de la vision stratégique de Wohlstetter, de la tactique d'Irving Kristol et, dans une certaine mesure, de la philosophie politique de Strauss, forme le socle d'une théorie néoconservatrice qui, en politique internationale, se traduit d'abord dans le combat sans relâche pour en finir avec le bloc soviétique. En effet, face aux prudences de l'école kissingerienne, qui misait sur le lent pourrissement intérieur de l'URSS, déboussolée par l'attraction fatale d'une société de consommation inaccessible et rongée par le coût prohibitif de la course aux armements nucléaires, Wohlstetter et ses disciples, dont les jeunes Richard Perle, secrétaire adjoint du Pentagone sous Ronald Reagan, ainsi que Paul Wolfowitz, alors chef du Centre d'analyse et de prévision du Département d'État, recueillent les fruits d'une stratégie agressive *hic et nunc* envers Moscou, d'une *hard line*, pour reprendre le titre d'un livre de Perle, qui cultive le surnom de « prince des ténèbres » pendant son passage au ministère de la Défense. Dans la précipitation même des événements, le retrait de l'Armée rouge d'Afghanistan le 15 février 1989, la chute du mur de Berlin le 9 novembre suivant, l'arrivée au pouvoir de Boris Eltsine, qui enterre le socialisme après le coup d'État manqué de l'appareil du PCUS le 19 août 1991 et la démission de Gorbatchev le 25 décembre, font figure d'apothéose pour les néoconservateurs : ils savourent leur victoire tout autant sur l'« Empire du Mal » soviétique que sur l'establishment des ministères de Washington et de la CIA, traditionnellement agacé par leur fougue et sceptique quant à leur efficacité. L'ivresse du succès fait tourner la tête à ces *Wunderkinder*, ces enfants prodiges de l'administration Reagan, pourtant quelque peu marginalisés par son successeur.

Le président George Bush père est un patricien « wasp » du Massachusetts, ancien directeur de la CIA, qui a bâti sa fortune personnelle dans le pétrole, une industrie peu encline aux enthousiasmes idéologiques et dont le réalisme politique et financier s'alimente d'un retour sur investissement dans la longue durée. Engageant les troupes américaines le 7 août 1990 dans l'opération Bouclier du désert, où il vole au secours de la pétromonarchie saoudienne alliée — qui ne peut guère être considérée comme un champion des valeurs démocratiques à l'américaine —, il est rapidement soucieux de convertir ses succès sur le champ de bataille koweïtien en 1991 en négociation multilatérale pour régler le problème israélo-palestinien de façon plus « réaliste » qu'idéologique. Dans cette manière de voir le monde, les néoconservateurs ne sauraient jouer les premiers rôles. Après la défaite de George H. Bush en 1992, ils demeurent naturellement très à l'écart des cercles de la décision politique durant les deux mandats du démocrate Bill Clinton, jusqu'à l'automne 2000.

La traversée du désert des années 1990 est propice à la théorisation rétrospective de cette victoire contre l'URSS dont on a volé les fruits aux « *neo-cons* » en les éliminant des réseaux du pouvoir. En mars 1996, Norman Podhoretz, fondateur de *Commentary*, publie dans sa revue un article issu d'une conférence donnée à l'American Enterprise Institute et intitulé « Le néoconservatisme : oraison funèbre » (*Neoconservatism : A Eulogy*). Ce texte, par ailleurs un chef-d'œuvre de *Witz*, d'humour juif new-yorkais — rappel opportun que le néoconservatisme est un style, au moins pour les plus talentueux de ses adeptes —, voit dans la faible notoriété du mouvement au cœur des débats de société qui agitent l'Amérique des années Clinton le signe que la pensée néoconservatrice est entrée dans les mentalités, et n'a donc plus le besoin de s'exprimer comme telle.

> « Ayant été un néoconservateur si longtemps que l'on devrait peut-être m'appeler un paléonéoconservateur, note Norman Podhoretz, j'ai de bonnes raisons pour porter le deuil de ce mouvement, ou de cette tendance. Et pourtant, je dois confesser que sa mort me semble davantage matière à célébration qu'à tristesse. Car ce qui a tué le néoconservatisme ne fut pas la défaite, mais la victoire ; il n'est pas mort de son échec, mais de son succès. »

Celui-ci est, selon l'auteur, « venu au monde pour combattre les dangereux mensonges que répandait le gauchisme (*radicalism*) des années 1960 et qui furent acceptés comme vérités par les institutions libérales de l'époque » ; ses « deux passions maîtresses » furent « anticommunisme et aversion pour la contre-culture ».

Force est de constater que, au milieu des années 1990, ces deux passions sont devenues sans objet. Le communisme a disparu, et il ne demeure des traces de la contre-culture que sa récupération commerciale par l'establishment, à l'heure où le président Clinton joue du saxophone et confesse avoir fumé, dans ses années estudiantines, un pétard de haschich (sans avaler la fumée). Rétrospectivement, le constat de décès dressé par Norman Podhoretz pourrait prêter à sourire — eu égard à la célébrité mondiale qu'acquirent peu après les « *neo-cons* », plus vivants que jamais dans les années suivantes. Mais il marque le décalage entre la génération fondatrice et les « enfants terribles », les épigones qui reprendront les articles de foi de la doctrine, *ne varietur,* face à un nouvel ennemi, au service d'une cause qu'ils mélangeront avec l'anticommunisme du passé, se privant ainsi des moyens d'intellection nécessaires face au défi que rencontre l'Amérique avec le tournant du siècle, chaussant les bésicles de papa — dont les verres pour presbytes ne sauront corriger la myopie conceptuelle de la jeune génération.

L'hebdomadaire *The Weekly Standard*, étendard de ces « enfants terribles », lancé en 1995, est un remake du *Public Interest* et du *Commentary* des années 1960, mais il privilégie les articles courts, au ton volontiers iconoclaste et provocateur, souvent drôles, au détriment de la réflexion de fond qui se donnait à lire, pour le meilleur et pour le pire, c'est selon, dans les revues de la génération précédente. Il est animé par une équipe où l'on trouve nombre d'enfants de chair des néoconservateurs « historiques », la filiation la plus directe étant incarnée par Bill Kristol, son rédacteur en chef, fils d'Irving Kristol. Ce milieu assez endogame s'emploie, à longueur de colonnes de son hebdomadaire, par l'usage précoce et immodéré de l'Internet, où sont diffusés les manifestes, à travers la nébuleuse de fondations qui gravitent autour de l'American Enterprise Institute, à convertir une vision du monde binaire héritée de l'antagonisme Washington/Moscou en lecture prospective de l'univers.

Selon eux, les présidents Bush père et Clinton ont été incapables de tirer les leçons de l'effondrement du bloc soviétique pour repenser en profondeur le système international et la place unique des États-Unis, désormais seule superpuissance, en son sein. Tout se passe comme si le gouvernement américain se coulait paresseusement dans les normes et les institutions issues des lendemains de la Seconde Guerre mondiale — alors qu'elles sont tombées en désuétude avec la chute de l'URSS. Au contraire, il faut mettre en adéquation, dans la pratique, les nouvelles réalités du rapport de forces mondial incarné par « La fin de l'histoire » avec des institutions et des normes à bouleverser, afin de promouvoir partout le modèle démocratique américain. L'heure n'est plus, pour l'idéologie néoconservatrice, à l'équilibre de la terreur face à une menace soviétique disparue : elle est à l'offensive tous azimuts au nom des valeurs suprêmes du Bien (qui coïncident avec les intérêts bien compris des États-Unis) — dans une vision du monde largement inspirée, en ce sens, des leçons de Leo Strauss.

Au milieu de la dernière décennie du siècle écoulé ces idées commencent à s'afficher dans l'establishment, avec la publication par la revue *Foreign Affairs* d'un article cosigné par Bill Kristol et Robert Kagan intitulé « Vers une politique étrangère néoreaganienne ». Daté de l'été 1996, quelques mois après l'« éloge funèbre » du néoconservatisme sous la plume de Norman Podhoretz, il paraît à une époque où tout semble sourire à l'ennemi par excellence des néoconservateurs, le président démocrate Bill Clinton — qui sera réélu à l'automne. Son pâle adversaire républicain le sénateur Bob Dole professe des vues de politique étrangère qui semblent inconsistantes aux auteurs, frappées d'une timidité inspirée par les prudences obsolètes de l'époque Kissinger, incapables de porter un souffle nouveau prenant à bras-le-corps les défis du monde. Face à ce consensus tiède issu de la diplomatie de grand-papa, les deux auteurs plaident pour une stratégie de rupture radicale, qui en revienne à l'inspiration des années Reagan : les États-Unis doivent se doter d'une capacité militaire inégalée, consacrer au moins un quart du budget fédéral à la Défense, de manière à dissuader tout ennemi de les attaquer, et ainsi garantir non seulement la paix dans un monde où chacun craindrait le gros bâton américain, mais aussi la promotion des idéaux démocratiques en faisant pression sur les « dictatures de droite et de gauche ». Les auteurs, en ce sens, expriment leur dédain pour James Baker, le secrétaire d'État de George Bush père, qui a justifié l'engagement militaire dans l'opération Tempête du désert en 1991 non pour défendre les valeurs américaines, mais les emplois américains. Washington se doit au contraire d'exercer une « hégémonie bienveillante » sur l'univers, dans laquelle il n'y a aucune place réelle pour la négociation ou le compromis. Les « nations civilisées » se rangent sous son égide, pour leur bien et celui de l'humanité ; les autres ne sont que des voyous qui doivent s'attendre un jour ou l'autre à encourir la foudre s'ils ne se repentent ni se rachètent.

Cette vision du monde est mise en œuvre le 3 juin 1997 par la création d'un *think-tank* ad hoc, hébergé dans l'immeuble de Washington qui abrite l'American Enterprise Institute et le *Weekly Standard* : le *Project for a New American Century (PNAC)*. Ce « Projet pour un nouveau siècle américain » porté sur les fonts baptismaux par Bill Kristol et Robert Kagan admoneste et morigène les politiciens afin d'influer sur les choix de politique étrangère par des pétitions adressées au président, aux membres influents du Congrès et autres. Parmi les signataires, on retrouve régulièrement ceux qui seront les acteurs clefs de l'entourage de George W. Bush et se feront les avocats passionnés de l'unilatéralisme : le futur vice-président Dick Cheney, le futur chef du Pentagone Donald Rumsfeld, Paul Wolfowitz, Richard Perle, Zalmay Khalilzad, qui sera chargé du dossier afghan, ou Eliott Abrams, l'un des principaux artisans du montage de l'opération Iran-*contras* de 1985-1987, condamné pour parjure puis pardonné par le président Bush père, et nommé au printemps 2002 responsable du dossier moyen-oriental au Conseil national de sécurité sous la présidence de Bush fils.

C'est autour de la question du Moyen-Orient que se

cristallise, dès l'époque qui correspond au second mandat de Bill Clinton et en opposition à celui-ci, la réflexion dans les *think-tanks* sur les nouveaux antagonismes de l'ère post-soviétique et que commence de s'établir la ligne de départ entre les « nations civilisées » et les « voyous ». En 1993, Samuel Huntington, professeur à Harvard, publie dans la revue *Foreign Affairs* son célèbre article sur le « clash des civilisations », qui suscitera des débats passionnés et sera suivi d'un livre homonyme, immédiatement best-seller mondial. Le thème devient dès lors une ritournelle qu'entonnent grands et petits, doctes et profanes, à longueur de colloques et d'articles, pour s'en faire les chantres ou en condamner les thèses.

Sans entrer dans le détail de celles-ci, on notera qu'elles font de l'islam — flanqué du confucianisme — l'*autre* par excellence de l'Occident, un autre hostile que ramasse la formule fameuse de l'auteur : « Le monde de l'islam, en forme de croissant, a des frontières sanglantes. » L'adéquation entre la représentation cartographique (approximative) de l'extension territoriale supposée de l'islam et son symbole sur les étendards des armées du *jihad* est une manière de littérature à l'estomac. De fait, le croissant est devenu l'ordinaire du petit déjeuner européen d'abord, universel ensuite, aux lendemains de la défaite ottomane devant Vienne en 1683, qui marqua la fin du *jihad* d'expansion vers l'ouest du sultan-calife d'Istanbul, et le coup d'envoi du *roll-back* qui devait lentement emporter son Empire. Les pâtissiers autrichiens célébrèrent la victoire en confectionnant la viennoiserie qui permet à chacun, aujourd'hui encore, de dévorer le symbole de qui espérait les asservir — en un rite qui évoque l'ingurgitation de l'ennemi vaincu dans les tribus primitives, même si l'individu qui trempe un croissant dans son café a perdu la mémoire du moment fondateur. La célébration n'est complète qu'à la condition que ce café soit un cappuccino : les Viennois, en pillant le camp abandonné des Turcs en déroute, découvrirent des sacs pleins d'un grain inconnu.

Torréfié en un breuvage trop amer à leur goût, ils l'édulcorèrent de lait et de sucre, baptisant ce mélange « cappuccino » en hommage à la coule brun clair du capucin Fra d'Aviano, prêcheur infatigable de la croisade anti-ottomane triomphant devant Vienne, dont les sermons raffermissaient les cœurs et les esprits dans la certitude de la victoire de la croix sur le croissant. Le capucin sera béatifié par Jean-Paul II en 2002.

La réactivation de cette ligne de bataille entre Occident et Islam à la toute fin du XXᵉ siècle sous la plume de Samuel Huntington rend certes sa saveur historique à la collation matinale, mais s'efforce surtout de substituer un affrontement du Bien au Mal à un autre, par glissement de la toponymie : l'Est, hier métaphore du bloc soviétique, appelle l'Orient d'avant-hier, évocation guerrière de l'ennemi sarrasin, qui annonce l'islamisme radical d'aujourd'hui, où se mêlent résidus de la propagande communiste et fanatisme religieux — comme la pilosité de Guevara se conjugue à celle du Prophète pour préparer à la barbe en bataille de Ben Laden sur ces icônes d'aujourd'hui produites par la télévision ou l'industrie du tee-shirt illustré. Mais la comparaison est trompeuse car elle suggère que le monde de l'islam est aussi centralisé que feu le bloc soviétique — nonobstant la dissidence chinoise —, et que La Mecque constitue réellement, pour retourner la célèbre formule, le Moscou de l'islam. Il n'en est rien, et le monde musulman n'est ni monolithique ni homogène. Il comporte une pluralité de centres en compétition acharnée pour l'hégémonie sur les valeurs politico-religieuses. Son rapport avec l'Occident, et la modernité que celui-ci invente et diffuse, s'avère plus complexe, profond, intime que l'antagonisme idéologique et militaire tranché qui prévalait entre États-Unis et Union soviétique. Il n'existe pas de Komintern islamiste dont les mouvements radicaux à travers la planète appliqueraient les instructions comme les partis communistes de chaque pays suivaient aveuglément la ligne stalinienne eu égard aux intérêts de l'URSS.

La survenue de la théorie du clash des civilisations est affaire d'opportunité : elle advient au moment idoine pour permettre le transfert sur le monde musulman de l'hostilité stratégique héritée des décennies de la guerre froide, au moment où l'arsenal accumulé contre la menace soviétique doit se redéployer et se redéfinir face à un nouvel ennemi. Le parallélisme des dangers entre communisme et islam donne aux stratèges de Washington l'illusion qu'ils peuvent se dispenser d'analyser la nature de la menace islamiste, et transposer les outils conceptuels destinés à appréhender l'un sur les réalités assez différentes de l'autre. La mouvance néoconservatrice joue un rôle central pour opérer cette permutation rhétorique et théorique : elle met cette facilité de penser au service d'une cause politique précise, qui vise à la fois à prolonger l'expansion du modèle démocratique occidental dans son acception américaine vers le Moyen-Orient — seule partie du monde à ne connaître aucune percée significative en ce domaine à la fin du xxe siècle — et à infléchir en profondeur la politique des États-Unis dans la région, en donnant la priorité à la sécurité d'Israël sur l'alliance avec la pétromonarchie saoudienne.

En effet, le Moyen-Orient reste marqué, malgré la disparition de l'Union soviétique, par la permanence des deux paramètres particuliers qui en font une zone spécifique par rapport au reste du monde : la surabondance pétrolière et l'existence d'Israël. La fin de l'URSS, le triomphe des armes américaines dans l'opération Tempête du désert de 1991, ont permis au président Bush père de lancer un processus de paix qui, à travers la conférence de Madrid, prend acte de l'incapacité des États arabes, désormais privés de l'aide politique et militaire de Moscou, à lutter contre Israël. Le processus dit d'Oslo, à l'initiative de Rabin et d'Arafat, devait offrir, dans la foulée, aux oligarchies dirigeantes arabes, militaires ou dynastiques, de s'intégrer à une sphère de coprospérité avec l'État hébreu : cela leur aurait permis de redistribuer à une population privée d'expression politique légale effective des dividendes matériels se substituant à la mobilisation antisioniste comme ressource primordiale de légitimation. Mais ni George H. Bush ni son successeur Bill Clinton ne souhaitaient faire évoluer par ce biais le système politique dominant dans le monde arabe vers un pluralisme permettant la rotation au pouvoir d'élites issues des couches sociales émergentes instruites et modernes, seule base possible d'un début de démocratisation. En dépit de proclamations incantatoires sur ce sujet, sans effet sinon l'organisation de quelques scrutins à caractère cosmétique qui ne sauraient questionner la suprématie des oligarchies régnantes, les États-Unis — pas davantage que l'Europe — ne se donnèrent les moyens, dans les années 1990, de faire évoluer un statu quo qui arrangeait leurs intérêts.

Ainsi, les aspirations démocratiques qui s'expriment dans la péninsule Arabique après la libération du Koweït, au printemps 1991, ne trouvèrent guère de relais dans une Maison-Blanche préoccupée d'abord de stabilité dans le Golfe. C'est la garantie sine qua non de la régularité des approvisionnements de la planète en pétrole qui conditionne la marche de l'économie mondiale. Ce blocage institutionnel récurrent expose aux yeux des innombrables mécontents du Moyen-Orient ce qu'ils stigmatisent comme mauvaise foi occidentale ; il constitue un formidable adjuvant pour l'essor de l'idéologie islamiste, qui se présente comme une solution politique endogène. Quelle qu'en soit l'expression, modérée ou radicale, conservatrice ou révolutionnaire, pacifique ou violente — voire terroriste —, elle se targue d'authenticité et de désintéressement, préoccupée par les seuls intérêts des peuples dont elle est issue, et non par ceux des puissances étrangères ou du marché mondial des hydrocarbures.

Cette complaisance occidentale pour le statu quo politique au Moyen-Orient et son corollaire le ressentiment qui alimente l'idéologie islamiste sont identifiés comme un problème dès le milieu des années 1990 par les néoconservateurs. Ils l'intègrent dans une batterie d'arguments en faveur d'un bouleversement radical de la politique américaine au Moyen-Orient dans un sens explicitement interventionniste, qui enclenche la rotation des élites au pouvoir, ou, à tout le moins, élimine l'essentiel des régimes en place. Les griefs nourris envers ceux-ci sont de deux ordres. De manière générale, ces régimes ont failli à assurer ce minimum de progrès social qui aurait dû permettre aux populations de participer à la mondialisation contemporaine et d'en tirer quelque profit — comme c'est le cas pour les classes moyennes d'Asie ou d'Amérique latine, où sont délocalisées les entreprises de composants électroniques, de textile, de mécanique, d'automobile, etc. Au Moyen-Orient, la corruption généralisée, la recherche effrénée de la rente pétrolière et de ses dérivés, l'autoritarisme qui interdit l'émergence d'une classe d'entrepreneurs génératrice d'emplois et de prospérité, et accouchant du processus démocratique, sont mis en cause dans les textes des néoconservateurs avec des accents presque gauchistes qui rappellent l'origine de certains de leurs auteurs, et ont valu au diagnostic une approbation qui dépasse largement les cercles de la droite américaine et convainc bon nombre d'adeptes de la critique sociale, y compris certains intellectuels arabes. Le diagnostic n'est pas fondamentalement différent de celui que dressent, en 2002, les intellectuels arabes rédacteurs du *Rapport sur le développement humain dans le monde arabe*, publié sous l'égide du Programme des Nations unies pour le développement, même si la médication préconisée diffère.

Mais, par-delà ces principes généraux, la mise en cause des régimes en place au Moyen-Orient est aussi dictée, dans la vision du monde néoconservatrice, par une seconde considération, également importante : les impératifs précis et immédiats qui ont directement trait à la sécurité et à la pérennité d'Israël. Dès le milieu des années 1990, au moment où Yitzhak Rabin est assassiné par un militant extrémiste juif, la logique du processus d'Oslo, qui échangeait la restitution par Israël des territoires occupés et l'établissement sur ceux-ci d'une entité palestinienne dirigée par l'OLP contre la reconnaissance de l'État hébreu par les États arabes, est dénoncée comme illusoire par les néoconservateurs, dont les sympathies vont au Likoud de Benjamin Netanyahou, élu Premier ministre d'Israël en 1996 face à Shimon Peres. Dans un document que lui remettent certains intellectuels « *neo-cons* » cette année-là, ceux-ci manifestent leur absence complète de confiance dans les partenaires arabes d'Israël, et ébauchent une stratégie alternative qui finira par se faire entendre jusqu'à la Maison-Blanche avec l'élection de George W. Bush, pour être mise en œuvre après le 11 septembre.

Intitulé *A Clean Break : A New Strategy for Securing the Realm* (« Une franche rupture : nouvelle stratégie pour la sécurité du royaume »), ce texte, élaboré dans le cadre d'un *think-tank* de Jérusalem, porte les signatures de Richard Perle, Douglas Feith, et d'autres « relais d'opinion » qui se retrouveront dans les premiers cercles du pouvoir après 2001. Il considère qu'Israël est paralysé à l'intérieur par les reliquats du sionisme travailliste, qui ont conduit à la récession économique, et à l'extérieur par un processus de paix fondé sur le troc de « la terre pour la paix » avec les Arabes — gros de dangers et signe de faiblesse, auquel il faut substituer la logique de « la paix pour la paix ». La « franche rupture » préconise de reconstruire le sionisme sur un « fondement intellectuel neuf » permettant de sécuriser les rues comme les frontières d'Israël en retrouvant l'initiative stratégique propre de l'État hébreu, et en s'affranchissant des contraintes nées de la paix d'Oslo. Trois thèmes principaux sont proposés : alliance stratégique avec la Turquie et la Jordanie, révision des relations avec les Palestiniens permettant de poursuivre immédiatement dans les territoires soumis à l'Autorité palestinienne les auteurs d'agressions et d'actes de terrorisme, tout en favorisant l'émergence d'alternatives au pouvoir d'Arafat, et enfin relation de moindre dépendance envers les États-Unis.

« Israël, note le rapport, peut façonner son environnement stratégique, en coopération avec la Jordanie et la Turquie, en affaiblissant, contenant et même repoussant la
Syrie. Cet effort peut se concentrer sur l'élimination de Saddam Hussein du pouvoir en Irak — un important objectif
israélien en soi — afin de contrecarrer les ambitions régionales syriennes. » Dans cette perspective, la restauration
de la monarchie hachémite à Bagdad, issue de la famille
régnante à Amman, est préconisée, notamment pour que
celle-ci, en influençant les centres religieux chiites de Najaf
qui seraient alors sous son contrôle, aident en retour Israël
à détacher les chiites du Liban du Hezballah, de l'Iran et de
la Syrie.

« La nouvelle ligne d'Israël, concluent les auteurs, exprimera une
franche rupture en abandonnant une politique qui ne faisait qu'assumer
l'affaiblissement et ouvrir la voie à la retraite stratégique, en instaurant
à nouveau le principe de préemption — plutôt que de se limiter à la
seule rétorsion — et en cessant de prendre des coups sans que la nation
y réponde. »

Cette approche « préventive » — homothétique à la
doctrine de la préemption élaborée par Wohlstetter et Wolfowitz à propos de la stratégie américaine globale — part du
principe que la sécurité et la pérennité de l'État hébreu ne
seront assurées qu'à la condition de bouleverser les oligarchies dirigeantes des pays arabes voisins (et de l'Iran).
Celles-ci, en effet, ne peuvent compenser leur déficit struc-
turel de légitimité politique interne, leur faillite économique
et sociale que par la fuite en avant dans la rhétorique populiste anti-israélienne, par une complaisance coupable envers
le militantisme islamiste dans ses aspects antijuifs les plus
virulents, qui sert à détourner l'attention populaire des
échecs patents de ces mêmes régimes. Pour rompre ce
cercle vicieux, il n'y a d'autre choix, aux yeux des néoconservateurs, qu'un électrochoc qui favorise l'élimination
de ces gouvernants et — idéalement — promeuve une alternative démocratique. Les nouveaux dirigeants ne ressenti-
ront plus le besoin de mobiliser le peuple contre Israël,

puisque le peuple les aura élus, et cela d'autant moins si, appuyés sur une classe d'entrepreneurs créateurs de richesses et d'emplois, ils voient dans le partenariat avec l'État hébreu la meilleure manière d'accroître la prospérité.

Le déclencheur de ce processus, qui veut inaugurer une véritable révolution dans la politique étrangère américaine — en commençant par le Moyen-Orient —, doit être l'élimination du régime de Saddam Hussein en Irak. Considéré comme le patron du principal « État voyou » de la région, il incarne surtout aux yeux des néoconservateurs la menace par excellence contre Israël. Sa disparition doit permettre d'abord de supprimer ce péril en privant les ennemis arabes de l'État hébreu d'un de leurs premiers soutiens. Puis, en châtiant de façon exemplaire un despote qui a infligé à sa population des épreuves terribles, elle doit favoriser la transition démocratique en permettant à la société civile débarrassée du dictateur de parvenir au pouvoir. Enfin, elle ouvrira une ère de prospérité au Moyen-Orient, inaugurée par la reconstruction de l'Irak et financée par son abondante production pétrolière. L'exemple irakien galvanisera les populations des États voisins, incitées à renverser leurs propres dirigeants — cela permettra au Moyen-Orient de devenir *in fine* une région « normalisée » insérée dans le processus de mondialisation sous hégémonie bienveillante des États-Unis, à l'instar de l'Europe, de l'Asie pacifique ou de l'Amérique latine.

Le 26 janvier 1998, peu avant le traditionnel « discours sur l'état de l'Union » que prononce chaque année le président des États-Unis, le « Projet pour un nouveau siècle américain » adresse à Bill Clinton une lettre ouverte, signée par dix-huit hommes d'influence, qui dépassent la mouvance *stricto sensu* des néoconservateurs (on y trouve Richard Armitage, futur secrétaire d'État adjoint, et Donald Rumsfeld, futur secrétaire à la Défense de George W. Bush), mais où figurent en nombre ceux d'entre eux qui occuperont des fonctions de premier plan après janvier 2001 : Elliott Abrams, John Bolton (sous-secrétaire au

Contrôle des armements et à la Sécurité stratégique), Zalmay Khalilzad (chargé du dossier afghan), Richard Perle, et Paul Wolfowitz notamment, à côté de Francis Fukuyama, auteur de « La fin de l'histoire ». Estimant que le régime de l'embargo et des sanctions contre l'Irak est dénué d'efficacité après le retrait des inspecteurs en désarmement de l'Onu de ce pays, ils tiennent qu'il n'est plus possible de s'assurer que Saddam Hussein ne produit pas d'armes de destruction massive. « Cette incertitude, en elle-même, aura un grave effet déstabilisant sur le Moyen-Orient tout entier. À peine est-il besoin d'ajouter que, si Saddam acquiert la capacité de distribuer des armes de destruction massive, comme il est quasi certain sauf à changer notre politique, la sécurité de nos troupes dans la région, de nos amis et alliés comme Israël et les États arabes modérés, et une partie importante des approvisionnements pétroliers mondiaux seront en danger. » La seule stratégie envisageable pour parer à ce péril est « à long terme, d'éliminer Saddam Hussein et son régime du pouvoir ».

Quatre jours plus tard, à la suite du discours du président Clinton menaçant de bombarder l'Irak, Bill Kristol et Robert Kagan publient dans le *New York Times* un article d'opinion qui réitère cet objectif sous le titre « *Bombing isn't enough* » (« Le bombardement ne suffit pas »). S'ouvrant sur les mots « Saddam Hussein doit partir », il se clôt sur une injonction prémonitoire — qui sera mise en œuvre cinq ans plus tard :

> « Si M. Clinton veut sérieusement protéger nos alliés et nous-mêmes des armes biologiques et chimiques irakiennes, il doit envoyer l'armée de terre dans le Golfe. Quatre divisions blindées et deux divisions aéroportées peuvent être déployées. Il faut que le président agisse, et que le Congrès le soutienne : c'est la seule politique qui peut réussir. »

Première étape de ce vaste dessein, la liquidation du régime de Saddam Hussein est pensée sur le mode de l'élimination du communisme : l'éradication de l'appareil du pouvoir, représenté aux yeux des néoconservateurs par le parti Baas et la hiérarchie militaire, devrait faciliter la prise en main par la société civile de son destin. De même qu'à Prague, à Varsovie et dans tout le bloc socialiste après la chute du mur de Berlin, la société s'est reconstruite sur des bases démocratiques une fois le système communiste disparu — la société irakienne est porteuse, dans la vision néoconservatrice que partagent, sur ce point, de nombreux libéraux et des défenseurs des droits de l'homme, d'un avenir également démocratique. Dans cette optique, il n'y a pas d'« exception culturelle », fût-elle arabe, musulmane, tribale ou autre, qui vaille : l'Irak et le reste du Moyen-Orient doivent pouvoir participer à la « fin de l'histoire » théorisée par Francis Fukuyama au même titre que les autres nations du monde. La plupart des néoconservateurs font alors le pari que le « clash des civilisations » sera soluble dans la démocratisation et l'économie de marché.

Or le déclenchement même de ce projet, le changement de régime en Irak, ne peut se produire que sous l'effet d'une action extérieure. Après l'opération Tempête du désert en 1991, l'Irak a été placé sous un régime d'embargo que les néoconservateurs, rejoignant ici nombre d'intellectuels arabes de tous bords, critiquent radicalement. Pour eux, les sanctions contre le pouvoir de Saddam Hussein n'ont fait que renforcer celui-ci, au détriment de la société civile qui paie le prix le plus lourd des privations de biens matériels, de la paupérisation, de la ruine générale des infrastructures éducatives, sanitaires, routières, etc. La politique des sanctions procède de la pusillanimité des présidents Bush père et Clinton, inaptes à encourager le changement des régimes au Moyen-Orient de peur de toucher au statu quo pétrolier et de précipiter l'emballement des prix.

La solution que préconisent les néoconservateurs est une initiative militaire pour renverser le régime de Saddam, en utilisant les « armes intelligentes » dont disposent les États-Unis. Cela doit inverser les effets de l'embargo : au lieu de pénaliser la société irakienne sans dommages pour le régime, il faut détruire la superstructure du parti Baas et de la hiérarchie militaire en limitant le plus possible les « dommages collatéraux », préserver les infrastructures, qui doivent pouvoir être réutilisées dès les lendemains de la chute de Saddam, et sauvegarder corps et biens la société civile, d'où doit émerger le gouvernement irakien postérieur à l'élimination du despote. Cette initiative est la clef de voûte d'un faisceau de lignes de force : elle prolonge l'engagement anticommuniste qui a abouti à la chute de l'URSS en en appliquant les modalités à l'Irak de Saddam, fait une priorité de la sécurité d'Israël, vise à promouvoir la diffusion du modèle démocratique américain au Moyen-Orient, et doit ouvrir la voie à la prospérité d'une région grosse de fructueux marchés pour les entreprises des États-Unis et de leurs alliés — tout en assurant le contrôle de la principale zone pétrolière du monde et en rééquilibrant l'offre d'hydrocarbures au profit du nouveau producteur irakien.

Toutefois, pour que cette initiative voie le jour, il lui faut bénéficier d'une conjoncture exceptionnelle. Elle suppose en effet que les États-Unis puissent déployer leurs forces de manière unilatérale, ou à tout le moins obtenir un blanc-seing du conseil de sécurité de l'Onu. Les attentats terroristes du 11 septembre 2001 à New York et Washington en fourniront l'occasion.

CHAPITRE 2

Frapper l'ennemi lointain

Les attentats du 11 septembre 2001 ont été l'expression la plus spectaculaire d'un processus froid et rationnel qui a conduit la mouvance islamiste radicale à porter le terrorisme au cœur des États-Unis. Ils ne constituent, pour ceux qui les ont commandités ou exécutés, ni un début ni une fin; ils mettent en application — de façon inouïe — une stratégie définie auparavant puis déjà éprouvée, et poursuivie ensuite. Néanmoins, aucune des attaques suicides qui ont précédé ou suivi le 11 septembre n'a eu le même impact, ni engendré semblables réactions. Le double attentat des États-Unis laissera une empreinte sans pareille dans la mémoire de tous ceux qui, à travers le monde, ont vu sur l'écran de leur téléviseur l'effondrement des tours jumelles du World Trade Center, hier symbole de la puissance commerciale et financière de l'Amérique, désormais image de désolation et d'effroi, entraînant dans la mort près de trois mille personnes étrangères aux enjeux d'une guerre qui a pris leur vie en otage alors qu'elles en ignoraient tout.

Pour les victimes d'un terrorisme indéchiffrable de prime abord, et pour les « nations civilisées » du monde développé, dont les morts, les blessés, les orphelins sont citoyens ou résidents, l'attentat est d'abord une énorme surprise; puis on y voit comme une explosion à la fois terminale et fondatrice, une sorte de big-bang qui clôt un chapitre connu de l'histoire et inaugure, avec le nouveau millénaire, le retour des temps barbares, l'ère d'une apocalypse insensée, incompréhensible, chargée d'affres. Ce défi phénoménal déclenchera en réaction la « guerre contre la terreur » menée, à l'instigation des milieux néoconservateurs, par les États-Unis et certains de leurs alliés. Celle-ci tentera d'accoucher, sur le chaos et la violence, un nouvel ordre mondial, en accélérant soudain les mutations laissées en sommeil depuis la mort de l'URSS.

Mais l'« opération-martyre » de septembre 2001, comme la qualifient les fractions les plus radicales de la mouvance islamiste qui en ont porté le projet et permis la réalisation, n'a rien d'irrationnel. Elle n'est fanatique que par l'insatiable aspiration au suicide des terroristes qui l'ont accomplie, par les moyens dont elle a usé. Sa finalité en revanche s'inscrit dans une séquence à la progression précisément calculée. Elle est le fruit d'une réflexion nourrie par les tribulations et les échecs passés, et d'une spéculation sur les limites de la puissance américaine dans les nouveaux rapports de forces mondiaux, qui met en leur centre la crise du Moyen-Orient et escompte retirer de l'usage savamment dosé de la terreur un formidable profit politique.

Pour restituer la logique des activistes qui ont perpétré les attentats de New York et de Washington, il est nécessaire de retracer la double filiation qui y a abouti, et qu'incarnent par excellence les deux principaux responsables emblématiques du réseau Al Qa'ida : Ayman al Zawahiri l'Égyptien et Oussama Ben Laden le Saoudien. Ils fomentent la prolifération planétaire du terrorisme durant l'expérience du *jihad* en Afghanistan pendant la décennie 1980, commencent à l'expérimenter lors des années d'exil et de pérégrinations au Soudan, au Yémen et en Europe de 1992 à 1996, puis la théorisent définitivement et la mettent en œuvre à grande échelle avec le retour des militants jihadistes en Afghanistan autour de Kandahar sous l'« émirat islamique » des Talibans entre 1996 et 2001 dans ce pays qui constitue un véritable bouillon de culture et un lieu d'incubation pour tous ceux qui viendront, du monde entier, s'y former. Cette histoire est faite pour l'essentiel, par-delà la rencontre des deux destins exceptionnels de Zawahiri et de Ben Laden, de l'hybridation entre les filières égyptienne et saoudienne de l'islamisme radical et de la visée internationaliste qui en est le fruit inattendu et renverse la logique du combat imminent contre l'« ennemi proche » (le pouvoir établi dans les États de la région) au profit d'une guerre immédiate et sans merci contre l'« ennemi lointain » (les États-Unis, Israël et l'Occident en général). Les échecs du combat mené contre le régime de Moubarak en Égypte, contre le pouvoir algérien durant la guerre civile, ou des tentatives pour faire de la Bosnie une base islamiste, conduiront les idéologues d'Al Qa'ida, et Zawahiri au premier chef, à effectuer une révolution stratégique qui donne la priorité à la lutte internationale et à ses effets de souffle médiatiques sur les guérillas locales écrasées par la répression. Dans cet esprit, l'attaque spectaculaire de cibles américaines, israéliennes ou juives, et occidentales en général est censée résoudre le problème majeur qui a hypothéqué le succès des islamistes jusqu'alors : l'absence d'adhésion populaire à leur projet, l'incapacité des radicaux à mobiliser les soutiens nécessaires au renversement des régimes en place afin d'instaurer l'État islamique. L'internationalisation et la « médiatisation » à l'heure des antennes paraboliques doivent se substituer au patient travail de proximité qui recrute et encadre sympathisants et militants potentiels par le biais d'associations caritatives. Les images télévisées des attentats, des morts et des blessés doivent semer la panique chez l'ennemi comme galvaniser les fidèles et accroître leurs rangs — et dans un premier temps susciter une moisson de vocations de « martyrs » prêts au suicide pour la cause.

Cette logique politique emprunte à des traditions diverses : elle évoque les Assassins, cette secte de l'islam médiéval dont les membres étaient formés par leur chef, surnommé — comme en prémonition de Ben Laden réfugié dans les monts afghans — le « cheikh de la montagne », à devenir des sicaires drogués au haschich (en arabe *hashas-hîn*, d'où vient notre « Assassins ») qui partaient poignar-der, au sacrifice de leur vie, des chevaliers francs dans les États croisés de Syrie et de Palestine ou des émirs musul-mans trop tièdes dans la poursuite du *jihad* contre les conquérants infidèles d'une partie de la terre d'islam. Elle s'inscrit aussi, en une référence plus moderne et plus universelle, dans une filiation « putschiste » qui vise la conquête du pouvoir par une petite avant-garde effectuant un coup d'État, et qui révolutionne ensuite, par le haut, le système et l'ordre sociaux — à l'inverse d'une stratégie de mobilisation révolutionnaire de la population qui emporte l'adhésion des masses et fasse tomber le régime exécré. En ce sens, elle prolonge la tradition des coups d'État militaires par lesquels beaucoup de dirigeants arabes ont pris le pou-voir (au premier chef Nasser et ses camarades dans l'Égypte de 1952) en substituant simplement l'idéologie islamiste au nationalisme mâtiné de socialisme en vogue dans les décennies 1950 et 1960. Alors qu'une véritable révolution islamique s'est déroulée dans le monde chiite iranien en 1978-1979, mobilisant les masses populaires déshéritées et les commerçants du bazar pour abattre le chah, rien de pareil n'est advenu dans les pays sunnites : c'est par un coup d'État que l'idéologue islamiste Hassan el Tourabi a accédé au pouvoir au Soudan en juin 1989, c'est grâce à l'appui militaire pakistanais que les Talibans ont pris Kaboul en 1996. Ces deux régimes se sont relayés pour héberger le noyau des dirigeants d'Al Qa'ida et la nébuleuse de ses mili-tants pendant la dernière décennie du siècle écoulé, mais ne sont pas parvenus à essaimer en dehors de leurs frontières — malgré l'énergie dépensée à cette fin par Tourabi, orga-nisateur de moult « conférences populaires arabes et isla-miques » qui ont tourné court.

Ces heurs et malheurs de l'islamisme sunnite adviennent dans un contexte international profondément modifié par la défaite soviétique en Afghanistan — dont les jihadistes sont persuadés d'avoir été la cause première, et non l'instrument manipulé par les États-Unis. Pareille conviction les amène à se déployer dans un projet planétaire qui trouve ses logiques simultanément dans une lecture mythifiée et réifiée de l'histoire islamique et dans une appréciation souple et subtile des failles de l'hégémonie américaine sur la planète. Les idéologues d'Al Qa'ida, à l'instar des islamistes en général, ont une conception eschatologique du temps — organisée autour de l'accomplissement de la Révélation divine. Celle-ci s'est réalisée pendant les quelques décennies surnommées « l'âge d'or de l'islam » à l'époque du prophète Mohammed et de ses quatre premiers successeurs, entre 622 et 657 de l'ère chrétienne environ. Depuis lors, l'humanité est prise entre un mouvement positif et dynamique représenté par l'expansion planétaire de l'islam et un mouvement négatif figuré par la corruption de ses dirigeants politiques qui, au lieu d'appliquer la *chari'a*, de « commander le Bien et pourchasser le Mal », gouvernent selon leur caprice et leurs intérêts. La mouvance islamiste, toutes tendances confondues, aspire à « recommencer », à reprendre, à rejouer le paradigme originel qu'incarne la geste du Prophète ; cela la contraint à la fois à une lutte interne au monde musulman, qui vise à remplacer les gouvernants pervertis par des princes « bien guidés », et à un combat externe contre le « monde de l'impiété ». Ce dernier constitue à la fois un ennemi dont il importe de déjouer les complots incessants, et une proie, car il finira nécessairement par embrasser l'islam. L'histoire est pensée ici selon un processus fini et répétitif, qui vise à ressusciter un ordre déjà advenu et accompli, mais corrompu. En ce sens les idéologues d'Al Qa'ida envisagent leur rôle dans le *jihad* afghan comme un remake du film originel où, aux premiers temps de l'islam, les « cavaliers sous la bannière du Prophète » (selon le titre du plus important ouvrage de Zawahiri) avaient détruit l'Empire sassanide de Perse avant de se retourner contre Byzance, anéantissant l'une des deux superpuissances de l'époque puis consacrant leurs efforts et ceux des générations suivantes à détruire l'autre. À l'instar de leurs glorieux ancêtres, ils ont fait choir une superpuissance, l'Union soviétique, et s'emploient à ravager celle qui reste, les États-Unis.

Cette vision du monde, dont le simplisme mimétique peut faire sourire, possède une capacité de mobilisation qui exhume et actualise toute une tradition et un enseignement dispensés dès l'âge le plus tendre dans les écoles coraniques et les medressas. Elle n'empêche pas par ailleurs certains de ceux qui s'en réclament de maîtriser les savoirs modernes, les technologies de communication comme les instruments monétaires et les systèmes d'armes les plus sophistiqués, de vivre de plain-pied dans l'ère de la révolution informatique et numérique, d'être au fait du néoconservatisme comme de l'altermondialisme. Cet étrange hiatus n'est nulle part davantage porté au paroxysme que dans la personne et la pensée de l'idéologue par excellence du réseau Al Qa'ida, Ayman al Zawahiri.

Zawahiri est l'homme barbu, à l'épais visage chaussé de lunettes, qui apparaît sur l'écran de la chaîne Al Jazeera le 7 octobre 2001 accroupi aux côtés d'Oussama Ben Laden devant l'entrée d'une grotte afghane, coiffé d'un turban et accoutré, à l'instar de ses compagnons, d'une tenue hybride évoquant tant celle qu'ont popularisée les reportages sur les moujahidines afghans que celle des feuilletons télévisés égyptiens en costumes qui narrent l'épopée du Prophète. Sur ce document vidéo, le premier qui fait suite aux attentats du 11 septembre, il prend la parole pour stigmatiser l'Amérique, invoquer la « Palestine judaïsée » et l'Irak alors sous embargo et inscrire la lutte en cours dans le recommencement de la geste du Prophète et des grandes batailles gagnées sur les armées des croisés par les forces musulmanes :

« Pour vous, musulmans, c'est le jour vrai, le jour sincère, celui de l'épreuve : votre jour de gloire est arrivé. Les nouveaux Qoraich [la tribu "impie" de La Mecque qui combattit Mohammed et qu'il finit par vaincre] se sont rassemblés contre les musulmans, à la manière dont les anciens Qoraich et leurs hommes de main s'assemblèrent contre les musulmans à Médine : faites comme firent alors les compagnons du Prophète ! Ô jeunes moujahidines, ô fidèles oulémas qui aimez Allah, voici une nouvelle épopée de l'islam et un nouveau combat pour la foi, comme les grandes batailles de Hattin [1187, victoire de Saladin sur les croisés], de Aïn Jalout [1260, défaite des Mongols] et comme la conquête de Jérusalem. L'épopée recommence, alors courez défendre l'honneur de l'islam. »

Des trois hommes qui s'expriment sur ce document vidéo, Ben Laden, le Koweïtien Abou Ghaith, porte-parole d'Al Qa'ida, et Zawahiri, ce dernier tient le discours le mieux charpenté en termes politiques. Là où le milliardaire saoudien se place sur le terrain de la morale universelle, cherchant à renverser contre l'Amérique victime du 11 septembre l'accusation de terrorisme, incriminant celle-ci pour « plus de quatre-vingts ans d'humiliations » subies selon lui par les musulmans, ainsi que pour les souffrances présentes des Palestiniens et des enfants irakiens, le chirurgien du Caire s'adresse d'abord au peuple américain, qu'il exhorte à se dissocier de son gouvernement, au moment où celui-ci « lance une nouvelle guerre qu'il est certain de perdre et où vous [le peuple] perdrez vos enfants et votre argent ».

« Vous, le peuple américain et le monde entier, sachez que nous ne tolérerons pas que recommence en Palestine la tragédie de l'Andalousie [la Reconquista de l'Espagne musulmane par les rois catholiques, achevée en 1492]. Nous préférerions voir l'Oumma [la Communauté des Croyants] tout entière disparaître plutôt que voir détruite la mosquée d'Al Aqsa, la Palestine judaïsée et son peuple expulsé ! »

Dans cette exhortation, qui anticipe sur le carnage qu'Al Qa'ida perpétrera à Madrid le 11 mars 2003, Zawahiri en appelle à une vision eschatologique de l'histoire de l'islam où se rejouent aujourd'hui, en une répétition *ne varietur*, les batailles du passé avec leur charge émotive. Cette histoire est celle d'un *jihad* pérenne contre l'ennemi étranger, chrétien et juif, contre les païens qui menaçaient le Prophète — et qui tous furent vaincus comme le seront inéluctablement leurs descendants contemporains par les musulmans d'aujourd'hui, menés par une avant-garde de jihadistes dont les attentats du 11 septembre illustrent les hauts faits. L'identification des téléspectateurs d'Al Jazeera avec Ben Laden et ses acolytes est recherchée à travers un effet de mise en scène (la grotte, l'accoutrement) qui suggère qu'ils rejouent, en costumes, la geste du Prophète et de ses compagnons pendant leur exil, leur hégire, qui marqua, en 622 après J.-C., la fondation de l'ère islamique. L'histoire recommence ainsi sans cesse à son début, à la rupture inaugurale qu'a manifestée l'hégire : elle est figée dans l'immobilité de sa signification unique, fonde et justifie par l'exemplarité des origines le *jihad* d'aujourd'hui contre l'« ennemi lointain », qui vient de foudroyer New York et Washington, avant de semer la mort à Tel-Aviv, Bali, Djerba, Mombasa, Casablanca, Istanbul et Riyad — rabattant ainsi finalement vers l'« ennemi proche », vers les « régimes corrompus » du monde musulman le fléau d'Al Qa'ida.

L'homme qui déploie pareil raisonnement est le rejeton d'une famille de l'aristocratie intellectuelle égyptienne désargentée. Sa lignée paternelle est faite de savants versés dans les sciences religieuses et profanes, d'éminents professeurs de médecine et de pharmacologie, de grands imams de l'université islamique du Caire, Al Azhar. Son patronyme viendrait du bourg de Zawahir, dans le Hedjaz, entre La Mecque et Médine — d'où le bisaïeul d'Ayman émigra vers Tantah, dans le delta égyptien, pendant les années 1860, quittant l'Arabie misérable d'avant le pétrole pour une Égypte alors prospère et prometteuse, qui ne connaissait pas l'explosion démographique. Son lignage maternel remonte au puissant clan des Azzam, originaire également de la péninsule Arabique, et dont la branche égyptienne, qui se targue de descendre du Prophète, a été notamment illustrée par le grand-père d'Ayman, Azzam bey, éduqué à Al Azhar puis à Londres, doyen de la faculté des lettres de l'université du Caire, deux fois ambassadeur d'Égypte en Arabie saoudite (sous le roi Farouk et sous le régime nassérien), et finalement fondateur de l'université de Riyad. Le frère de ce dernier, Azzam Pasha, médecin formé en Angleterre, député sous la monarchie, ambassadeur et littérateur, auteur d'un *Message éternel du prophète Mohammed*, fut le premier secrétaire général de la Ligue des États arabes, de 1945 à 1952. Outre cette carrière de très grand notable, il a connu une consécration familiale en mariant sa fille (la cousine germaine de la mère d'Ayman) au fils aîné du roi Faysal d'Arabie saoudite, le prince Mohammed, fondateur de la banque islamique Faysal.

Lorsque, en 1951, naît Ayman au Caire, la monarchie de Farouk vit sa dernière année, une fin de règne marquée par la corruption, les violences et les assassinats politiques, par l'incapacité de la dynastie à gérer l'effondrement de l'ordre colonial européen et les aspirations nationalistes des classes moyennes urbaines, les effendis. Les officiers libres prennent le pouvoir par le coup d'État du 23 juillet 1952, et l'Égypte de Nasser fait vibrer le nationalisme arabe tout en menant une politique socialiste — qui paupérise les élites d'ancien régime ainsi que les classes éduquées salariées dont font partie les Zawahiri. Le père d'Ayman, professeur de pharmacologie à l'Université, installe sa famille dans une banlieue résidentielle au sud du Caire, Maadi, mais dans la partie populaire de celle-ci, que les rails de la voie ferrée séparent des beaux quartiers aux villas cossues entourées de vertes pelouses près du Sporting Club, où l'on parle volontiers français ou anglais autour d'un drink. Les parents sont pieux sans affectation, à une époque où la religion ne s'affiche guère, où les relations avec l'Arabie saoudite sont exécrables et où les membres et sympathisants des Frères musulmans, la principale organisation islamiste, fondée en 1928, croupissent en prison quand ils n'ont pas réussi à fuir vers l'exil en traversant la mer Rouge.

En 1966, le régime nassérien, à la suite d'une campagne contre « un nouveau complot des Frères », fait condamner à mort et exécuter Sayyid Qotb, le principal théoricien de la mouvance islamiste, après qu'il a été longuement torturé. Son avocat est Mahfouz Azzam, un autre grand-oncle d'Ayman al Zawahiri. Comme pour nombre de jeunes activistes que l'on retrouvera en première ligne dans les années Sadate et Moubarak, l'épisode dramatique de la passion de Qotb sert de déclencheur au futur théoricien du *jihad* mondial. À l'époque où les lycéens d'Europe et d'Amérique vont s'engager dans des groupuscules gauchistes, maoïstes ou trotskistes, Ayman al Zawahiri, élève de l'école secondaire publique des quartiers populaires de Maadi, fonde avec quelques camarades choqués par l'exécution de Qotb et les circonstances qui l'entourent un groupuscule islamiste clandestin. Il perdure de 1966-1967 jusqu'à l'assassinat de Sadate, en 1981, affecté par des scissions et des fusions, et ne compte guère à son apogée, en 1974, qu'une quarantaine de membres. Pour Zawahiri, la pensée de Qotb joue un rôle fondateur : « L'appel de Qotb à la loyauté envers l'unicité d'Allah, à la soumission à sa seule autorité et sa seule souveraineté (*hakimiyya*) fut l'étincelle qui enflamma la révolution islamique contre les ennemis de l'islam partout dans le monde », note-t-il dans *Cavaliers sous la bannière du Prophète*.

L'organisation secrète de Zawahiri a pour but de renverser le régime qui persécute l'islam et d'établir à sa place un État islamique appliquant la *chari'a*, par la voie du *jihad* défini comme « putsch armé [...] nécessitant une coopération entre civils et militaires pour réaliser son objectif ». Cette stratégie, élaborée à l'époque de Nasser quand la répression s'abattait impitoyablement sur les militants islamistes, n'est pas modifiée par Zawahiri sous Sadate, durant les années 1970, lorsque les campus égyptiens s'emplissent de barbus encouragés par le régime, désormais pro-américain, à pourchasser les militants de gauche. Zawahiri reste dans la clandestinité politique durant ses années à la faculté de médecine, où il fait des études brillantes et où rien ne trahit l'intensité de son engagement — pas même sa vêture, comme le remarque un journaliste juif américain converti à l'islam et ancien marxiste, qui le rencontre au milieu de cette décennie et lui trouve, avec ses énormes lunettes, un air d'intellectuel gauchiste du City College de New York trente ans auparavant, cet établissement où Alfred Wohlstetter et Irving Kristol firent leurs classes. En 1974, un autre groupuscule islamiste putschiste dirigé par un Palestinien exilé au Caire, Salih Sirriya, tente un coup de force raté contre Sadate ; ses chefs sont arrêtés, condamnés à mort et exécutés, et Zawahiri se félicite de cette première tentative d'abattre par la violence le régime impie pour instaurer l'État islamique. Il en déplore seulement l'impréparation, l'amateurisme et la précipitation. Mais c'est pour lui le signe que la mouvance islamiste radicale a surmonté les tabous qui lui interdisaient d'attaquer par la force l'« ennemi proche ».

En 1980, effectuant un remplacement dans un dispensaire caritatif contrôlé par l'association des Frères musulmans au sein d'un quartier populaire du Caire, il se joint à l'expédition d'une ONG médicale islamique qui se porte au secours des moujahidines afghans, alors dans la première année de leur *jihad* contre l'Armée rouge. Ce séjour inaugural à Peshawar et en Afghanistan, qui dure quatre mois et sera suivi d'un autre, plus bref, l'année suivante, a une valeur initiatique majeure, car il conforte Zawahiri dans l'idée que seule la lutte armée fera triompher l'islam, et que la terre afghane fournit la meilleure occasion à la victoire du *jihad*. Mais il est aspiré malgré lui, dans les mois suivant son second retour en Égypte en mai 1981, par le tourbillon qui débouche sur l'assassinat de Sadate, le 6 octobre. Les rangs des islamistes radicaux qui rêvent d'en découdre se sont étoffés, et des officiers de l'armée ont été recrutés et endoctrinés par les groupuscules putschistes. Zawahiri n'est pas mêlé directement à la préparation de l'opération, mais en est informé quelques heures avant son exécution ; il tâche alors d'en dissuader ceux qui vont la perpétrer car il l'estime prématurée et vouée à l'échec. L'assassinat du raïs a été théorisé par un ingénieur électricien islamiste nommé Farag dans un opuscule intitulé *L'impératif occulté*. Selon lui, il faut que la mouvance islamiste s'empare séance tenante du pouvoir en tuant l'« ennemi proche », le « prince perverti » et corrompu qui gouverne les pays d'islam. En effet, si les militants commencent par s'en prendre à l'« ennemi lointain » (Israël en l'occurrence), le despote récupérera le combat à son profit. La réflexion de Farag est le fruit d'une analyse critique de l'utilisation du conflit avec Israël par le nationalisme arabe pour imposer l'union sacrée et légitimer la répression contre toute forme d'opposition.

Pourtant, comme Zawahiri l'avait pressenti, l'assassinat de Sadate ne porte aucun fruit : la mort du raïs n'aboutit pas à l'instauration de l'État islamique, malgré une tentative de soulèvement à Assiout, en haute Égypte, place forte de la mouvance radicale. Moubarak succède à Sadate et une répression de vaste ampleur s'abat sur l'ensemble des activistes ; les comploteurs seront exécutés, mais ceux qui, comme Zawahiri, font partie du second cercle ne purgent que quelques années de prison. Les conditions d'interrogatoire, la torture, puis la socialisation en détention en feront à leur libération les militants endurcis et assoiffés de revanche qui fourniront ses cohortes de fantassins au terrorisme. Pour Zawahiri, cette expérience est ambiguë : torturé, il aurait parlé et, ce faisant, aidé la police à piéger l'un de ses compagnons — et l'avocat Montasser al Zayyat, islamiste radical repenti et biographe critique de Zawahiri, imputera à la honte de cette faiblesse trop humaine l'une des causes de son départ définitif d'Égypte, en 1984, après qu'il eut purgé sa peine. Mais il est choisi par ses codétenus pour prendre la parole, début 1982, à l'ouverture du procès, depuis la cage où ils sont enfermés, car, d'eux tous, il parle le mieux anglais et peut s'adresser à la presse internationale pour dénoncer la torture.

C'est la première fois que son visage rond chaussé de lunettes apparaît sur les photos des agences de presse et les écrans de télévision — il reste une figure anonyme sauf pour les rares spécialistes qui s'intéressent déjà au phénomène. En prison, il fraie avec le gotha de l'islamisme radical, dont le cheikh aveugle Omar Abdel Rahman, qui sera mêlé de manière nébuleuse, en 1993, au premier attentat contre le World Trade Center et purge depuis lors une peine à perpétuité dans un pénitencier américain. Le cheikh deviendra le leader du groupe rival de celui de Zawahiri : la *gama'a islamiyya*. Sa stratégie se traduira, dans l'Égypte des années 1990, par une guérilla de proximité, le harcèlement et l'assassinat des représentants de l'autorité, des chrétiens égyptiens, des touristes (si possible mais non exclusivement israéliens) et autres cibles, destinés à abattre l'« ennemi proche ». Elle causera un millier de morts, mais son échec politique sera sanctionné par un appel des principaux émirs du groupe à l'abandon de la lutte armée — après un carnage de touristes à Louqsor en novembre 1997 qui coupa la *gama'a islamiyya* de ses derniers soutiens populaires. Pour Zawahiri, cette voie mène tout droit à l'échec, et il préconisera, à l'inverse, un *jihad* ciblé sur le sommet du pouvoir, par-delà l'« ennemi proche », sur l'« ennemi lointain » par excellence, la superpuissance américaine — qui fera choir avec elle tous les gouvernants « impies » qui sont ses clients régionaux.

En 1985, il quitte finalement l'Égypte pour Djedda, en Arabie saoudite, où il travaille pour un dispensaire. La métropole côtière, capitale de la province du Hedjaz où se trouve Zawahir, la bourgade éponyme de sa famille paternelle, est la ville où sont basés les royaux cousins par alliance de sa mère, ainsi que le siège du plus grand organe de jeunesse lié aux Frères musulmans, l'Assemblée mondiale de la jeunesse musulmane (connue sous ses initiales anglaises WAMY), et également le bastion de la famille Ben Laden ; on est à une heure de voiture de La Mecque, et, enfin, sur la plaque tournante pour rejoindre le *jihad* afghan, via Peshawar, au Pakistan. Zawahiri arrive dans ce qui est alors la capitale mondiale de l'islamisme radical — pour son troisième voyage — en 1986. C'est durant ce séjour qu'il fait la connaissance de l'homme qui va lui donner les moyens de ses ambitions, Oussama Ben Laden.

De six ans son cadet, et l'un des cinquante-quatre

enfants du magnat saoudien du BTP, Oussama, contrairement à l'austère intellectuel islamiste Ayman, n'a pas eu une adolescence activiste clandestine ; il a vécu les clivages mentaux et culturels typiques d'un riche Saoudien, plus dévot chez lui qu'à l'étranger, où sa piété aurait connu des éclipses. Comme nombre d'enfants de bonne famille saoudiens, il s'est engagé dans le soutien au *jihad* en Afghanistan dès le début des années 1980, et a basculé alors dans la dévotion et l'engagement militant qui donne un but à son existence. Ce n'est pas en ce temps une activité suspecte aux yeux de la monarchie wahhabite, tout au contraire. Bien plutôt, la guérilla contre l'Armée rouge est encouragée et financée, en accord avec le protecteur américain, par la dynastie qui n'y voit que des avantages. Sur le plan régional, la lutte au nom de l'islam contre l'athéisme communiste contrebalance les appels enflammés de Khomeyni, en pleine guerre avec l'Irak alors allié du royaume, contre le « grand Satan » américain.

En fixant une glorieuse épopée militaire islamique riche en victoires « miraculeuses » dans les montagnes afghanes, elle redore le blason des régimes conservateurs arabes de la péninsule aux yeux d'une jeunesse sensible aux dénonciations de l'Amérique et de ses alliés régionaux par l'ayatollah révolutionnaire de Téhéran — lui-même englué dans un combat sans gloire contre Bagdad. De plus, le royaume saoudien a subi une alerte sérieuse à l'automne 1979, lorsque la Grande Mosquée de La Mecque a été prise d'assaut par un groupe de jeunes activistes locaux mêlés d'étudiants étrangers formés par les grands religieux du royaume, et voulant mettre en œuvre le *jihad* contre une dynastie à leurs yeux corrompue et hypocrite qui ne fait l'ostension de son adoration d'Allah que pour mieux dissimuler son idolâtrie du dollar. L'exportation vers le théâtre militaire afghan des plus fougueux de ces jeunes permet de les détourner de la question intérieure saoudienne, se leurre-t-on alors dans les cercles dirigeants de Riyad. En Afghanistan, les jeunes brigadistes du *jihad* sont accueillis et encadrés par un Frère musulman d'origine palestinienne, Abdallah Azzam (sans lien avec la famille maternelle de Ayman al Zawahiri), qui, exilé à Djedda, y a été le professeur et le mentor d'Oussama Ben Laden.

Abdallah Azzam est le héraut du *jihad,* qu'il célèbre par d'innombrables articles et conférences à travers le monde, des campus américains aux camps d'entraînement pakistanais. Il a soin d'orienter celui-ci contre l'Union soviétique, contre les régimes « impies » philo-socialistes du monde musulman, exalte les jeunes en rappelant qu'un jour l'islam reconquerra l'Andalousie, mais veille à ce que demeurent vierges de toute critique les pétromonarchies conservatrices du Golfe ainsi que les États-Unis, qui fournissent armes, conseillers et subsides aux barbus qui se pressent à Peshawar. Coordonnateur de l'aide et des « services aux moujahidines », il sépare aussi le bon grain des enfants de familles pieuses et fortunées de la péninsule Arabique de l'ivraie des bas quartiers du Caire ou d'Alger, ces activistes aguerris, tout juste sortis de prison et nourris d'idées extrémistes.

Dans la première moitié des années 1980, Ben Laden semble sous le contrôle doctrinal d'Abdallah Azzam. Il a suivi l'évolution qui a conduit un certain nombre de jeunes Saoudiens, éduqués dans l'ambiance socialement très conservatrice du wahhabisme (la conception extrêmement dogmatique de l'islam en vigueur dans le royaume), à mêler cet ethos puritain, dénué de toute notion de contestation de l'ordre politique, à la doctrine des Frères musulmans, marquée par une volonté de réformer le pouvoir afin qu'il instaure un État islamique qui ne ressemble pas nécessairement à la dynastie saoudienne. Cette greffe s'est produite sous l'influence des Frères exilés qui, fuyant la répression du régime nassérien d'Égypte et du pouvoir baassiste de Syrie ou d'Irak, avaient été accueillis à bras ouverts par le roi Faysal dans les années 1950 et 1960. Face à la vague de nationalisme qui balayait un monde arabe enflammé par la figure charismatique de Nasser, par ailleurs client de l'Union soviétique, l'Arabie saoudite, fidèle aux États-Unis, ne pouvait compter que sur des oulémas réactionnaires et assez frustes, frottés aux ratiocinations du dogme et fins connaisseurs des équilibres tribaux de la péninsule Arabique mais peu au fait des évolutions d'une planète qu'ils croyaient plate, et donc mal armés pour ferrailler contre les propagandistes socialistes du Caire, de Damas ou de Bagdad. Au service du royaume pour compenser les faiblesses intellectuelles de ses sujets et généreusement rétribués pour cela, les Frères ont également poussé discrètement leur propre avantage, en demeurant toujours soucieux de ne pas se brouiller avec leurs partenaires saoudiens. En Afghanistan, Abdallah Azzam parlait aux jeunes brigadistes du *jihad* le langage des Frères musulmans, les galvanisait en leur insufflant une vision du monde de plus vaste ampleur que celle des déserts d'Arabie, mais s'efforçait de canaliser leur ardeur et de pourchasser les déviances, dans un milieu où se pressaient les extrémistes de tout poil fuyant la répression de leur pays d'origine. Ben Laden, avec sa fabuleuse richesse et son entier dévouement à la cause, était l'objet de soins particuliers de la part d'Azzam.

Or, entre 1986 et 1989, des conflits violents divisent les différentes factions de jihadistes qui commencent à s'excommunier mutuellement autour d'enjeux liés tant à la stratégie globale du mouvement après la victoire prévisible en Afghanistan qu'à des questions financières, afin de capter les flux d'aide vitaux pour entretenir les activistes, souvent installés à Peshawar avec femmes et enfants. Pour autant qu'il soit possible de recouper les diverses sources et témoignages, il semble qu'Ayman al Zawahiri soit graduellement parvenu à se substituer à Abdallah Azzam comme mentor spirituel de Ben Laden. Zawahiri prononce des accusations très violentes contre les Frères musulmans. Elles constitueront la matière de son texte *L'amère moisson des Frères musulmans durant soixante ans*, qui circule à la fin des années 1980 dans les milieux islamistes et lui fait la réputation d'un sectaire ; selon lui, les Frères ont sacrifié l'idéal du *jihad* à leur confort personnel, aux bénéfices matériels que leur a valus leur fricotage avec les milieux financiers du Golfe, se complaisent dans des stratégies politiques tortueuses qui leur font accepter les règles du jeu électoral quand cela est possible — voire admettent la notion « impie » de démocratie —, laissant ainsi accroire que le peuple peut être source de souveraineté, alors que toute souveraineté appartient à Allah. Tandis que ces querelles de minarets font rage dans les camps autour de Peshawar et dressent les jihadistes arabes les uns contre les autres, l'armée soviétique se retire de Kaboul le 15 février 1989, vaincue par les armes américaines, notamment les missiles sol-air Stinger fournis par les États-Unis aux moujahidines afghans. Washington commence rapidement à se désengager d'un conflit qui a atteint l'objectif fixé, et la tension avec le bloc soviétique se déplace sur l'Europe, où le mur de Berlin tombe à l'automne suivant. La lutte pour les ressources financières raréfiées se fait de plus en plus âpre à Peshawar, et se mêle à des controverses sur le devenir du *jihad* après l'Afghanistan.

Zawahiri, installé à Peshawar avec femme et enfants depuis 1986, a, dès son premier retour d'Afghanistan en Égypte, en 1980, inscrit le combat dans une perspective eschatologique globale, qui vise à la destruction de l'Amérique après celle de l'URSS. Cette confidence fut recueillie par un journaliste américain converti à l'islam, Marc Abdallah Shlaeffer, qui s'en désola et lui vanta naïvement la liberté de culte dont jouissait l'islam aux États-Unis. Minoritaire tant que la CIA subvenait aux besoins du *jihad* jusqu'au départ de l'Armée rouge de Kaboul, le 15 février 1989, cette ligne antiaméricaine a vu croître le nombre de ses adeptes dès les premiers signes du « lâchage » par Washington, qui a suivi de peu le retrait soviétique. Les tensions très violentes de l'année 1989 constituent en tout état de cause le contexte de l'assassinat d'Abdallah Azzam le 24 novembre — dont les responsables n'ont pas été identifiés à ce jour. Mais la voie est désormais libre pour que

Zawahiri puisse exercer sans concurrence son magistère sur Ben Laden. L'évolution idéologique et les « mauvaises fréquentations » de leur ressortissant inquiètent suffisamment les services spécialisés saoudiens pour que celui-ci, en voyage au pays en 1989, se voie retirer son passeport. Il ne reviendra dans la zone pakistano-afghane qu'en 1991, fuyant clandestinement le royaume qui a, entre-temps, accueilli sur son sol « sacré » des centaines de milliers de soldats impies appartenant à la coalition menée par les États-Unis pour chasser du Koweït l'armée irakienne qui a envahi l'émirat le 2 août 1990. Pour Ben Laden, la cause est désormais définitivement entendue : l'Amérique a souillé la « terre des deux lieux saints » (La Mecque et Médine) en installant ses soldats sur le sol saoudien. Elle constitue l'ennemi par excellence à abattre — et le destin politique du milliardaire saoudien du BTP épouse désormais pour de bon celui du chirurgien du Caire ainsi que sa vision du monde, putschiste et internationaliste. Mais l'heure est d'abord, avant l'affrontement direct contre l'Amérique, à l'offensive contre ses alliés régionaux, au premier rang desquels les États d'où sont issus Ben Laden et Zawahiri : l'Arabie saoudite et l'Égypte.

En décembre 1988, de violents incidents ont opposé dans un quartier du Caire des islamistes radicaux et la police. Il s'ensuivit une stratégie de tension : les militants de l'Organisation du Jihad égyptienne fidèles à Zawahiri lancent des tentatives d'assassinat, dont certaines réussissent, contre des dignitaires et responsables du pouvoir. Depuis Peshawar, le chirurgien du Caire coordonne et relaie ces violences ciblées dont il attend qu'elles accélèrent la chute de Moubarak, le « Pharaon » d'aujourd'hui, l'une des pièces sur l'échiquier de l'impiété mondiale. Mais la rétention de Ben Laden sur le territoire saoudien entre la fin 1989 et sa fuite en 1991, les violents clivages qui divisent la mouvance islamiste à partir de l'invasion du Koweït par Saddam Hussein inhibent la capacité d'action extérieure des radicaux. Après la victoire de l'Amérique et de ses alliés dans l'opération Tempête du désert qui restaure l'indépendance koweïtienne au printemps 1991, le regroupement de Ben Laden et de Zawahiri constitue un premier axe de résistance contre le nouvel ordre américain dans la région — marqué également par le processus de paix israélo-palestinien puis israélo-arabe, qui commence avec la conférence de Madrid de l'été 1991. Pourtant, la situation des jihadistes dans la zone de peuplement pachtoune à cheval sur la frontière afghano-pakistanaise se détériore rapidement après la conquête de Kaboul. Une coalition hétéroclite de moujahidines, à peine entrée dans la capitale afghane en avril 1992, plus de trois ans après le départ de l'Armée rouge, se déchire dans de violents combats.

La guerre fratricide entre factions et tribus afghanes, l'anarchie et la violence endémique ne ressemblent en rien à « l'État islamique » utopique que les combattants du *jihad* venus des quatre coins du monde musulman rêvaient. Outre que ces derniers ne souhaitent guère s'engager au service de l'un des camps contre un autre, les hommes forts de Kaboul, sensibles aux incitations américaines et saoudiennes, ainsi que Benazir Bhutto, alors Premier ministre du Pakistan, font pression pour disperser les brigades de jihadistes étrangers. En 1992, Ben Laden, Zawahiri, leurs familles et le premier cercle de leurs fidèles s'envolent pour le Soudan dirigé par Hassan el Tourabi, alors champion de l'activisme islamiste tous azimuts. Ce dernier leur offre une hospitalité intéressée : Ben Laden investit au Soudan, boycotté par la plupart des pays occidentaux, plusieurs centaines de millions de dollars de sa part de la fortune familiale ; en contrepartie, Khartoum devient pour quelques années, entre 1992 et 1996, le repaire et le sanctuaire des jihadistes, le lieu d'où ceux-ci vont prendre leur véritable dimension internationale.

En 1992 s'ouvrent trois nouveaux fronts de *jihad* armé à l'imitation du *jihad* afghan — sans parvenir à leurs fins — : l'Égypte, l'Algérie, la Bosnie. Dans chacun de ces pays, des autochtones ou des étrangers, anciens combattants d'Afghanistan, arrivent grâce aux filières mises en place depuis Khartoum par les réseaux d'Oussama Ben Laden. Ils disposent également d'importants relais au Yémen (le pays d'origine de sa famille avant son installation en Arabie saoudite), d'une chambre d'écho à Londres, surnommé alors le « Londonistan » — où les porte-parole installent leurs sites en ligne, contactent la presse panarabe, etc., pour effectuer le travail de relations publiques et de prosélytisme —, et de centres d'opérations financières et transferts de fonds dans les places bancaires du Golfe, qui utilisent tant les filières des banques islamiques voire conventionnelles que ce système de lettres de change informelles appelé *hawala* ne donnant lieu à aucun jeu d'écritures. La mise en place de cette toile d'araignée, au centre de laquelle sont tapis Zawahiri et Ben Laden, aurait été pensée, selon les interrogatoires de l'un des principaux activistes arrêtés ultérieurement par les services américains, vers la fin de 1989 en Afghanistan.

La prolifération terroriste de l'islamisme radical qui commence de se manifester pendant la première moitié des années 1990 est traitée par les services du renseignement américain de manière surprenante — sans que l'on puisse, pour l'heure et à partir des données fournies par les seules sources ouvertes, faire le départ entre l'ignorance, la négligence, un jeu trop complexe de manipulations qui se retourne contre ses auteurs, ou le travail de forces obscures. Par exemple, les deux principaux dirigeants de l'islamisme égyptien le plus extrême, tous deux engagés dans la lutte armée, le cheikh Omar Abdel Rahman et Ayman al Zawahiri, obtiennent, à cette époque, sans aucune difficulté, un visa pour les États-Unis. Le cheikh y finira, comme on sait, en prison, condamné dans l'affaire du premier attentat contre le World Trade Center en février 1993. Zawahiri visite la Silicon Valley, en Californie, cette même année, après l'attentat, pour y rencontrer des scientifiques musulmans et y lever des fonds qui doivent servir à combattre l'Amérique — en compagnie d'un agent double qui pointe au FBI. Même si les deux islamistes égyptiens peuvent faire jouer les réseaux de leurs officiers traitants de l'époque du *jihad* contre l'Armée rouge en Afghanistan, obtenir des visas difficilement accessibles au commun de leurs compatriotes, plus personne de sérieux dans les milieux informés ne peut douter, en 1993, de l'hostilité d'un cheikh Omar ou d'un Zawahiri envers les États-Unis.

Depuis les bases de repli soudanaises et yéménites du réseau Al Qa'ida, des combattants sont envoyés en Somalie contre l'armée américaine. Celle-ci a été déployée dans le cadre de l'opération *Restore Hope* afin de contribuer à faire cesser l'état d'anarchie dans la corne de l'Afrique. La littérature islamiste de l'époque dénonce à longueur de colonnes cette opération, où elle ne voit que tête de pont pour déstabiliser le Soudan et renverser le régime de Tourabi. La guérilla infiltrée par des anciens d'Afghanistan constitue le banc d'essai véritable pour les adeptes du *jihad* qui testent en grandeur nature et sur le terrain les faiblesses du corps expéditionnaire américain, et la vulnérabilité politique qu'induisent les revers militaires (George Bush est battu à ce moment par Bill Clinton à l'élection présidentielle). C'est un échec pour Washington après les succès trop éclatants au Koweït — et les leçons en seront retenues par les ennemis des États-Unis sur le champ de bataille irakien, ultérieurement.

À partir du *press center* des réseaux jihadistes de la capitale britannique, le « Londonistan », sont mis en contact les divers combats menés dans différents endroits de la planète : c'est la première fois que prend forme concrètement la notion de *jihad* global et coordonné. Telle action armée en Égypte répond ainsi à tel événement en Algérie ; les revendications à satisfaire pour la libération d'otages français enlevés dans ce pays comprennent l'élargissement des deux ténors de l'islamisme radical saoudien alors emprisonnés, les cheikhs Hawali et 'Auda ; la revue du GIA algérien confectionnée à Londres se fait l'écho des *jihad* de Bosnie, d'Égypte ou de Tchétchénie, etc.

En 1995, deux attaques violentes contre les intérêts égyptiens à l'étranger sont planifiées depuis le Soudan par Zawahiri. La première, une tentative d'assassiner Moubarak en visite en Éthiopie le 26 juin, échoue de peu. La répression en Égypte contre les militants et les activistes est terrible ; en représailles, Zawahiri fait sauter, via des affidés, l'ambassade de son pays à Islamabad, au Pakistan, en novembre. Cette opération, rétrospectivement, apparaît aussi comme un test grandeur nature contre ce genre de cible : dans son livre *Cavaliers sous la bannière du Prophète*, diffusé en décembre 2001, il note que les ambassades occidentales étaient trop bien gardées pour les moyens offensifs dont disposait alors son organisation. Mais le dispositif qui conduira au double attentat du 7 août 1998 contre les ambassades américaines à Nairobi et à Dar es-Salaam est désormais sur les rails.

Les quatre années pendant lesquelles Ben Laden et Zawahiri sont basés à Khartoum correspondent à la phase la plus offensive des *jihad* locaux : le nom Al Qa'ida n'est alors guère usité ni connu, par rapport aux noms de groupes nationaux, comme le GIA en Algérie par exemple. Ben Laden est surtout, pour sa part, perçu comme un ennemi du régime saoudien — qui l'a déchu de sa nationalité en 1994, on l'a noté —, point encore comme un internationaliste du *jihad* focalisé sur le terrorisme antiaméricain. Zawahiri, quant à lui, s'occupe beaucoup de l'Égypte, privilégiant, à l'encontre de la *gama'a islamiyya* du cheikh Omar Abdel Rahman, dont les adeptes s'efforcent d'occuper le terrain en faisant régner l'insécurité dans la vie quotidienne, des actions ciblées et spectaculaires contre les dignitaires du régime, plus économes en hommes et en moyens — d'autant que ses propres fidèles sont beaucoup moins nombreux que ceux de son rival. Or, en 1996, le bilan des *jihad* locaux est partout négatif : en Bosnie, en Algérie, en Égypte, les islamistes radicaux commencent à céder du terrain. Enfin, le Soudan est soumis à de fortes pressions internationales à la suite de l'attentat raté contre Moubarak en juin 1995 planifié depuis Khartoum : certains cercles du pouvoir envisagent de « vendre » Ben Laden et ses acolytes, comme ils ont livré l'année précédente le terroriste Carlos, également réfugié à Khartoum, aux autorités françaises. Ni l'Arabie saoudite ni les États-Unis ne se déclarant acheteurs de Ben Laden et de son réseau — pour des raisons politiques complexes —, celui-ci est exfiltré le 18 mai, à bord d'un jet privé, vers Kandahar, capitale de l'« émirat islamique » d'Afghanistan, d'où les Talibans sont en train, grâce à l'appui militaire pakistanais et à la bienveillance américaine, de conduire l'offensive victorieuse qui fera tomber en septembre Kaboul entre leurs mains.

1996, pour le milieu dirigeant d'Al Qa'ida, a constitué indéniablement l'année charnière pendant laquelle furent prises les décisions de renversement stratégique qui aboutirent au 11 septembre 2001. L'échec des *jihad* locaux est consommé, et, même si Zawahiri se déclare opposé à la trêve en Égypte comme en Algérie, il ne dispose pas des moyens humains nécessaires sur place pour imposer la poursuite des combats. Tout juste se rend-il, au cours d'une équipée rocambolesque, en Tchétchénie, où il est arrêté et emprisonné par les Russes à la fin de l'année — puis relâché car sa fausse identité n'aurait pas été percée à jour. Il est impossible en l'état actuel des sources de faire le départ entre l'inefficacité de l'administration russe et tel ou tel calcul des services spécialisés. Zawahiri y aurait constaté que les conditions pour la poursuite du *jihad* étaient excellentes — le Caucase est devenu depuis lors le terrain qui présente le plus de similitudes avec ce que fut l'Afghanistan de la décennie 1980 —, la lutte y étant menée contre une armée russe qui présente les mêmes caractéristiques fondamentales et donc les mêmes faiblesses que l'Armée rouge. Toutefois, l'absence d'appui militaire et financier américain n'a pas permis au *jihad* tchétchène de vaincre, et le piétinement sur le terrain, marqué notamment par la mort au combat, à l'été 2002, du « commandant Khattab », ressortissant saoudien et figure de proue des anciens d'Afghanistan en Tchétchénie, a conduit aussi à en réorienter la stratégie vers des actions terroristes sur le territoire russe. La prise du théâtre de la Douma, à Moscou, en décembre 2002, par un commando suicide jihadiste tchétchène où se distinguaient de jeunes « fiancées d'Allah », et les nombreux morts qui ont fait suite au gazage du théâtre par la police russe, feront écho, avec une moindre ampleur, au 11 septembre américain. Dans les deux cas, la lutte contre l'« ennemi lointain » et sur son territoire est privilégiée par rapport à un combat contre l'« ennemi proche », qui ne parvient, contrairement au *jihad* afghan épique des années 1980, ni à emporter de victoire décisive sur le plan militaire, ni à mobiliser les masses populaires.

Le 23 août 1996, depuis son nouveau refuge des montagnes afghanes, Ben Laden diffuse une « déclaration de *jihad* contre les Américains occupant la terre des deux lieux saints », un texte d'une dizaine de pages qui recentre sur l'émancipation de l'Arabie saoudite par rapport à ses protecteurs américains l'objet principal du *jihad*. En ciblant son pays d'origine, Ben Laden identifie les États-Unis, incarnation par excellence de l'« ennemi lointain », comme la cause première du mal à éradiquer. Une attaque meurtrière au camion piégé contre des casernes de l'armée américaine à Khobar, au cœur de la zone pétrolière saoudienne, début juillet, quelques semaines auparavant, semble donner de la matière à cette déclaration, même si toutes les sources ne s'accordent pas sur la responsabilité de Ben Laden dans cet attentat. Un an et demi plus tard, en février 1998, une seconde déclaration, signée par Ben Laden, Zawahiri et les responsables de divers groupuscules islamistes radicaux à travers le monde, annonce la création d'un « Front islamique international contre les juifs et les croisés » (sans que le nom Al Qa'ida n'apparaisse). Elle appelle désormais à « tuer les Américains et les juifs partout où ils se trouvent » — la dernière étape est franchie qui ouvre la voie au *jihad* contre l'« ennemi lointain » sur son propre sol. Cette stratégie connaît une mise en œuvre doublement spectaculaire avec l'attentat qui ravage les ambassades américaines à Dar es-Salaam (Tanzanie) et à Nairobi (Kenya) le 7 août 1998, le jour anniversaire de l'appel par le roi Fahd aux troupes « impies », le 7 août 1990, à venir s'installer sur le territoire saoudien pour le défendre contre l'armée de Saddam Hussein qui vient d'envahir et razzier le Koweït. En octobre 2000, un navire de guerre américain, le *USS Cole*, est attaqué par un canot pneumatique bourré d'explosifs alors qu'il va avitailler au port d'Aden ; on compta dix-sept morts parmi les marins. Pour spectaculaires et meurtriers qu'ils soient, ces attentats tuent des militaires ou des diplomates — et de très nombreux Kenyans et Tanzaniens, rarement mentionnés, comme s'ils n'avaient ni visage ni nom — et adviennent sur des terres « exotiques » pour le téléspectateur moyen impuissant à s'identifier aux victimes. Ils sont passés, pour ainsi dire, par les pertes et profits d'une actualité riche en drames et atrocités de toutes sortes, et ne parviennent pas à déclencher le véritable choc traumatique que causera le 11 septembre. Ils sont dénués de toute conséquence politique directe qui favoriserait la cause islamiste radicale. Peut-être est-ce pour cette raison que leur qualité d'avertissement, de répétition générale, n'a pas été prise suffisamment au sérieux par les observateurs, qui ne voyaient là que l'impuissance de Ben Laden et de son réseau à mener des actions réellement capables de mobiliser autour d'eux les populations qui leur faisaient défaut. En réalité, sous l'apparence d'une fuite en avant, les attentats de 1998 et 2000 s'inscrivent dans une stratégie graduée, dont la résonance ne vise pas tant encore les larges masses que les aspirants au martyre, ceux-là mêmes qui, embrigadés et formés dans les camps afghans à la toute fin de la décennie, commencent à être préparés pour l'apocalypse du 11 septembre. Il s'agit de militants éduqués, généralement en Occident, à même d'accomplir des opérations complexes, dont la participation est essentielle pour assurer la réussite du grand assaut contre l'Amérique. De l'univers rationnel de leurs études, qui les préparent à un avenir d'ingénieurs, d'architectes, de médecins ou de cadres, ils doivent basculer dans le raisonnement insensé qui mène à l'attentat suicide accompli au nom de l'islam pour frapper l'Amérique, l'Occident, les juifs, faire le maximum de victimes, en emportant sa propre vie.

On peut, grâce aux documents rendus publics dans les mois suivant le 11 septembre, à des témoignages et interrogatoires encore partiels, tenter de restituer ce processus : il s'inscrit à la croisée de la stratégie d'ensemble qui vise l'« ennemi lointain », et d'une tactique qui permettra de précipiter l'action grâce à l'aubaine de la seconde Intifada en Palestine à partir de l'automne 2000. Le livre d'Ayman al Zawahiri, *Cavaliers sous la bannière du Prophète*, connu par les longs extraits qui en sont publiés dans le quotidien saoudien de Londres *Al Sharq al Awsat* (« Le Moyen-Orient ») en décembre 2001, a fourni, dans ses pages conclusives, beaucoup des clefs manquant jusqu'alors pour pénétrer dans la logique intellectuelle qui a abouti — trois mois auparavant — aux attentats du 11 septembre.

Dans un premier temps, Zawahiri présente sa *Weltanschauung*, une vision du monde comparable, à l'envers, au fameux « *clash of civilizations* » de Samuel Huntington. Selon lui, aujourd'hui, « la bataille est universelle » et « les forces occidentales hostiles à l'islam ont clairement identifié leur ennemi — qu'elles nomment "fondamentalisme islamique". Elles ont été rejointes en cela par leur ancien adversaire, la Russie ». Elles disposent de six instruments principaux pour combattre l'islam, de l'Onu aux ONG humanitaires, en passant par les dirigeants corrompus des peuples musulmans, les multinationales, les systèmes d'échange de données et de communication, les agences de presse et chaînes de télévision par satellite. On remarquera que, dans cette liste, aux moins trois « armes » ont été retournées avec une certaine efficacité par les jihadistes contre leurs ennemis : les ONG « humanitaires islamiques », le réseau Internet et, dans une certaine mesure, les chaînes arabes émettant depuis le Golfe. « Face à cette alliance, poursuit Zawahiri, une coalition prend forme, composée des mouvements jihadistes dans les diverses terres d'islam et des deux pays qui ont été libérés par le *jihad* au nom d'Allah : l'Afghanistan et la Tchétchénie. » Rédigé à une date non précisée — postérieure au déclenchement de la seconde Intifada selon toute vraisemblance —, ce texte considère la Tchétchénie comme « libérée » au moment où les forces russes subissent d'importants revers et où les jihadistes emmenés par le Saoudien Khattab sont devenus sur les sites Internet spécialisés les preux chevaliers d'une épopée riche de hauts faits, de miracles, de photos de cadavres de soldats russes mutilés et de blonds prisonniers slaves souriant après leur conversion à l'islam. En décembre 2001, lorsque le texte est diffusé, aucun de ces deux pays n'est plus sous contrôle de la mouvance islamiste radicale.

Au moment où Zawahiri écrit, cette « coalition » du *jihad* fait ses premiers pas, mais elle doit connaître une croissance fulgurante.

« Libre de toute servitude envers l'empire occidental dominant, elle porte une promesse de destruction et de ruine pour les *nouveaux croisés* [qui se battent] contre la terre d'islam. Elle a soif de vengeance contre les chefs de bande de l'impiété mondiale, les États-Unis, la Russie et Israël. Elle réclame le prix du sang pour les martyrs, pour le chagrin des mères, les privations des orphelins, la souffrance des prisonniers, et les tourments de ceux qui sont torturés à travers la terre d'islam, depuis le Turkestan à l'est jusqu'à l'Andalousie. »

L'Espagne n'est pas connue pour torturer ses prisonniers, mais cette allusion fait référence, dans l'imaginaire du public visé, à une péninsule Ibérique qui appartient à la terre d'islam depuis sa conquête par les armées musulmanes de Tarek ben Ziyad au VIIIe siècle ; sa Reconquista, achevée en 1492 par les rois catholiques, constitue un accident historique malencontreux que le mouvement jihadiste doit effacer en reconquérant à son tour l'Espagne pour la réintégrer dans l'islam — à l'instar de la Palestine — comme le manifestera, le 11 mars 2004, le carnage perpétré à Madrid par Al Qa'ida. Enfin, précise l'auteur, « notre époque est témoin d'un phénomène nouveau qui gagne sans cesse du terrain : celui des jeunes combattants du *jihad* qui abandonnent famille, pays, biens, études et emploi à la recherche d'un lieu où accomplir le *jihad* pour l'amour d'Allah ». Dans ce début de la conclusion de son livre, Zawahiri expose sa conception du monde et des relations internationales contemporaines : l'ennemi, constitué des « forces occidentales hostiles à l'islam » menées par la trinité américano-israélo-russe, trouve face à lui, pour l'affronter, les « jeunes combattants du *jihad* » prêts à tout abandonner dans ce seul but.

Le second paragraphe du texte précise la conjoncture dans laquelle se décide le combat au tournant du siècle, après la phase de désespérance due à l'échec des *jihad* de la première moitié des années 1990 et le constat que « tout mouvement passe par un cycle d'érosion et de renouveau ». Le facteur nouveau est « l'émergence de ce nouveau contingent d'islamistes qui a si longtemps fait défaut à l'Oumma. Une seule solution : le *jihad* ! Les enfants de l'islam en prennent désormais conscience et sont impatients de le mettre en pratique ». Ces remarques de Zawahiri, fondant sur une analyse du déclin de l'islamisme dans les années précédentes la stratégie à mettre en œuvre par le « nouveau contingent » jihadiste, évoquent son mentor Sayyid Qotb. Celui-ci glorifiait dans les années 1960 la « nouvelle génération coranique » qui devait rompre radicalement avec la décadence et les compromis d'antan pour retrouver le souffle des compagnons du Prophète combattant victorieusement les impies. Trente ans plus tard, c'est à surmonter les impasses de la mouvance islamiste elle-même que Zawahiri s'attache.

Pour gagner, le mouvement islamiste doit repenser la relation entre son « élite dirigeante » et « les masses ». Zawahiri a une vision critique d'une élite qui, dans le passé, s'est montrée trop molle en se détachant de l'impératif absolu du *jihad*, ou, à l'autre extrême, s'est déclarée sacrosainte, infaillible et a péché par « cécité méthodologique ».

L'Oumma et le *jihad* ont besoin, note notre docteur en médecine, d'un commandement « scientifique, combattant et rationnel ». Il est possible que soient ici visés d'une part ceux qui, en Égypte, ont appelé à la trêve de la lutte armée en 1997, et de l'autre les extrémistes du GIA qui, en Algérie, se sont fourvoyés dans une violence démesurée sans lendemains — Zawahiri s'est désolidarisé des uns et des autres cette même année.

Dans sa relation avec ceux que Zawahiri, dans une veine quasi marxiste, appelle « les masses », l'élite islamiste doit être soucieuse de mobiliser les plus larges soutiens, et non d'affronter seule à seul le pouvoir. Le texte a des accents d'autocritique lorsqu'il expose que « le mouvement jihadiste doit se rapprocher des masses, défendre leur honneur, empêcher l'injustice, et les guider sur la voie qui mène à la victoire » et que « nous ne devons pas reprocher à l'Oumma de ne pas réagir ou de n'être pas à la hauteur. C'est nous qu'il faut incriminer pour n'avoir pas su propager notre message, pas su lui marquer notre sollicitude, notre sacrifice ». Il n'en demeure pas moins que Zawahiri, rejeton de l'aristocratie égyptienne et incarnation de « l'élite » (islamiste en l'occurrence), ne veut rien apprendre des masses. Il détient la vérité, les guide pour leur insuffler un esprit de mobilisation dont celles-ci sont spontanément privées : elles paraissent, à la lecture, dénuées de conscience, passives et souffrantes. Dans cette perspective, « l'élite » doit trouver les slogans opportuns, la rhétorique idoine, afin de les sortir de leur indolence, de les « conscientiser » et les convaincre de s'engager dans le *jihad*.

« Le slogan que l'Oumma a bien compris et auquel elle a réagi au cours des cinquante dernières années est l'appel au *jihad* contre Israël. De plus, dans cette dernière décennie, l'Oumma s'est galvanisée contre la présence américaine. Elle a réagi favorablement à l'appel au *jihad* contre les Américains.[...] Le mouvement jihadiste a conquis une position centrale à la tête de l'Oumma quand il a pris pour slogan la libération nationale contre les ennemis étrangers et dépeint celle-ci sous les traits d'un combat de l'islam contre l'impiété et les infidèles. »

Cette vision empreinte de realpolitik qui semble inspirée de Machiavel plus que de principes religieux est complétée par des considérations de la même eau sur la cause
palestinienne. Selon Zawahiri, les nationalistes arabes
laïques ont fait fond sur celle-ci sans retenue — bien qu'ils
l'aient trahie d'emblée — tandis que les islamistes, « les plus
à même de diriger l'Oumma dans son *jihad* contre Israël,
sont les moins actifs à se faire les champions de la question
palestinienne et à en lancer le slogan parmi les masses ».
Aujourd'hui, selon lui, la Palestine constitue l'aubaine par
excellence pour mobiliser les populations autour du *jihad*,
par-delà le courant religieux : « C'est un point de ralliement
pour tous les Arabes, qu'ils soient croyants ou non ! »

Une fois établie la cause dont les jihadistes doivent se
prévaloir pour recueillir la plus grande popularité — et on
observera plus loin comment la justification *ex post* du
11 septembre par ses auteurs a suivi à la lettre ce schéma
directeur —, Zawahiri explicite la stratégie militaire à
suivre. Dans les circonstances présentes, caractérisées par
l'extraordinaire supériorité matérielle de l'ennemi, il faut
privilégier les actions par petits groupes pour terroriser
Américains et juifs :

> « Tuer les Américains et les juifs avec une simple balle, un poi-
> gnard, un explosif ordinaire, un coup de barre de fer n'a rien d'impos-
> sible. Mettre le feu à leur propriété avec un cocktail Molotov n'est pas
> difficile. Avec les moyens du bord, de petits groupes peuvent s'avérer
> redoutables pour les Américains et les juifs. »

Mais cela doit se produire dans un contexte où ces opérations, exécutées par « l'élite », sont comprises et soute-
nues par les masses mobilisées grâce aux slogans adéquats ;
sans cela « l'avant-garde musulmane court le risque d'être
tuée dans l'indifférence, dans le cadre d'un combat où elle
serait seule face au pouvoir ».

Le texte de Zawahiri est traversé par la hantise de
l'isolement de l'« avant-garde » jihadiste ; dans son esprit,
celle-ci accomplit l'action militaire, dans une logique terro-

riste ou putschiste, mais l'opération doit revêtir une valeur exemplaire, aisément décryptable par des populations cibles à même de s'y identifier, prélude à un processus non spécifié qui devrait amener la chute des régimes « apostats » et l'édification d'une base islamique, noyau du nouveau califat ayant vocation à régner sur la planète. L'attente de cet avenir radieux porte un messianisme propre à rameuter, outre les croyants, divers nostalgiques de la dictature du prolétariat (le terroriste marxiste-léniniste Carlos, converti à l'islam et disciple autoproclamé du « cheikh Oussama », en fournit une illustration tragi-comique). Il permet aussi à Zawahiri, en recherche constante de l'action la plus spectaculaire menée avec la plus grande économie de moyens humains, de franchir le pas qui mènera aux attentats du 11 septembre : « porter la bataille sur le territoire de l'ennemi (principalement les États-Unis, mais aussi Israël et la Russie) pour brûler les mains de ceux qui mettent le feu à nos pays ». Frapper les populations civiles occidentales, par-delà leurs gouvernements ou leurs institutions, est déclaré légitime par l'auteur, via un hommage ironique à la démocratie : « Les électeurs occidentaux votent librement. Leurs peuples ont donc volontairement réclamé, soutenu, appuyé tant la création que la pérennité de l'État d'Israël. » Or, « ils ne connaissent que le langage de leurs intérêts, soutenu par la force militaire brute. De la sorte, si nous voulons dialoguer avec eux et leur faire prendre conscience de nos droits, nous devons leur parler le langage qu'ils comprennent ». Cette lecture jihadiste du « dialogue des civilisations » doit convaincre les activistes de « se préparer à un combat qui n'est pas confiné à une seule région, mais qui vise aussi bien l'ennemi apostat intérieur que l'ennemi judéo-croisé extérieur ». La lutte contre ce dernier est à mener en priorité, comme une diversion face aux assauts qu'il lance contre les deux citadelles afghane et tchétchène, et parce que « il n'est pas réaliste à ce stade de se concentrer sur le seul ennemi intérieur ». Le *modus operandi* est clairement exposé *in fine* par Zawahiri : « infliger le maximum de dommages [...]

quels que soient le temps et l'effort que prennent pareilles opérations », « se concentrer sur la méthode des opérations-martyre, en tant que moyen le plus efficient d'infliger des pertes à l'adversaire et le moins coûteux humainement pour les moujahidines », « choisir les cibles, le type et l'usage des armes en fonction de leur impact sur la structure de l'ennemi... ». Enfin, il faut convaincre les masses que cette bataille, tandis qu'elle se déroule, est celle de chaque musulman et, à cette fin, « rompre le siège des médias contre le mouvement jihadiste ; c'est une guerre en soi que nous devons lancer en parallèle avec la guerre militaire ».Tel est le terme du long, détaillé et infaillible raisonnement qui amènera le chirurgien de bonne famille du Caire Ayman al Zawahiri, après que ses acolytes auront lancé leurs avions contre le World Trade Center et le Pentagone, à prendre la parole sur la chaîne Al Jazeera le 7 octobre 2001 pour déclencher la « guerre des médias » en prolongement du « grand coup » terroriste qui a dévasté l'« ennemi lointain ».

Les dernières pages de *Cavaliers sous la bannière du Prophète*, telles qu'elles sont disponibles dans la version publiée en feuilleton par le quotidien saoudien de Londres en décembre 2001, contiennent l'exposition rationnelle la plus élaborée, à notre connaissance, de la logique qui a conduit aux attentats du 11 septembre. Elle permet de saisir comment la conjoncture de l'an 2001 a combiné deux facteurs : l'un externe et contingent (la seconde Intifada et sa théorie de « martyrs » tués dans les opérations suicides, qui a produit un effet d'aubaine), l'autre interne et nécessaire (la détermination ancienne du mouvement à « formater » les opérationnels du 11 septembre et des autres attentats par un endoctrinement spécifique qui les a conduits à rechercher fanatiquement le sacrifice de soi).

Comme l'a noté Zawahiri, la question israélo-palestinienne conservait une charge affective centrale dans l'imaginaire populaire arabe au Moyen-Orient et, au-delà, dans le monde musulman, voire une partie du tiers-monde. Le Hezballah libanais, créé en 1982 à l'instigation des services secrets de la République islamique d'Iran pour devenir leur bras armé dans le désordre libanais et accomplir les basses besognes telle la prise d'otages occidentaux, a acclimaté la pratique des attentats suicides, très en faveur dans le chiisme révolutionnaire iranien, à la culture politique arabe, où elle ne représentait qu'une curiosité. En orientant ces attentats contre des cibles israéliennes (les patrouilles de Tsahal dans la « zone de sécurité » libanaise ou les milices de l'Armée du Liban-Sud payées et équipées par l'État hébreu) le Hezballah parvient à se métamorphoser, dans la représentation que s'en font les Libanais en général, chrétiens compris. Le groupe terroriste stipendié par l'étranger devient défenseur de la souveraineté nationale, parti représenté au Parlement, incarnation par excellence du patriotisme, choyé par tous, voire exempt de toute critique. De même, en Palestine, le prestige du Hezballah — considéré comme le « tombeur » d'Israël depuis qu'il a contraint son armée à se retirer du Liban en mai 2000 — est immense. C'est à l'émulation de ce parangon de la résistance victorieuse que la méthode de l'attentat suicide est transposée en en Cisjordanie et à Gaza. Pour les islamistes, la cause palestinienne est longtemps demeurée hors d'atteinte, comme l'a noté également Zawahiri, car investie et contrôlée d'emblée par le nationalisme arabe, qui en a fait sa pierre de touche. La première Intifada, qui débute en décembre 1987, permet enfin à ce courant, grâce à l'émergence de Hamas et sa rapide montée en puissance, de se revendiquer de la Palestine tout en islamisant sa cause, et d'en disputer le monopole à l'OLP nationaliste d'Arafat. Le processus de paix d'Oslo, en revanche, porteur de l'espoir d'une solution négociée jusque dans la population palestinienne saturée de violence sans issue, de proclamations grandioses et aspirant à vivre normalement, brouille la récupération islamiste — car le jusqu'au-boutisme porté par Hamas et l'organisation du Jihad Islamique semble dans ce contexte diviser les rangs arabes et les affaiblir.

Mais l'impasse du processus de paix et la surenchère à

la tension, puis à la violence, dans laquelle s'engagent délibérément l'Autorité palestinienne et le gouvernement israélien à partir de l'automne 2000, redonnent un atout maître aux islamistes locaux — qui captent rapidement la symbolique de la violence et magnifient, dès le printemps 2001, l'attentat suicide en emblème de la seule lutte armée efficiente contre la répression israélienne dotée d'armes « intelligentes » à haute technicité fournies par les États-Unis. Ils bénéficient, à ce titre, de relais puissants dans les télévisions arabes, et ont un impact considérable sur l'opinion : comme le Hezballah s'était métamorphosé en incarnation de la résistance libanaise, Hamas et le Jihad Islamique sont en passe, à cette époque, de se transmuer en fer de lance de la résistance palestinienne — au-delà de leurs seuls sympathisants appartenant à la mouvance islamiste.

Pour le mouvement jihadiste international, la question palestinienne ne représentait pas une priorité pendant les années où le processus d'Oslo était sur les rails. Sa référence territoriale se trouvait alors dans les « citadelles du *jihad* », l'Afghanistan des Talibans et la Tchétchénie insurgée, où le langage politique empruntait exclusivement les catégories de l'islamisme radical. La cible de prédilection quasi obsessionnelle de Ben Laden était la dynastie saoudienne. Mais aucun de ces espaces ne s'avéra pourvoyeur de slogans suffisamment mobilisateurs pour les « masses de l'Oumma ». Elles ne parvinrent ni à s'identifier unanimement aux premières, ni à exécrer sans réserve la seconde. La Tchétchénie pâtit, malgré les sites en ligne exaltés qui lui sont consacrés, de n'être connue que par les spécialistes et les militants les plus actifs ; les Talibans, en leur temps, souffraient d'une réputation sulfureuse d'extrémistes fanatiques et médiévaux ; et la monarchie de Riyad, malgré ses nombreux ennemis, conserve une clientèle pléthorique d'obligés d'un bout à l'autre du monde. Or, comme le note Zawahiri dans *Cavaliers sous la bannière du Prophète*, « l'Oumma musulmane ne participera [au *jihad*] que si les slogans des jihadistes sont bien compris par les masses », et le slogan le plus mobilisateur, selon l'auteur, reste l'appel au *jihad* contre Israël.

En ce sens, tant la provocation politique délibérée d'Ariel Sharon lorsqu'il se promène sur l'esplanade des Mosquées à Jérusalem le 28 septembre 2000 que la décision de Yasser Arafat de lancer l'« Intifada d'Al Aqsa » ont fourni aux jihadistes du réseau rassemblé par Ben Laden et Zawahiri l'occasion propice pour, dans les mots de ce dernier, « frapper le grand maître [du Mal] » (les États-Unis) en escomptant la sympathie et l'approbation optimales des « masses de l'Oumma ». Le duel sanglant entre les deux dirigeants septuagénaires israélien et palestinien, au prix de milliers de vies sacrifiées, offre l'occasion aux jihadistes internationaux de frapper le « grand coup » auquel ils aspirent — au fur et à mesure que les Palestiniens perdent la main, que l'antienne de la victimisation se mêle au péan glorieux du martyre et que les chaînes de télévision arabes diffusent en boucle des images de répression israélienne et d'obsèques à Gaza, Jénine ou Beit Jala. Pour les idéologues d'Al Qa'ida, le langage politique de l'attentat suicide pour l'amour d'Allah a désormais acquis une légitimité suffisante aux yeux des improbables « masses de l'Oumma » grâce à la transformation en *jihad* de la lutte palestinienne — à l'insti-gation des islamistes locaux et de leurs relais propagandistes et médiatiques régionaux. La situation est mûre, reste à exploiter l'aubaine.

La force du réseau qu'ont patiemment tissé Ben Laden et Zawahiri consiste dans l'exceptionnelle disponibilité des militants froids et rationnels formés dans les camps afghans puis réinjectés dans la vie civile, qui seront activés, à l'heure voulue, pour « frapper le grand coup » contre l'« ennemi lointain » et sacrifier leur vie sans ciller. Contrairement aux auteurs d'attentats suicides palestiniens, envoyés à la mort dès qu'ils se sont portés volontaires, dont l'exaltation politico-religieuse soudaine doit rencontrer au plus vite une cible israélienne désignée rapidement par l'organisa-tion avec laquelle ils ont le contact, les futurs kamikazes d'Al Qa'ida suivent une formation spécifique de plusieurs mois, précisément planifiée, afin d'apprendre le pilotage des avions de ligne qu'ils précipiteront sur les tours jumelles ou le Pentagone. Le geste de l'attentat suicide participe, dans les deux cas, du même mouvement, au croisement de la logique jihadiste et de l'opération terroriste, en se réclamant d'une aspiration identique au martyre. Mais leurs impacts respectifs se situent dans deux registres incommensurables.

L'attentat en Israël ou en Palestine, qui cause au plus des dizaines de morts et de blessés en ravageant un restaurant ou un autobus bondés, ne peut acquérir d'effet politique dévastateur, face à une société israélienne mobilisée par l'état de guerre depuis la seconde Intifada et militarisée depuis sa création en 1948, que grâce à sa répétition incessante, qui déstabilise les défenses de l'adversaire. Or cette répétition est malaisée à mettre en pratique pour maintenir la terreur au niveau voulu par ceux qui la perpètrent. Les services de renseignement israéliens parviennent à prévenir une proportion considérable des attentats planifiés, et les exécutions ciblées des « responsables militaires » palestiniens, tués grâce aux « armes intelligentes », désorganisent profondément les réseaux. Le combat entre les « martyrs » et les missiles guidés au laser est inégal à moyen terme : le flux des volontaires pour le martyre est soumis à une rotation rapide. Celle-ci exige une gestion hasardeuse des cibles, ce qui multiplie les risques d'échec, de défection, de découragement. Cela obère à terme l'impact même du terrorisme si les objectifs politiques qu'il poursuit ne sont pas réalisés rapidement — au regard des sacrifices qu'il impose à la société dont il est issu.

Les attentats du 11 septembre, en ce sens, complètent, prolongent et en quelque sorte parachèvent les attaques suicides politiquement inabouties advenues en Israël. En s'inscrivant dans leur continuité, comme l'explicite Ben Laden dans la première déclaration après l'apocalypse américaine, diffusée le 7 octobre sur Al Jazeera, ils cherchent à capter à leur profit le capital de sympathie et de légitimité au regard de l'islam dont celles-ci bénéficient parmi les « masses de l'Oumma », pour reprendre à nouveau les termes de Zawahiri. En effet, des dignitaires de l'islamisme « modéré », à l'instar du téléprédicateur Youssef al Qardhawi, cheikh égyptien installé au Qatar et hôte du *talk-show* religieux le plus regardé sur la chaîne Al Jazeera, ont justifié les attentats anti-israéliens au prétexte qu'ils participaient d'un *jihad* défensif visant à récupérer la terre d'islam palestinienne usurpée par les juifs, et que les civils israéliens massacrés n'étaient, femmes comprises, que des soldats et soldates momentanément sans leur uniforme, dans un pays où tout citoyen juif est conscrit ou réserviste. Or, comme on le verra, ce transfert de légitimité n'a pas fonctionné à plein en faveur de Ben Laden ; le cheikh Qardhawi a anathématisé les kamikazes du 11 septembre, les qualifiant de « suicidés » ayant indûment repris à Allah la vie qu'Il leur avait donnée, car l'Amérique ne constitue pas, selon lui, la cible d'un *jihad* licite, seul apte à décerner la palme du martyre. Mais Ben Laden et Zawahiri, par leur action spectaculaire, s'autorisent de la légitimité propre de celle-ci pour proclamer le *jihad* — avec son corollaire le martyre sanctifié — où et comme bon leur semble, tentant de déconsidérer par là les docteurs de la Loi traditionnels vilipendés comme « oulémas de cour » et voués aux mêmes gémonies que les dirigeants apostats dont ils sont les laquais enturbannés.

Une différence de nature fait néanmoins le départ entre les attentats suicides commis en Israël et ceux du 11 septembre : dans le premier cas, l'ennemi frappé est proche, identifié comme tel, objet d'un ressentiment passionnel et quotidien pour une large part de la population ; dans le second, l'ennemi est lointain, figuré, construit par le raisonnement de « l'élite » et des intellectuels islamistes. L'organisation doit ainsi préparer soigneusement les futurs « martyrs » par un endoctrinement approprié, adapté à la longue durée de l'attente jusqu'à l'instant idoine ; il doit aussi, à la manière du processus psychologique qui caractérise l'emprise des sectes sur leurs adeptes, procéder à une forme de lavage de cerveau qui permettra à l'organisation de contrôler totalement la volonté des individus, de métamorphoser des étudiants et autres jeunes membres des classes moyennes intellectuelles en machines à tuer fanatisées prêtes à disposer de leur corps pour en faire, au service de la cause suprême du *jihad*, une arme létale précipitant dans la mort avec soi un maximum de victimes soudainement prises en otage.

Pour cela, le réseau Al Qa'ida dispose de méthodes de domination de ses zélotes sur lesquelles on est renseigné partiellement, et qui utilisent à fond les ressources propres de la religion, dans sa dimension de « soumission » — ce dernier terme étant la traduction littérale du mot arabe *islam*. Elle est ici absolue et se confond avec l'obéissance complète, la sujétion totale aux instructions des chefs. Pour en percer les ressorts, il faut quitter l'exposé géopolitique rationnel de Zawahiri tel qu'il est exprimé par *Cavaliers sous la bannière du Prophète* et décrypter un autre texte, fort différent, trouvé en trois exemplaires dans les effets des pirates de l'air du 11 septembre, et surnommé le « testament de Mohammed Atta », en référence au chef présumé du groupe, l'étudiant égyptien en urbanisme basé à Hambourg, mais qui fut rédigé par son complice, Abd al Aziz al Omari, un jeune Saoudien nourri de littérature salafiste par les cheikhs et les imams de son pays. Diffusé de manière fragmentaire par le FBI américain — qui en a scanné sur son site en ligne quatre pages en arabe, rédigées d'une fine écriture raturée sur un cahier d'écolier —, ce texte délaisse tout raisonnement par déduction et toute intelligence pour se raccrocher exclusivement à une succession d'injonctions tirées du Coran et de la Sunna (faits et dires du Prophète) destinées à guider aveuglément le terroriste au moment où il passe à l'action. Il se départit alors de son comportement rationnel en ce bas monde pour se projeter dans un agir habité par une foi fanatique, état second lui permettant de tuer des passagers innocents et de vivre sa mort prochaine comme un assouvissement dans la voie d'Allah qui lui ouvre d'emblée les portes du paradis.

« Au moment du corps-à-corps, frappe comme les braves qui ne veulent pas retourner en ce bas monde, crie : *"Allah Akbar"* car ce cri fait entrer l'effroi dans le cœur des infidèles [...]. Et sachez que les jardins du paradis sont décorés pour vous de leurs plus beaux ornements, et que les houris [les vierges destinées à coucher avec les martyrs] vous appellent : "Viens, ô ami d'Allah", et elles ont revêtu leurs plus belles parures. Et si Allah pourvoit l'un d'entre vous d'une victime à égorger, tu dois accomplir ce sacrifice [...]. N'en disputez pas, écoutez et obéissez. Si vous égorgez, dépouillez celui que vous avez tué, car cela est la coutume selon la Sunna de l'Élu [le Prophète] — les bénédictions d'Allah et le salut sur lui — mais à une condition : ne pas être distrait par le butin pour délaisser le plus important, à savoir faire attention à l'ennemi, à ses traîtrises, à ses attaques [...]. »

Ce vade-mecum entièrement nourri de consignes d'obéissance aveugle (« N'en disputez pas, écoutez et obéissez ») qui inhibent toute velléité de raisonnement personnel susceptible de faire dévier de la voie du *jihad* et de l'accomplissement du carnage est d'autant plus surprenant quand on le rapproche des informations dont on dispose sur le chef du commando, Mohammed Atta, rédacteur d'un mémoire très bien noté par son professeur d'urbanisme allemand et consacré aux mesures à prendre pour maintenir le tissu urbain multiconfessionnel (islamo-chrétien) dans les quartiers traditionnels de la ville d'Alep, en Syrie. Les mêmes chrétiens dont la cohabitation harmonieuse avec les musulmans est vantée dans le mémoire universitaire sont déshumanisés en « victimes à égorger » dans l'avion transformé en arme de destruction massive par l'étudiant studieux de l'université de Hambourg. De même, deux de ses camarades kamikazes, pieux jihadistes saoudiens, se sont délectés d'un film pornographique sur la chaîne payante de leur chambre de motel la nuit précédant le 11 septembre. Ces agissements clivés, presque schizophréniques, ont été la clef du succès technique de l'opération terroriste contre l'Amérique, en ce qu'ils garantissaient la parfaite fiabilité des exécutants par rapport aux instructions des commanditaires. Pour en comprendre les logiques profondes, nous reviendrons ultérieurement sur le mode d'acculturation à la religion qui a été produit depuis les années 1980 par la mouvance salafiste, tant dans la péninsule Arabique que dans les camps de formation afghans et pakistanais. Qu'il suffise ici de noter que les attentats contre les tours jumelles et le Pentagone ne furent en rien un coup de tonnerre dans un ciel serein, mais s'inscrivaient dans un processus précis et raisonné. Il combinait les logiques propres à la mouvance jihadiste, ses capacités opérationnelles particulières, l'opportunité fournie par la dégradation du contexte moyen-oriental, particulièrement du conflit israélo-arabe avec la seconde Intifada. Il escomptait ainsi retourner au profit de l'islamisme radical les effets pervers de la nouvelle politique américaine au Moyen-Orient et dans le monde — telle qu'elle est pensée, exposée par l'idéologie néoconservatrice et, dans une certaine mesure, mise en œuvre par la Maison-Blanche.

CHAPITRE 3

Traque et résilience
d'Al Qa'ida

Les attentats du 11 septembre 2001 aux États-Unis ont constitué la mise en œuvre des théories développées par Ayman al Zawahiri au long des pages de *Cavaliers sous la bannière du Prophète*. En frappant l'« ennemi lointain » américain, le réseau patiemment tissé par Oussama Ben Laden acquit soudainement une notoriété extraordinaire par rapport au petit nombre de ses activistes. Mais cet effet de notoriété — renforcé durant plusieurs mois par l'absence de toute revendication explicite, qui témoignait d'une fine connaissance des arcanes du système médiatique mondial et d'un art consommé de sa manipulation par la rétention sélective d'informations — valait seulement parce que des symboles étaient touchés.

Le 11 septembre, le World Trade Center et le Pentagone, ces symboles de puissance, se changent soudainement en trophées macabres. Dans un entretien avec le journaliste de la chaîne Al Jazeera Taysir Aluni enregistré le 21 octobre 2001 (mais qui ne sera diffusé qu'en décembre), Ben Laden, qui ne revendique pas encore sa propre responsabilité dans les attentats, déclare ainsi que « les valeurs de cette civilisation occidentale sous leadership américain ont été détruites. Le formidable symbole de ces tours jumelles qui évoquent liberté, droits de l'homme, humanité a été détruit. Tout cela est parti en fumée ». Dans ce même registre, en transformant en armes de destruction massive des aéronefs civils, les terroristes islamistes ont découvert le défaut de la cuirasse de la superpuissance unique et apparemment invincible. Par là, leur acte trouve une résonance chez de nombreux mécontents et opposants radicaux à l'ordre du monde qui se projettent dans cette idéologie religieuse exacerbée. De manière diffuse et insidieuse, l'effet de propagande et de mobilisation recherché par les commanditaires du 11 septembre fait fond sur l'immémoriale sympathie spontanée qu'inspirent David face à Goliath, ou Robin des Bois contre les seigneurs normands arrogants de l'Angleterre médiévale. C'est pour maximiser ce capital que Ben Laden et ses affidés maintiendront quelques mois durant l'ambiguïté sur leur responsabilité directe dans le massacre de trois mille innocents.

Dans la première déclaration parue après les attentats, publiée sans fanfare le 28 septembre dans la revue pakistanaise *Umma*, le chef d'Al Qa'ida nie toute responsabilité dans ceux-ci — comme il avait démenti auparavant tout lien direct avec les attentats contre les ambassades américaines à Dar es-Salaam et à Nairobi en août 1998 ou avec l'attaque meurtrière contre le contre-torpilleur américain *USS Cole* en octobre 2000 — en rejetant la cause sur l'Amérique, « dénuée de tout ami », et sur le Mossad. Le 7 octobre, tandis que commence l'opération militaire des États-Unis et de leurs alliés contre l'Afghanistan, dans une cassette diffusée sur Al Jazeera et qui a une immense répercussion, il n'assume pas davantage de responsabilité directe, se satisfaisant de glorifier l'« avant-garde bénie de musulmans » qui a meurtri en son tréfonds la superbe Amérique. En exaltant l'audace et la bravoure des « martyrs » qui ont donné leur vie pour la cause sublime du *jihad*, Ben Laden et ses porte-parole tentent de métamorphoser du même coup la masse des victimes en autant d'agneaux immolés pour un holocauste agréable au Dieu de l'islam ; il les déshumanise par l'artifice spécieux de cette rhétorique belliqueuse et sacrée ; enfin il désamorce toute éventualité de compassion du monde musulman pour les milliers d'otages d'une mort atroce dans les tours jumelles et le Pentagone.

Selon les activistes d'Al Qa'ida et les sympathisants que la nébuleuse s'emploie à drainer vers elle à cette occasion, le 11 septembre constitue une victoire phénoménale dans le champ symbolique. En témoigne notamment un enregistrement vidéo interne au mouvement, découvert par les soldats américains en Afghanistan en novembre 2001, rendu public le 21 décembre suivant. Ce document retrace la réception, dans un local près de Kandahar affecté à Al Qa'ida, d'un cheikh saoudien tout juste arrivé de Riyad, Khaled al Harbi, ancien combattant d'Afghanistan, où il a perdu les deux jambes. Interrogé par Ben Laden sur la réaction au 11 septembre en Arabie, le cheikh répond :

« Soudain, nous avons eu les nouvelles, tout le monde a été submergé de joie [...] chacun disait : *"Allah Akbar"*, "Allah soit loué" et "Nous sommes reconnaissants à Allah". Toute la journée, on se congratulait sans arrêt au téléphone. Ma mère recevait des appels tout le temps. Merci à Allah. Allah est grand, Allah soit loué. "Combattez-les de vos mains, Allah les torturera, Il les trompera et vous donnera la victoire. Allah pardonnera les croyants, Il est le sachant universel." Sans aucun doute, c'est une éclatante victoire. Allah nous en a conféré l'honneur, il nous bénira et nous donnera plus de victoires encore pendant ce mois béni de Ramadan. »

Quant à Ben Laden, il se félicite que « en Hollande, le nombre de gens qui se sont convertis à l'islam pendant les jours qui ont suivi les opérations [soit] plus élevé que le total des onze dernières années ».

Mais cette « éclatante victoire» doit être confortée par un triomphe militaire, tant les enjeux ont été placés haut par la magnitude de la provocation envers Washington. L'effet de surprise et sa force d'impact symbolique et imaginaire doivent se transmuer en un combat durable ancré dans l'ordre du réel — où comptent en dernier ressort, plus que les jeux de manipulation et d'images, les capacités de destruction effectives de chaque adversaire. Sur ce plan, Ben Laden ne peut se mesurer à la superpuissance américaine, sauf à utiliser la ruse, l'évitement, l'astuce : la panoplie du faible face au fort. En effet, la traque du réseau

Al Qa'ida, dès sa mise en cause au lendemain des attentats, est menée avec les moyens militaires et politiques gigantesques des États-Unis. Pourtant, la nébuleuse, même considérablement affaiblie par l'anéantissement de la base afghane, les arrestations et les interrogatoires de milliers de prisonniers, dont plusieurs centaines sont maintenus au secret, perdure dans son être insaisissable et quasi indéfinissable. Ses deux chefs présumés, Ben Laden et Zawahiri, deux ans et demi après les faits, au moment de la rédaction de ces lignes, n'avaient pas été capturés — tandis que des déclarations à eux attribuées continuaient d'être diffusées par les chaînes télévisées arabes planétaires, en une litanie de menaces contre l'Occident, d'appels au meurtre des impies et de revendications d'attentats aux quatre coins du monde, semant la mort et la désolation de Bali à Madrid.

La persistance des filières du terrorisme islamiste pose à Washington un problème majeur d'*intelligence* aux sens français comme anglais de ce terme : non seulement les moyens utilisés pour les anéantir paraissent *in fine* inadéquats, inadaptés, mais l'interprétation même du phénomène est manquée. Elle demeure tributaire d'une vision du monde redevable pour l'essentiel aux catégories de pensée stratégiques de la guerre froide — poussée au paroxysme par la lecture qu'en fait le courant néoconservateur dont les attentats du 11 septembre ont conforté, par un effet de distorsion, l'emprise sur la décision politique américaine au plus haut niveau. Ben Laden reste pensé comme une sorte d'héritier islamiste de Lénine, et Al Qa'ida sur le modèle des groupes gauchistes terroristes des années 1970-1980. On croyait toujours alors, à Washington, pouvoir exhumer quelque filiation obscure avec les services de renseignement du bloc soviétique. Selon un raisonnement parallèle, l'argumentaire puis la conduite de la « guerre contre la terreur » sont construits autour de la volonté de remonter des activistes barbus aux *rogue states*. Ces « États voyous », au premier rang desquels figurent l'Irak et l'Iran, piliers moyen-orientaux de « l'axe du Mal », constituent en l'espèce

les succédanés du Moscou d'antan. Devant l'Otan, le
6 novembre 2001, le président Bush déclare :

« Nous ne marquerons pas de pause tant que les groupes terroristes
globalisés [*terrorist groups of global reach*] n'auront pas été trouvés,
arrêtés, et défaits. Et ce but ne sera pas atteint tant que toutes les
nations du monde n'auront pas cessé d'héberger et de soutenir pareils
terroristes à l'intérieur de leurs frontières. »

Le châtiment des terroristes qui ont frappé l'Amérique
ne saurait être complet sans que soit détruit un véritable
appareil d'État, en l'occurrence celui de Saddam Hussein,
tenu pour responsable ultime, coupable originel, manipula-
teur final. Dans la logique de la rétorsion aux attentats, la
Maison-Blanche de George W. Bush ne peut envisager,
sans déroger, de se cantonner à traquer une bande de barbus hâves en planque dans des grottes, des chambres de
motel et des appartements de banlieue, fussent-ils équipés
de téléphones par satellite et pourvus de comptes en
banque disséminés dans les divers paradis fiscaux et autres
places off shore de la planète. Il lui faut un adversaire à sa
mesure appartenant au registre du *hard power* : un État
doté d'un territoire et d'institutions, et non une ONG terroriste sans statuts ni siège social, aussi dévastatrice soit-elle.
Les stratèges de Washington ne sont pas culturellement
capables d'appréhender d'acteur qui ne s'avère pas, en dernier ressort, un État — dans le défi planétaire posé par les
attentats du 11 septembre. En Afghanistan, dans cette
logique, ils prendront la proie pour l'ombre, détruisant
effectivement l'État embryonnaire des Talibans, tandis que
le Pentagone et les services spécialisés s'avéreront inaptes
à éliminer rapidement le réseau animé par Ben Laden et
Zawahiri — faute d'en avoir identifié adéquatement la
nature et les fonctions. Par la facilité d'un surnom imagé et
réducteur (Al Qa'ida) qui réifie la fluidité même de ce
réseau, on occulte sa principale caractéristique et la source
de sa force. Surnommer crée l'illusion d'identifier l'adversaire en s'en figurant la représentation. Celle-ci est pourtant

largement factice, et se satisfait d'une image au lieu de pousser l'analyse, s'arrête à une prénotion commune au lieu de chercher un concept opératoire qui intègre la complexité du réel et contraint à refondre les catégories cognitives préalables. Si Ben Laden et Zawahiri sont pour partie les repreneurs du bazar soviétique en faillite dont ils chinent les têtes nucléaires et autres armes sales, s'ils ont eu des fréquentations douteuses du côté de Bagdad et de Téhéran, ils sont d'abord les enfants adultérins du wahhabisme et de la Silicon Valley, les héritiers putatifs tant du *jihad* et de l'Oumma que de la révolution numérique et de la mondialisation à l'américaine, les frères de lait des hackers et des golden boys sous leur barbe et leur costume islamique pour feuilleton télévisé.

Cette aporie de l'*intelligence* du phénomène Al Qa'ida se manifeste dans l'embarras qu'éprouvent les responsables américains à identifier, circonscrire, délimiter la nature nouvelle de la menace. Le vocable de « terrorisme », dont la définition est d'emblée complexe et mal assurée, est fréquemment délayé dans la catégorie plus vaste et moins précise encore de « terreur » : la dimension morale de ce terme est propice à une vaste mobilisation spontanée des citoyens des « nations civilisées », issue de l'indignation légitime que ressent en principe tout un chacun à travers le monde, en s'identifiant aux victimes d'attentats ignobles qui frappent à l'aveugle des innocents. Mais stigmatiser l'ennemi en usant du registre des valeurs universelles n'aide guère à en préciser les contours, et rend malaisées sa poursuite comme son élimination.

Dans les lendemains du 11 septembre, les instances gouvernementales américaines spécialisées publient successivement quatre listes différentes qui s'emploient, chacune à partir de critères propres, à définir en extension la notion de terrorisme. Le 24 septembre, le président Bush présente une nomenclature nouvelle de celui-ci, connue par son abréviation anglaise SDGT (*Specially Designed Global Terrorist*), qui permet de geler les avoirs de vingt-sept organisations ou individus réputés liés au « réseau d'Al Qa'ida », sans que celui-ci soit autrement défini. Le 5 octobre, la liste préexistante des organisations terroristes étrangères (FTO : *Foreign Terrorist Organizations*) du Département d'État est mise à jour ; son contenu diffère de la précédente. Le 10 octobre, le FBI publie sa propre liste, celle des terroristes les plus recherchés (MWT : *Most Wanted Terrorists*), qui compte les noms de vingt-deux activistes, tous accusés d'avoir assassiné des citoyens américains et tous originaires du Moyen-Orient musulman. Le 12 octobre, le ministère des Finances (*Treasury Department*) gèle les avoirs de trente-trois nouveaux individus (dont dix-huit figurant sur la liste MWT) et de six organisations, qui s'ajoutent à la liste SDGT. Le 31 octobre, le ministère de la Justice (*Attorney General*) réclame que quarante-six groupes soient officiellement désignés comme « organisations terroristes », dont neuf figurent sur la liste SDGT. Le 5 décembre, le Département d'État met à jour la liste d'exclusion des terroristes (TEL : *Terrorist Exclusion List*), à laquelle il ajoute les trente-neuf susmentionnés, qui n'étaient pas inclus dans la SDGT. Entre-temps, le ministère des Finances, le 7 novembre, gèle les avoirs de soixante-deux groupes et individus associés aux réseaux financiers islamiques Al Taqwa et Al Baraka, soupçonnés d'être liés à Al Qa'ida, et qui s'ajoutent à la liste SDGT.

La pluralité même de ces inventaires, élaborés dans l'urgence, traduit, plus que les défaillances conjoncturelles du renseignement américain, qui se retrouvera sur la sellette dans les mois suivants, l'incapacité structurelle de Washington à définir la menace qui se substitue à celle de Moscou et à la conceptualiser — ce dont ne saurait tenir lieu l'assemblage hâtif de groupuscules, de comptes en banque et d'individus auquel il est procédé. Faute de pouvoir penser la nature du réseau auquel la figure de Ben Laden sert d'icône, la « guerre contre la terreur », incapable d'atteindre à un cœur de cible impalpable, visera, selon un mouvement progressif, en deçà et au-delà de celui-ci. En un premier temps, elle privilégie la destruction de la base afghane ; ensuite elle se déploie dans une série de pressions sur la matrice saoudienne ; enfin elle culmine dans l'anéantissement de l'« État voyou » de Saddam Hussein. Cette stratégie d'enveloppement présente l'avantage d'être opérationnelle : elle permet de faire usage de la panoplie du Pentagone, forgée dans l'affrontement avec l'URSS puis adaptée à de nouvelles menaces imprécises — mais elle manque son objet.

Dans la première phase de l'opération, lors de l'attaque de l'Afghanistan, qui débute le 7 octobre 2001, on ne peut se départir du sentiment que les stratèges américains ont pris la signification du surnom du réseau, Al Qa'ida, qui signifie « la base », au pied de la lettre, et imaginé que l'annihilation de la base territoriale afghane en finirait avec la nébuleuse, que la destruction de structures en dur aurait des conséquences létales sur un réseau planétaire frappé à la tête et dont les tentacules deviendraient inopérants.

« Al Qa'ida — selon les propos que Ben Laden tient à Taysir Aluni durant l'entretien précité pour Al Jazeera en octobre 2001 — s'est retrouvée nommée ainsi il y a longtemps sans qu'on le veuille vraiment. Feu Abou Ubaida al-Banshiri [un activiste égyptien qui finit noyé dans le lac Victoria au printemps 1996 tandis qu'il organisait des cellules du réseau en Afrique orientale] avait monté des camps d'entraînement pour nos moujahidines contre le terrorisme de la Russie. On avait pris l'habitude d'appeler ce camp "la base" [Al Qa'ida]. Et le nom est resté. Nous exprimons la conscience de l'Oumma, nous sommes ses enfants. Nos frères en islam viennent du Moyen-Orient, des Philippines, de Malaisie, d'Inde, du Pakistan et d'aussi loin que de Mauritanie. »

Si l'on suit les explications de Ben Laden, il ressort que le terme *al Qa'ida* est une double figure de rhétorique. C'est d'abord une métonymie de ce rassemblement d'islamistes radicaux s'entraînant dans un même lieu au *jihad*. Mais ce sera aussi, par dérivation, la métaphore de cette base, dispersée à la surface du globe et maintenue ensemble par les liens et sites en ligne, une « base de données », un microcosme de l'Oumma où se retrouvent des « frères en islam » des Philippines à la Mauritanie. En focalisant leurs frappes et leur traque sur la base afghane réelle, les États-Unis ne parviennent pas, pendant les mois qui suivent le 11 septembre, à se saisir de la réalité tout autre et plus ample qu'exprime ce nom figuré.

Cette curieuse incapacité à penser la dimension métaphorique dont le terme *al Qa'ida* est porteur n'est pas sans suggérer le mécanisme psychologique du *déni*. Dénégation, en l'occurrence, de la relation intime que le Pentagone et les agences de renseignement américaines ont nourrie avec une mouvance qu'ils ont choyée, et qui s'inscrivait dans la stratégie de sous-traitance à des acteurs locaux de la belligérance sur le terrain contre l'Armée rouge. Réduire dans un premier temps Al Qa'ida à une base opérationnelle localisable et destructible par un bombardement massif et un ratissage mené par des Bérets verts et des Gurkhas permet de refouler l'objet du scandale terroriste et ainsi d'éviter le douloureux travail de l'analyse quant aux responsabilités propres des stratèges de Washington dans l'enfantement du monstre dressé pour faire choir l'Armée rouge, et qui se retournera ensuite contre son Frankenstein.

La « guerre contre la terreur », dans le mouvement qui mène celle-ci de la traque inaccomplie d'Al Qa'ida au renversement parachevé de Saddam Hussein en passant par les pressions exercées sur le système saoudien, enveloppe enfin, dans les replis infiniment flous de l'étendard moral propre à la croisade antiterroriste, un objectif qui n'est lié qu'indirectement à celle-ci : la redistribution des cartes au Moyen-Orient. Cette perspective mêle deux dimensions. La première touche à l'assise de la politique régionale de puissance des États-Unis (concilier pour de bon l'approvisionnement sécurisé d'hydrocarbures et la sécurité d'Israël en installant à Bagdad un régime allié à Washington). La seconde veut favoriser l'éclosion démocratique dans un univers rétif, après l'élimination d'un dictateur qui a massacré des Irakiens en nombre, déclenché deux guerres qui ont ensanglanté l'Iran et le Koweït voisins, et fait régner la terreur au nom du nationalisme arabe sur son peuple tout en accaparant les richesses pétrolières pour lui, sa famille et son clan.

Ces deux dimensions complémentaires, veut-on penser à Washington, permettront d'éliminer les causes profondes du terrorisme, après en avoir traité le symptôme par la suppression d'Al Qa'ida. Selon que l'on prend parti pour ou contre la politique américaine, on fera prévaloir tel ou tel échelon du raisonnement pour juger celle-ci a priori en termes de mal ou de bien — on considérera la question de l'éradication de la terreur comme une noble fin ou un ignoble prétexte. Or les deux dimensions sont intrinsèquement liées, et ne peuvent se comprendre indépendamment. Cet écheveau de significations et de signes rend le décryptage des opérations qui se déroulent des lendemains du 11 septembre à la chute de Bagdad puis la capture de Saddam Hussein particulièrement complexe pour qui s'efforce de dépasser le propos normatif et passionnel. Cela contraint à un travail critique de chaque instant : il s'agit de démêler l'enchevêtrement du réel, du symbolique et de l'imaginaire, de disséquer cette articulation nouvelle des canonnières, des attentats et des médias où se nouent politique, morale et religion en un entrelacs si serré que s'estompe vite au regard le fil rouge du discernement.

Alors que prévalent encore partout la stupeur et le chaos, dans les heures suivant l'apocalypse qui a frappé New York et Washington, tandis qu'aucune revendication sérieuse des attentats ne se fait entendre, le gouvernement américain est contraint dans l'urgence d'interpréter le cataclysme et de proposer des mesures de rétorsion, que George W. Bush qualifie de « croisade ». Bien que le terme anglais *crusade* ne signifie plus guère, dans l'usage contemporain courant, qu'une mobilisation intense, sans connoter explicitement le substrat chrétien d'où le mot tire son origine médiévale, le président américain doit rapidement reformuler son propos, et se rendre, contrit et déchaussé, à la principale mosquée de Washington pour effacer l'impression que cette mobilisation est tournée contre les musulmans ou l'islam en général.

Pareille antienne sera entonnée par les responsables américains sur tous les modes pendant la durée de la « guerre contre la terreur », avec une conviction égale à l'accusation formulée par de nombreux imams cathodiques et autres sites islamistes sur l'Internet que cette guerre a bien pour cible l'islam à l'instar des croisades d'antan. Ainsi du plus célèbre des téléprédicateurs islamistes, le cheikh Youssef al Qardhawi, qui publie en 2002 un opuscule sur la nouvelle croisade américaine contre l'Oumma musulmane. Cette maladresse initiale à dénommer la lutte antiterroriste, le procès d'intention qui s'ensuit et contraint à en reformuler le propos sont emblématiques de la difficulté à définir, à identifier la nature du défi du 11 septembre.

Autant il importe, pour les États-Unis et leurs alliés, de fixer et isoler l'improbable nébuleuse des commanditaires et exécutants des attentats afin de la mieux détruire, autant ces derniers, en évitant de se nommer et donc de se distinguer, s'efforcent de se fondre dans la masse des musulmans dont ils se disent simplement l'« avant-garde bénie », selon les mots d'Oussama Ben Laden. D'emblée, la palinodie de George Bush marque que ses adversaires masqués, en le contraignant à pareille reculade, l'ont emporté sur le champ de bataille de la rhétorique politique : la « croisade », au moment où elle est formulée par une gaucherie oratoire qui révèle au moins l'inexpérience à défaut de trahir l'inconscient, métamorphose les États-Unis victimes du terrorisme en agresseur récurrent contre l'islam — à travers l'exégèse de cette formule utilisée à longueur de sermons par les téléprédicateurs islamistes. Elle fait écho aux « croisés » que dénonce Ben Laden dans ses proclamations, conforte sa propagande et l'aide à élargir la base de ses sympathisants. Il n'y aura pas loin à la charge, assez répandue dans le monde musulman, que le 11 septembre est pure fabrication des services secrets américains et israéliens, prétexte infâme au déclenchement d'une offensive « croiséesioniste » visant à placer sous leur coupe conjointe les richesses pétrolières du Moyen-Orient — tandis qu'un courriel dont on atteste l'existence du Caire à Damas et de Karachi à Djakarta mais que personne n'a jamais vu aurait conseillé aux juifs employés au World Trade Center de rester chez eux ce jour-là.

Par-delà les embarras du vocabulaire, la difficulté majeure qu'éprouve Washington *the day after* est d'ordre militaire. Le plus clair de la doctrine américaine depuis les débuts de la guerre froide tenait au concept de dissuasion — décliné sous des registres divers : l'adversaire soviétique devait être dissuadé de toute attaque nucléaire car les conséquences en auraient été absolument dévastatrices sur son territoire même. D'où découlait l'état de belligérance minimale induit par ce que les commentateurs ont nommé l'« équilibre de la terreur ». Dans l'esprit de Ben Laden, la recherche d'un nouvel équilibre de cette sorte entre l'Amérique et « les musulmans » (dont il s'autoproclame le représentant) est claire.

« Ils ne comprennent que le langage de l'attaque et du meurtre — déclare Ben Laden en octobre 2001 à Taysir Aluni —. De même qu'ils nous tuent, nous devons les tuer, pour qu'il y ait un équilibre de la terreur. C'est la première fois, à l'époque moderne, que la terreur commence à atteindre l'équilibre, entre Américains et musulmans. Jusqu'alors, les politiciens américains faisaient de nous ce qu'ils voulaient. La victime ne pouvait même pas crier [...]. La bataille s'est transportée à l'intérieur de l'Amérique. Nous œuvrerons pour la poursuivre, avec la permission d'Allah, jusqu'à la victoire ou jusqu'à notre propre retour à Allah, avant l'inéluctable avènement [de cette victoire]. »

Or la terreur qui frappe l'Amérique le 11 septembre est dénuée d'un territoire défini et stable d'où auraient été lancés les missiles. Les modes d'action et de réaction militaires, du nucléaire au conventionnel, ont été pensés pour détruire des défenses territoriales, s'emparer de villes, contrôler des espaces aériens, anéantir des chars, des colonnes de fantassins et des avions, renverser des régimes physiquement installés dans des palais, des bureaux et des casernes. Ben Laden et ses affidés n'ont plus de patrie ni de sol en propre : tout juste sont-ils, pour partie, réfugiés (à l'instigation ancienne des États-Unis) sur le sol de l'Afghanistan contrôlé par les Talibans, qui constitue leur « base » — selon l'interprétation privilégiée du terme *al Qa'ida* dans l'esprit des stratèges de la guerre contre la terreur dans sa phase initiale. Que le Mollah Omar, le fruste « émir » borgne qui règne sur Kandahar, soit apparemment passé sous la coupe effective de son hôte milliardaire saoudien n'en circonscrit pas pour autant la nébuleuse à l'intérieur des frontières de ce pays.

Pourtant, l'essentiel des moyens et des ressources mobilisés pour la traque du réseau terroriste repose dans un premier temps sur l'anéantissement du régime taliban par l'investissement de son sol national. On est apparemment convaincu alors à Washington que Ben Laden, Zawahiri et leur smala, forcés dans leurs repaires de Tora Bora, dans la haute montagne pachtoune, seront capturés ou exterminés dans la foulée. L'opération militaire débute le 7 octobre ; la première intervention télévisée de Ben Laden et Zawahiri postérieure au 11 septembre lui donne la réplique le jour même en appelant sur les ondes d'Al Jazeera tous les musulmans du monde au *jihad* universel contre l'Amérique, en une contre-offensive qui aligne la rhétorique cathodique et la propagande par satellite face aux bombardiers furtifs et aux missiles de croisière. L'attaque américaine est une réussite foudroyante pour les armes de haute technologie : elles minimisent les pertes humaines chez l'assaillant et limitent les « dommages collatéraux » dans les populations civiles en détruisant avec une très grande précision leur cible. Mise en application posthume la plus efficiente de la doctrine militaire pensée par Albert Wohlstetter, elle s'avère aussi un succès des services de renseignement, qui parviennent à mobiliser des groupes ethniques de l'Alliance du nord du pays, principalement tadjiks et ouzbeks, aux côtés des forces spéciales américaines pour effectuer l'essentiel des offensives terrestres et marcher finalement sur Kaboul. Ces troupes « musulmanes » qui combattent et renversent les Talibans étouffent dans l'œuf les clameurs du *jihad* lancé sur les chaînes de télévision arabes par les prêcheurs de tout poil qui, en relayant l'appel de Ben Laden sur un mode plus *soft,* incitent les musulmans du monde à prendre les armes aux côtés des Talibans pour défendre le territoire d'islam, le *dar el islam* afghan, envahi par les impies. Dès lors que Mazar, Herat, Kunduz, Kaboul, Djalalabad et enfin Kandahar tombent aux mains de soldats afghans eux-mêmes musulmans (fussent-ils équipés par les États-Unis), la base religieuse de cet appel au *jihad* s'érode ; il tournera à la confusion avec l'apparition sur les écrans de télévision des premières images de jihadistes arabes prisonniers de l'Alliance du Nord, ligotés de fil de fer, et rudoyés par les Afghans censés avoir été délivrés par eux des infidèles.

Du double point de vue militaire et psychologique, la guerre semble un triomphe pour les États-Unis — dont les soldats prennent pied à cette occasion dans les anciennes républiques musulmanes soviétiques d'Asie centrale, riches d'hydrocarbures et soucieuses de secouer la tutelle postcoloniale de Moscou. De plus, les forces de l'Otan alliées n'ont joué qu'un rôle d'appoint : la victoire est imputable à la seule superpuissance et, pour la première fois, l'intégration électronique parfaite entre aviation, marine et armée de terre américaines est testée sur le champ de bataille, de même que le contrôle absolu par Washington des *commons* (les mers, les cieux, l'espace) en prélude à l'offensive contre l'Irak de Saddam un an et demi plus tard.

Mais, en regard des objectifs assignés à la « guerre contre la terreur », ce triomphe est une victoire à la Pyrrhus. En dépit des coups très sévères portés à la nébuleuse, de la saisie d'archives, de données informatiques, de l'élimination et la capture de beaucoup d'activistes, l'anéantissement de la « base » physique afghane ne se traduit pas par l'éradication d'Al Qa'ida. La connotation métaphorique de ce terme, la « base de données » universelle et sans territoire circonscrit — sinon l'espace numérique *infini* de la Toile, des télévisions par satellite, des transferts bancaires informels, du transport aérien et de la dissémination des activistes depuis les banlieues d'Occident jusqu'aux rizières d'Indonésie —, l'emporte définitivement sur sa valeur métonymique, son sens local, à mesure que reprennent les attentats. La puissance militaire américaine a écrasé sous les bombes et les missiles la région de Tora Bora, les commandos de chasse britanniques ont pénétré jusqu'au plus profond des grottes au seuil desquelles Ben Laden se faisait filmer, mais l'oiseau s'est envolé.

Selon un communiqué d'un groupe qui s'exprime au nom de la nébuleuse et signe « *Qa'idat al Jihad* » (la « base du *jihad* »), paru sur la Toile le 26 avril 2002 :

> « Allah nous a permis de protéger et mettre en lieu sûr le gros des forces arabes, qui se montaient alors à environ 1 600 moujahidines provenant de l'ensemble du monde musulman [*sic*], et étaient répartis sur quatre fronts principaux : le nord de Kaboul, Kaboul, Kandahar et Djalalabad. Environ 325 devinrent des martyrs, 150 furent faits prisonniers, et plus de 1 000 se sauvèrent. Par la grâce d'Allah, plus de 300 familles furent évacuées, le total des martyrs fut de neuf femmes et dix enfants. »

Même si ces chiffres sont biaisés dans un but de propagande, il n'en reste pas moins qu'une très grande quantité de combattants du *jihad* ont pu fuir.

On touche là précisément à la limite de l'efficacité de la panoplie du Pentagone, aux apories du raisonnement néoconservateur qui s'est contenté de rediriger les armes, toujours plus élaborées et sans cesse affinées, originellement conçues pour lutter contre la menace soviétique, vers la menace nouvelle du terrorisme islamiste. Mais ce dernier ne résulte pas simplement d'un déplacement idéologique du communisme vers l'islamisme, de la substitution des terres de l'Orient musulman à l'ancien territoire du bloc de l'Est clos et confiné par le rideau de fer, cependant que la menace envers l'Occident serait demeurée homothétique, sans que la nature s'en transformât structurellement.

Il existe en effet une différence de définition entre les

deux « théâtres » communiste et islamiste — le second ne disposant d'aucune limite véritable qui le bornerait territorialement, où patrouilleraient des gardes-frontières barbus en *qamis* courte et autres Vopos jouant les *mourabitoun*, ces moines-soldats musulmans autrefois établis sur les marches du territoire conquis par l'islam. L'espace de l'islamisme contemporain n'est pas fini ni clos, il augmente en se jouant des bornages d'antan entre le *dar al islam* (le domaine de l'islam) et le *dar al koufr* (le domaine de l'impiété) qui structuraient la vision du monde des théologiens musulmans traditionnels. Il est partie prenante de l'Occident, se faufile dans ses banlieues comme il se propage sur l'Internet. Son *limes* discontinu longe le boulevard périphérique du nord de Paris pour resurgir dans les ghettos du South Side de Chicago puis réapparaître entre la Little Egypt de Jersey City et la Kleine Istanbul berlinoise en passant par le Londonistan et les *barrios* madrilènes.

Le communisme avait aussi pénétré, bien plus en profondeur que l'islamisme, sociétés et institutions de l'Europe occidentale au xxᵉ siècle — mais il disposait d'un référent extérieur, le « socialisme réel » du bloc soviétique, qui s'est avéré en dernier ressort à la fois un repoussoir social pour les classes moyennes européennes et l'objet de fixation de la stratégie militaire de l'Otan, victorieuse du pacte de Varsovie sans coup férir. Il n'existe pas de pacte de Varsovie dans le monde islamique. Tout juste a-t-on observé une dissémination de technologie nucléaire provenant du « père de la bombe atomique islamique », le Pakistanais Abdul Qader Khan, vers la Libye de Kadhafi et l'Iran des mollahs, depuis les années 1980, quand le Pakistan vivait sous la férule du dictateur philo-islamiste et pro-américain, le général Zia ul Haqq.

Ainsi, la victoire des armes américaines en Afghanistan, en n'atteignant pas son but de guerre proclamé (éradiquer la terreur), laisse inachevé le processus militaire. Cela fournira la justification idoine pour « finir le travail » en Irak un peu plus d'une année après. La cible de l'offensive de l'automne

2001 n'est ni l'Afghanistan, ni sa population, dont on s'efforce avant tout de gagner les cœurs en limitant au minimum les dommages civils grâce au guidage technologique des missiles, mais les terroristes qui y sont réfugiés. Leur caractère ductile, insaisissable, conduit à une permutation des objectifs, qui permet à Washington de transformer l'échec (impossibilité d'annoncer capture ou mort de Ben Laden et Zawahiri, lesquels maîtrisent, jusque dans leur occultation, la manipulation des médias par la rétention de toute information les concernant) en succès (la mise à bas du régime des Talibans). L'opération de police a manqué l'arrestation ou la mise hors d'état de nuire du coupable présumé, mais elle a donné un vaste coup de filet qui a pris complices, receleurs et menu fretin.

La destruction du régime des Talibans consiste d'abord en une révision déchirante des logiques dominantes de la politique américaine en Afghanistan depuis 1980 — initiée avec le soutien militaire et financier au *jihad* antisoviétique, et prolongée avec le *benign neglect* qui s'était traduit, depuis 1992, par l'appui décisif pakistanais (inopérant et impensable sans aval de Washington) à la montée en puissance du mouvement taliban, puis à l'investissement de Kaboul par celui-ci en septembre 1996. Washington avait encouragé — directement dans le premier cas, par Islamabad interposé dans le second — la mouvance islamiste armée et radicale à conquérir le territoire d'un État. Avec les Talibans, avait été créé un abcès de fixation de celle-ci, qui paraissait isolé dans les hautes montagnes.

À la manière des stratégies policières qui aiment à circonscrire certaines formes de délinquance dans un quartier réservé dont la surveillance est négociée avec mafieux et proxénètes afin d'éviter la dissémination incontrôlable du vice, l'« émirat islamique » des Talibans avait accueilli et regroupé une bonne partie des soldats perdus du *jihad* sans feu ni lieu après l'échec des luttes armées dans divers pays musulmans, de l'Algérie à l'Égypte, à l'Albanie ou au Cachemire. Dans cette logique, avec l'aval américain, Ben

Laden avait été exfiltré vers Kandahar au printemps 1996 depuis le Soudan, où sa présence gênait un pouvoir soucieux de ne plus se retrouver au ban de la communauté des nations, tandis que ni Washington ni Riyad ne souhaitaient recevoir et juger celui que pourtant le régime de Khartoum était disposé à leur céder. Selon le ministre de l'Information du régime taliban, dont les propos sont rapportés par Jamal Isma'il, l'un des interlocuteurs usuels de Ben Laden sur la chaîne Al Jazeera, l'arrivée de Ben Laden et de ses séides en Afghanistan en mai 1996 était le produit d'un accord américano-soudanais. Le Soudan, libre de Ben Laden, verrait les pressions de Washington diminuer, tandis que les difficultés de communication entre l'Afghanistan et le reste du monde rendraient le *jihad* inexportable.

Pareille stratégie de « quartier réservé » — qui avait amplement démontré son inanité dès lors que Ben Laden transformait celui-ci en une « base » d'où lancer (dès la « déclaration de *jihad* » du 23 août 1996) ses proclamations incendiaires et machiner les attentats de 1998 et 2000 — est remise en cause par la magnitude du 11 septembre 2001, comme si le crime organisé s'attaquait de front aux institutions. Les forces policières investissent parfois, voire anéantissent, tel ou tel abcès de fixation de la délinquance, lorsque celle-ci dépasse les bornes du gentleman's agreement avec les bandits et autres chefs mafieux. Pareille opération est réalisable dès lors que d'importants moyens sont mis en œuvre, et elle est d'ordinaire propice à des mises en scène télévisées de saisies d'armes et de substances prohibées, d'exhibitions de truands patibulaires dûment menottés, opportunes en période électorale. Elle favorise toutefois la prolifération de la criminalité en dehors de la zone investie, quand aucune mesure sociale de résorption des stimulants de la délinquance n'accompagne le coup de filet. De la même manière, la fermeture administrative de la maison de tolérance islamiste des Talibans propulse à travers le monde ses nombreux pensionnaires jihadistes qui, avertis en temps utile de la rafle, ont pris la poudre d'escampette en compagnie du tôlier, à l'instar de Ben Laden, Zawahiri et consorts, disparus avec le Mollah Omar par les hautes vallées pachtounes en laissant derrière eux leurs livres de comptes et les coordonnées de bien de leurs partenaires réguliers ou occasionnels. La chute de Kaboul, l'élimination ou l'arrestation de bon nombre d'activistes islamistes étrangers et nationaux permettent de détruire les infrastructures fixes d'une nébuleuse dont on pense qu'elle ne disposera plus de l'ensemble des moyens coordonnés pour mettre en œuvre un cataclysme de l'ampleur du 11 septembre 2001. Mais elles n'entament en rien la capacité du réseau à se reconstituer ailleurs, fût-ce en formation réduite, pour lancer les séries d'attentats qui ont marqué les années suivantes.

Pour chacun des adversaires, le principal enjeu après la déflagration inaugurale consiste à élargir sa base de soutien — selon des modalités fort diverses. La nébuleuse d'Al Qa'ida n'a besoin que de fournir la preuve qu'elle persiste dans son être, ayant échappé à la destruction, et sert la cause du *jihad* jusqu'à l'inéluctable défaite de l'Amérique, d'Israël, de l'Occident en général ainsi que des régimes « apostats » qui gouvernent le monde musulman au service de l'impiété — et recouvrent peu ou prou ce que les gauchistes nommaient autrefois l'impérialisme. À cette fin, il lui suffit de se manifester par des attentats précédés ou suivis par des communiqués attribués à Ben Laden ou Zawahiri.

Les cibles sont choisies de manière circonstanciée en fonction de la combinaison optimale de deux critères. Le premier consiste en l'effet de souffle de la terreur, immédiatement répercuté aux quatre coins de la terre par les médias, qui diffusent des images de corps démembrés et sanguinolents : il est destiné à répandre la panique chez l'« ennemi lointain », à le démoraliser, à accroître la division dans ses rangs. Le second critère résulte de la popularité escomptée de chaque « opération-martyre », en fonction de sa dimension morale supposée, auprès de la base de soutien potentielle que recherche la nébuleuse dans le monde musulman et au-delà. Sur cette échelle des valeurs, tuer des Israéliens puis des Américains, et des Occidentaux en général, et enfin leurs agents « apostats » dans le monde musulman constitue l'ordre décroissant de préférence des cibles « légitimes ».

Aucune de ces victimes n'est « innocente » au regard du *jihad*. Les juifs constituent la proie de prédilection, non seulement en référence contemporaine à l'État d'Israël ou à la personnalité d'Ariel Sharon, mais de manière essentielle, ontologique. Ainsi, dans l'entretien d'octobre 2001 pour Al Jazeera, le journaliste Taysir Aluni, qui demande à Ben Laden s'il est partisan du « *clash of civilizations* », s'entend répondre :

> « Sans aucun doute. Le Livre [saint] le mentionne clairement. Les juifs et les Américains ont inventé ce bobard de paix sur la terre. Ce n'est qu'un conte pour enfants. Ils ne font que chloroformer les musulmans tout en les conduisant à l'abattoir. Et la tuerie continue. Si nous nous défendons, on nous appelle terroristes. Le Prophète a dit : "La fin [du monde] n'adviendra pas avant que les musulmans et les juifs ne se combattent jusqu'au point où le juif se cachera derrière un arbre et un rocher. Alors l'arbre et le rocher diront : 'Eh musulman ! il y a un juif qui se cache derrière moi. Viens le tuer !'." Celui qui prétend qu'il y aura une paix durable entre nous et les juifs est un impie [*kafir*] car il renie le Livre [saint] et son contenu. »

Ben Laden mobilise ici l'interprétation littérale d'un dire du Prophète, propre à la mouvance salafiste, pour convaincre les musulmans, au risque de l'excommunication, que le meurtre des juifs est une obligation eschatologique. On observe là une gradation par rapport aux nombreux prédicateurs issus de la mouvance des Frères musulmans, à l'instar du cheikh Qardhawi, qui légitiment le meurtre des seuls Israéliens (et non de l'ensemble des juifs), dans le cadre d'un *jihad* visant à reconquérir la « terre d'islam » palestinienne usurpée. Quant aux Américains, ils ne sauraient non plus, pour Ben Laden, bénéficier d'une quelconque présomption d'innocence, mais l'argumentaire est moins assuré et il a varié au fil du temps.

Dans un entretien avec le journaliste pakistanais

Hamid Mir, paru dans le quotidien de Lahore *The Dawn* le 7 novembre 2001, le chef d'Al Qa'ida, invité à se justifier du meurtre d'innocents à la lumière des enseignements de l'islam, rétorque :

> « C'est là un point crucial de jurisprudence. De mon point de vue, si un ennemi occupe un territoire musulman et utilise des gens ordinaires comme boucliers humains, il est licite d'attaquer cet ennemi. Si des bandits font irruption dans une maison et prennent un enfant en otage, le père a le droit d'attaquer les bandits, même si l'enfant peut être blessé. L'Amérique et ses alliés nous massacrent en Palestine, en Tchétchénie, au Cachemire, en Irak. Les musulmans ont le droit d'attaquer l'Amérique en représailles. »

Comme si la faiblesse de cet argumentaire, même au regard de la *chari*'a islamique, n'échappait pas à l'auteur, il le complète quelques lignes plus loin par un autre raisonnement :

> « Le peuple américain doit se rappeler qu'il paie des impôts à son gouvernement, élit son président, et que son gouvernement fabrique des armes puis les livre à Israël, qui les utilise pour massacrer les Palestiniens. Le Congrès ratifie ces mesures, et cela prouve que l'Amérique tout entière est responsable des atrocités perpétrées contre les musulmans. Oui, l'Amérique entière, car ils élisent leur Congrès. »

Quant aux nombreux non-Américains — en particulier les musulmans, pourtant partie prenante des « masses de l'Oumma » au nom desquelles est accompli le *jihad* — morts dans l'effondrement des tours jumelles, Ben Laden règle la question en notant que « la *chari*'a islamique stipule que les musulmans ne doivent pas rester longtemps dans la terre d'impiété [*dar al koufr*] ». Ce type d'argumentation est en tout point identique à celui qu'utilisait le GIA dans les années 1990 pour justifier le massacre des civils algériens, à longueur de communiqués relayés depuis les médias islamistes de Londres. Comme Ben Laden, ces activistes s'étaient endoctrinés dans les camps de formation du *jihad* afghan des années 1980, auprès des mêmes idéologues salafistes-jihadistes.

Dans pareille perspective, on ne saurait qualifier le massacre des innocents de terrorisme. Il s'agit, selon les multiples déclarations en ce sens attribuées à Ben Laden, d'une infime réparation pour les crimes et meurtres innombrables commis contre l'islam et les musulmans depuis quatre-vingts ans — une date qui correspond à la fin de l'Empire ottoman.

« Ce que les États-Unis dégustent aujourd'hui [après le 11 septembre] est peu de chose comparé à ce que nous avons dégusté pendant des dizaines d'années. Notre Oumma a goûté à cette humiliation et à ce mépris pendant plus de quatre-vingts ans. Ses fils sont tués, son sang est répandu, ses lieux saints sont attaqués, et elle n'est pas gouvernée selon les injonctions d'Allah. En dépit de cela, personne ne s'en soucie » [communiqué de Ben Laden diffusé sur Al Jazeera le 7 octobre, le jour où débute l'offensive américaine contre l'Afghanistan].

La stratégie de présence au monde d'Al Qa'ida, qui manifeste sa résilience nonobstant la traque américaine, est illustrée, dans les deux années et demie qui suivent le 11 septembre, par une série d'attentats. Ils s'efforcent de satisfaire au mieux les deux critères de dommage maximal chez l'ennemi et de popularité au sein des « masses de l'Oumma » en variant leur combinaison en fonction des conditions de faisabilité locales.

Les deux premiers jours de décembre 2002, pendant le Ramadan, puis le 6, à l'occasion de la fête de rupture du jeûne, deux communiqués sont publiés sur les sites Internet habituellement utilisés alors par la mouvance — aujourd'hui piratés par des hackers facétieux qui y ont dérivé des images pornographiques servant de portail d'accès à des messageries roses propres à troubler le pieux internaute barbu et à le détourner de la voie du *jihad*. Signés respectivement par « le bureau politique de l'organisation Qa'idat al Jihad » et par le porte-parole usuel d'Al Qa'ida, le Koweïtien Sulayman Abou Ghaith, ils précisent la signification des deux attentats (partiellement ratés) qui viennent de viser, dans la station balnéaire kenyane de Mombasa, des touristes et un aéronef israéliens, le 28 novembre. Leur plausibilité est jugée grande par la plupart des observateurs spécialisés, même si l'on ne dispose d'aucune preuve formelle ni absolue de leur authenticité. Leur publication sur la Toile, de préférence à la diffusion d'un communiqué sur les antennes de l'une des chaînes satellitaires panarabes du Golfe — qui se disputent pareille aubaine pour faire de l'audience —, semble indiquer que le message est destiné en priorité à la mouvance des sympathisants potentiels plutôt qu'aux « masses de l'Oumma », et que l'objectif, pour compenser l'échec de l'opération, consiste d'abord à justifier et expliciter la logique politique dans laquelle celle-ci s'inscrit.

Le premier communiqué est long et exceptionnellement précis et détaillé ; son argumentaire est construit, se veut déductif, loin des billevesées jaculatoires coutumières dans cette littérature. Le second, de manière inhabituelle, complète et prétend authentifier le premier, grâce à la « signature » d'Abou Ghaith (mais n'apparaissent ni celle de Ben Laden, ni celle de Zawahiri) — sans qu'il soit possible, en l'état actuel de nos connaissances, d'interpréter les conflits internes éventuels sous-jacents à ce curieux doublon. Ensemble, ils permettent assez bien de se représenter la stratégie de la nébuleuse d'Al Qa'ida postérieure au démantèlement de la « base » afghane et à sa dissémination dans les deux mondes réel et numérique.

Le communiqué du « bureau politique » s'ouvre ainsi :

« Au nom d'Allah le Miséricordieux plein de Miséricorde.
Loué soit Allah qui a dit : "Tuez les impies où que vous les trouviez, emparez-vous d'eux, assaillez-les." La bénédiction et le salut sur le plus noble des prophètes, Mohammed, et sur tout son peuple. En ce mois sacré [Ramadan], et en cette dernière décade bénie, nous présentons d'abord nos compliments à notre peuple en Palestine et ensuite à toute l'Oumma islamique. Nous avons délibérément retardé ces congratulations pour qu'elles coïncident avec les deux opérations de Mombasa, au Kenya, contre des intérêts israéliens, afin que pareil salut revête davantage de sens dans les circonstances dont pâtit l'Oumma par la faute de ses ennemis les croisés et les juifs.
En ce même lieu où la coalition judéo-croisée a été frappée il y a quatre ans, à savoir dans les ambassades américaines de Nairobi et Dar

es-Salaam, voici les moujahidines de retour pour frapper à nouveau cette coalition perfide — mais ce coup-ci est contre les juifs, et il porte le message suivant : ce que vous nous infligez comme dommages de guerre, comme occupation de nos lieux saints, comme actions criminelles contre notre peuple en Palestine — en tuant les enfants, les femmes, les vieillards, en détruisant les maisons, en coupant les arbres et en maintenant votre siège — tout cela n'ira pas sans que vous souffriez à l'identique et plus encore si Allah le permet. Vos enfants pour nos enfants, vos femmes pour nos femmes, vos vieillards pour nos vieillards, vos immeubles pour nos maisons, et en représailles pour le siège que vous mettez sur nos conditions de vie et de survie, nous vous assiégerons par la terreur et l'effroi, nous vous poursuivrons, avec la permission d'Allah, où que vous soyez, sur terre, sur mer ou dans les airs.

Les moujahidines ont tenu leur promesse à Allah de faire triompher Sa religion, et tenu leur promesse à l'Oumma d'en finir avec l'humiliation et l'avilissement, en lançant des frappes douloureuses et des opérations victorieuses avec l'aide d'Allah contre la perfide coalition judéo-croisée où qu'elle se trouve, Allah soit loué pour ce qui suit :
— la destruction de l'ambassade américaine à Nairobi
— la destruction de l'ambassade américaine à Dar es-Salaam
— la destruction du contre-torpilleur américain *Cole* à Aden
— la destruction du World Trade Center à New York
— la destruction du Pentagone
— le détournement de l'avion de ligne américain en Pennsylvanie, qui devait s'écraser sur le Congrès américain.

L'Amérique est devenue folle à cause de tout cela, elle a été plongée dans un état de choc et d'horreur pour tout ce qu'elle a vu et entendu sans comprendre de quoi elle souffrait, elle a été secouée, sa dignité a été mise plus bas que terre et elle a forcé le monde entier à se rallier à son drapeau et lui emboîter le pas dans sa campagne inique, sans précédent dans l'histoire ancienne ou moderne, contre ce groupe sincère de moujahidines et contre l'Oumma islamique, elle pensait qu'elle serait capable de remporter le combat et d'exterminer les soldats d'Allah.

Le monde entier s'est transformé en un bureau de la CIA, a suivi l'Amérique partout sur la terre et sous les cieux, oubliant que la foi islamique est dévotion, qu'elle se renforce dans l'épreuve, la souffrance et la détresse. Cela a été prouvé par les moujahidines qui ont été capables, avec l'aide d'Allah, de cibler leurs frappes et de lancer des attaques durant une année pendant laquelle ils étaient traqués et pourchassés. Depuis le déclenchement de l'attaque croisée sur l'Afghanistan au milieu du mois de Rajab 1422 [octobre 2001], ils ont accompli ce qui suit :
— l'opération de Djerba en Tunisie contre le temple juif
— l'attaque à la chaussure piégée dans l'avion américain
— l'attaque des militaires français au Pakistan

— l'attaque du superpétrolier [français] au Yémen
— l'assassinat des *marines* à Falayka au Koweït
— la destruction de la discothèque de Bali et d'autres opérations qui ont eu lieu le même jour en Indonésie
— les deux opérations de Mombasa contre des intérêts juifs (envoi de deux missiles sur un avion israélien et destruction d'un hôtel israélien)
— des dizaines d'opérations en Afghanistan et en d'autres lieux dans diverses parties du monde
— d'autres opérations non mentionnées pour certaines raisons. [..] »

Le communiqué paru, sous la signature de Sulayman Abou Ghaith, quatre jours plus tard, sur le site jehad.net, qui désire « reconfirmer » le précédent, note : « Alors que la nature de nos activités dans la phase antérieure nous interdisait de revendiquer la responsabilité de nos opérations de *jihad* contre cette alliance inique, nous nous trouvons aujourd'hui dans une meilleure situation et une position plus assurée qui nous permettent de le faire. »

« Les moujahidines [est-il précisé] sont une partie de cette Oumma bénie et victorieuse. Ils constituent l'avant-garde qui s'est engagée à fomenter l'affrontement entre nos ennemis et nous. Celle-ci ne combat pas à la place de l'Oumma, mais elle agit sur elle comme un ferment qui lui permet de lever et se dresser en résistance à l'occupant et à l'envahisseur. Il est erroné de réduire le *jihad* à une seule organisation limitée car le *jihad* est constitutif de la foi, de la doctrine originelle qui confronte les ennemis de l'islam, il s'inscrit dans la voie ouverte par le prophète Mohammed (salut et bénédiction sur lui) et ses compagnons. »

Ces deux communiqués posent, comme un grand nombre de documents issus de la nébuleuse terroriste islamiste, un problème d'authenticité — qu'aggrave le vecteur Internet, propice à d'infinies manipulations. La « signature » d'Abou Ghaith sur la Toile n'atteste pas grand-chose en soi ; seule la publication par un site jihadiste alors bien connu, sans que nul démenti eût paru depuis lors, donne des éléments externes de crédibilité et de véridicité aux deux documents. En outre, la cohérence interne apparaît forte, et le rapport entre le contenu du texte et les actions référencées, l'interprétation qui en est proposée, font sens.

L'intérêt de ces communiqués réside d'abord dans la liste des actions qu'ils revendiquent, une première — justifiée par les circonstances « meilleures » dans lesquelles se trouverait la nébuleuse. Cette affirmation est à prendre bien plutôt comme une dénégation : si pareille liste est rendue publique sur le mode d'une démonstration de force, c'est au contraire parce que le réseau traverse une phase de faiblesse. En mars 2002, Abou Zubayda, un Palestinien de trente et un ans né en Arabie saoudite, a été arrêté au Pakistan ; ce responsable opérationnel, proche de Ben Laden, qui l'a chargé, à un jeune âge, de diriger des camps en Afghanistan, puis de former des terroristes, dont certains sont arrêtés (à l'instar du « *shoe bomber* », le converti britannique Richard Reid, qui avait tenté en décembre 2001 de faire exploser sa chaussure piégée dans un avion entre Paris et les États-Unis), a fourni pendant ses interrogatoires de très nombreuses informations. En septembre, surtout, Khaled Cheikh Mohamed et son adjoint Ramzi Ben al Shibh, les « cerveaux » du 11 septembre, subissent les conséquences d'une imprudence pour avoir tenté d'influer sur un documentaire qu'Al Jazeera doit diffuser en commémoration des attentats aux États-Unis. Recevant à Karachi un journaliste égyptien de cette chaîne, ils permettent aux services de sécurité américains et pakistanais qui les traquent de trouver leur piste et de pénétrer la structure de planification des attentats. En septembre 2002, Ben al Shibh, un Yéménite qui aurait dû compter parmi les kamikazes de New York mais n'avait pu obtenir de visa américain, est arrêté. La voie est ouverte à la capture du principal responsable opérationnel et planificateur du 11 septembre, Khaled Cheikh Mohamed : il tombera le 1er mars suivant, réfugié dans une maison de Rawalpindi appartenant à un député du principal parti islamiste pakistanais. Né en 1965, d'une famille baloutche immigrée au Koweït, il est l'oncle, mais l'aîné de trois ans seulement, de Ramzi Youssef, cerveau du premier attentat contre le World Trade Center, en 1993, incarcéré aux États-Unis. Les modalités de leur arrestation, les doutes récurrents qui se répandent sur la survie ou l'incapacité de Ben Laden, ne plaident pas pour un groupe efficient et redoutable, mais témoignent bien plutôt de failles tant dans sa sécurité propre que dans ses réseaux de protection ou d'alliance et sa politique de communication. De plus, la nébuleuse se dote désormais d'une appellation — qui fond le surnom Al Qa'ida avec le nom du groupe égyptien dirigé par Zawahiri, Tanzim al Jihad, pour en faire un syntagme qui signifie la « base du *jihad* » — et dit s'être dotée d'un « bureau politique », un terme qui appartient davantage au registre des partis d'extrême gauche qu'à celui des mouvements islamistes, comme pour connoter efficacité et sens politique à un moment où ceux-ci paraissent discutables.

Soudain, le terme *al Qa'ida*, sous la plume de ceux qui s'en réclament, cesse d'être un trope — un nom figuré né « sans qu'on le veuille vraiment », comme disait Ben Laden — et prétend transcrire littéralement la réalité d'une organisation structurée dotée d'instances décisionnelles, comme pour conjurer les doutes à propos de son efficacité voire de son existence effective. Les « masses de l'Oumma » ne peuvent que mesurer les maigres gains de l'action terroriste au regard de l'impasse où se retrouve le monde arabo-musulman et de la stigmatisation générale dont il fait l'objet. Enfin, le « ratage » de l'opération antijuive de Mombasa (les deux missiles tirés contre un avion charter israélien ont été détournés grâce au radar spécifique dont celui-ci était équipé, et les quinze morts du Paradise Hotel comprenaient neuf employés kenyans, outre les trois auteurs de l'attentat suicide) contraint à repréciser les objectifs par leur explicitation, du fait du brouillage du message résultant de l'échec de l'action.

Il faut rappeler que la première « revendication » par voie de médias des attentats du 11 septembre, qui rompait avec le flou délibéré adopté jusqu'alors pour les raisons

évoquées dans les premières pages de ce chapitre, est advenue le 17 avril 2002, lorsque Al Jazeera a diffusé le clip
macabre du « testament enregistré » de l'un des pirates de
l'air, le Saoudien Ahmed al Haznawi al Ghamdi, sur fond
de tours jumelles surmontées du slogan « Expulsez les
mushrikin ["associationnistes", c'est-à-dire les juifs et les
chrétiens qui "associent" d'autres divinités au Dieu unique]
de la péninsule Arabique ».

La date explique l'altération de la stratégie de communication suivie jusqu'alors : à Jénine, en territoire palestinien, une opération de répression des forces israéliennes
visant à démanteler les ateliers de fabrication d'explosifs et
les réseaux de formation aux attentats suicides se traduit
par de nombreuses pertes civiles et des destructions considérables de biens, ce qui suscite fureur et impuissance dans
l'opinion arabe. Israël parviendra, grâce au veto américain,
à bloquer la discussion du « massacre de Jénine » au conseil
de sécurité des Nations unies.

Face à l'incapacité politique et militaire des États
arabes, et à la tiédeur de l'opinion mondiale envers les
causes arabes à l'ère du terrorisme islamiste, ce premier
aveu explicite et irréfutable des attentats du 11 septembre
par ceux qui en étaient jusqu'alors soupçonnés sans les
avoir revendiqués sert à s'affirmer, aux yeux des « masses
de l'Oumma », comme la seule force capable de porter des
coups à l'adversaire. Cette logique du talion est à l'œuvre à
l'identique dans les deux communiqués de début décembre
2002 : à cette date en effet, le gouvernement Sharon
commence la construction du « mur de protection » qui doit
ceindre, à l'instar des murs du ghetto d'antan, l'espace proprement israélien et l'isoler des territoires palestiniens
— tout en rognant largement sur ceux-ci, au grand dam,
outre l'opinion arabe, des instances et institutions internationales, dont les protestations restent lettre morte. En
rétorsion à ce « siège » mis par Israël sur les Palestiniens, le
communiqué du 2 décembre annonce qu'il assiégera les
Israéliens sur terre, sur mer et jusque dans les cieux — ce

qui fournit à l'opération de Mombasa une justification
d'autant plus nécessaire que celle-ci est un ratage. Il est
donc crucial, pour qui se réclame d'Al Qa'ida, de réitérer
que ses activistes n'agissent pas à la place de l'Oumma, mais
constituent le levain de sa résistance aux « judéo-croisés »,
en leur rendant coup pour coup là où tous les autres représentants du monde musulman sont défaillants.

En ce même mois de décembre 2002, paraît dans le
quotidien arabe de Londres *Al Qods al 'Arabi*, pendant
trois jours consécutifs, un texte d'Ayman al Zawahiri, dis-
ponible également sur tous les sites en ligne de la mouvance
jihadiste. Intitulé *Al wala wa-l bara'* (« Fidélité et rupture »), il situe la ligne du *jihad* une grosse année après le
début de la traque d'Al Qa'ida, et dans la perspective de
l'invasion annoncée de l'Irak. Contrairement aux deux
communiqués de Qa'idat al Jihad cités ci-dessus, il ne
revient pas sur les aspects opérationnels ou techniques des
attentats de l'année écoulée, mais, en écho à *Cavaliers sous
la bannière du Prophète*, paru un an plus tôt, réaffirme les
bases doctrinales du *jihad* tous azimuts et en identifie les
cibles et les objectifs contemporains. Cette réaffirmation est
explicite, pour les lecteurs arabophones cultivés et frottés
de littérature islamique, dès la lecture du titre. L'expression
al wala wa-l bara' est une définition canonique de l'identité
musulmane exprimée dans un registre obsidional, brandie
comme un étendard dans les périodes de crise grave qu'a
connues la Communauté des Croyants, l'Oumma. Elle se
fonde sur des versets coraniques, a été commentée dans les
gloses des oulémas les plus rigoristes, comme Ibn Taïmiyya ;
elle a été utilisée d'abondance à propos de la période originelle de l'épopée du Prophète, riche en conflits essentiels,
et ensuite à l'occasion de deux traumatismes historiques
majeurs : la perte de l'Andalousie sous les assauts de la
Reconquista chrétienne, du XIIᵉ au XVᵉ siècle, et la prise de
Bagdad par les Mongols, ou Tatars « impies », au XIIIᵉ siècle.
Cette formule prône le renfermement de l'identité islamique en une citadelle intérieure, selon des critères rigo-

ristes et intransigeants, face à une menace imminente de
dissolution ou d'adultération de celle-ci. Le terme *wala*
connote amitié, fidélité, confiance ; quant à *bara'*, il évoque
la dissolution de tout lien, l'absence de toute relation. Le
rapprochement des deux concepts, en islam rigoriste, enjoint
aux musulmans de ne donner leur confiance et leur amitié
qu'aux musulmans, et de refuser celles-ci aux « impies »
(*kafirin, kuffar*) au sens le plus large et le plus englobant :
les infidèles, les apostats et les « hypocrites » de toute sorte
doivent être l'objet d'un *jihad* sans merci jusqu'à leur soumission à l'islam, ou leur extermination. Le verset coranique le plus fréquemment cité par la tradition scolastique,
le cinquante et unième de la sourate « La Table servie », et
dont Zawahiri fait ici un large usage, stipule : « Ô, vous qui
avez la foi, ne prenez pas les juifs et les chrétiens comme
amis ; ils sont amis entre eux, et quiconque d'entre vous se
lierait à eux, il est l'un d'eux (*fa innahou manhum*). » Ce
syntagme a été utilisé *ad nauseam*, à partir des attentats sanglants commis partout dans le monde depuis le début des
années 1990 par des jihadistes auteurs d'attentats visant des
« infidèles » ou des « apostats », pour justifier le décès de
« musulmans innocents » tués dans la foulée (et dont le
nombre excède souvent celui des « impies » ciblés), au prétexte qu'ils n'avaient pas à se trouver dans la proximité de
ces derniers car ils pouvaient prêter au soupçon de socialiser avec eux. Dans le contexte plus général de la guerre
contre les impies, c'est le second terme de l'expression,
bara', la « rupture », qui est le plus lourd de signification. Si
les musulmans ne rompent pas tout lien d'amitié ou de
confiance avec les impies, s'ils s'allient à certains d'entre
eux, pour protéger par exemple leurs intérêts immédiats,
l'islam est en péril. La tradition des oulémas a fait usage de
ce raisonnement pour expliquer la chute de Bagdad aux
mains des Tatars « impies » ou la Reconquista chrétienne
de l'Andalousie. En revanche, pendant la période coloniale,
qui donna lieu, chez les élites musulmanes de l'époque,
à une introspection critique cherchant dans le retard de

l'islam les causes de la domination coloniale, la notion d'*al wala wa-l bara'*, (impératif de rupture a priori face à l'Europe) tombe en désuétude. L'urgence consistait alors à apprendre de l'Europe les techniques, les modes de raisonnement, qui avaient rendu sa civilisation dominante, quitte à imaginer, comme le firent le réformateur Jamal ed Din al Afghani et ses disciples, que la relecture des textes sacrés, purgés des scories accumulées par la tradition, permettrait de retrouver une harmonie entre les préceptes de l'islam originel et la modernité européenne. Cela se traduisit par une perte d'influence des religieux sur le champ intellectuel du monde musulman : les oulémas durent céder la place, ou à tout le moins accepter de perdre leur monopole, au profit d'universitaires et de penseurs imbus d'idées nationalistes, libérales, laïques, socialistes, etc.

L'échec des États indépendants fondés sur pareilles références, une génération après la fin de la période coloniale, ouvrit la voie à ceux qui rejetaient, dans la foulée, ces idéaux eux-mêmes, voyaient dans l'adultération du monde de l'islam par la civilisation européenne et occidentale la cause de tous les maux, et prônaient le rejet de celle-ci. Incarnée par la mouvance islamiste, cette tendance, portée au paroxysme dans les écrits d'un Zawahiri ou la pratique terroriste de Ben Laden et ses séides, exhume la doctrine d'*al wala wa-l bara'* à cette fin. On peut en trouver les prémices chez Sayyid Qotb, dès les années 1960, lorsque celui-ci prônait la « rupture » entre l'avant-garde des musulmans, qui devait revivre l'épopée du Prophète pour restaurer l'islam en sa grandeur, et ce qu'il nommait la *jahiliyya*, le monde d'impiété et d'ignorance contemporain. Mais Qotb, sans formation de spécialiste de la tradition islamique classique, fait usage du terme moderne, et plus aisément compréhensible par les lecteurs superficiellement éduqués en arabe, de *mufasala* (« rupture »), qui est dénué de référent coranique. À l'inverse, *bara'*, terme issu de la tradition, renvoie à toute une filiation sémantique ; mais, dans l'emploi que lui donne Zawahiri, c'est un glossème, un terme rare dont seuls les

arabophones cultivés et versés dans le savoir religieux saisissent spontanément la signification. En ce sens, la rédaction et la diffusion du pamphlet de Zawahiri constituent une
sorte de coup de force dans le domaine du langage : il intimide ceux qui n'adoptent pas ses vues et en renvoie la cause
à leur ignorance de la langue du Coran.

Le texte se divise en deux parties inégales. La première, deux fois plus longue que la seconde, établit les fondements islamiques de la doctrine d'*al wala wa-l bara'*, de
« la fidélité et la rupture » — ce qui sous-entend que les lecteurs des journaux ou des sites en ligne les ignorent ou les
ont oubliés ; la seconde en précise les applications contemporaines, mobilisant ainsi les ressources de la tradition religieuse au service d'un *jihad* exacerbé dans le terrorisme.
Dans la première partie, Zawahiri collige à sa manière citations coraniques, dires du Prophète, commentaires et gloses
des docteurs de la Loi, pour établir qu'il est interdit aux
musulmans de s'allier aux « impies ». Dans ce raisonnement, on ne trouve plus trace de la « tolérance » envers les
« gens du Livre » (juifs et chrétiens notamment), dont font
grand cas les apologistes de l'islam. Tous sont indifféremment des infidèles à soumettre ou exterminer, comme du
reste les « mauvais musulmans » apostats et autres hypocrites qui ne se rallient pas *hic et nunc* au *jihad* et préfèrent
pour d'ignobles raisons une alliance avec les impies qui les
mènera inéluctablement à leur perte dans ce bas monde
comme dans l'au-delà. Zawahiri cite d'abondance les
fatwas, les avis juridiques religieusement fondés, qu'Ibn
Taïmiyya émit, au XIIIe siècle, à l'occasion du déferlement
des Tatars, marqué notamment par la prise de Bagdad,
capitale du califat abbasside. Cela n'est bien évidemment
pas fortuit, tandis que la coalition dirigée par les États-Unis
fourbit ses armes avant d'attaquer, trois mois plus tard, le
Bagdad de Saddam Hussein. L'enjeu consiste ici à lire la
guerre annoncée par les États-Unis non comme la bataille
pour la démocratisation chère aux néoconservateurs de
Washington, mais comme un remake, pour ainsi dire, de la

dévastation tatare sept siècles auparavant, ravivant l'un des deux traumatismes consubstantiels à l'histoire de l'islam (l'Andalousie constituant l'autre), et remployant à cette occasion les injonctions les plus extrêmes des oulémas d'antan face à l'imminence du péril, leur conférant un caractère contraignant et intemporel pour agir aujourd'hui.

La première cible de l'auteur est constituée de ces dirigeants musulmans (les rois, émirs et présidents des États proches de l'Irak, depuis l'Égypte jusqu'au Pakistan en passant par les monarchies de la péninsule Arabique) qui se préparent à prêter la main à l'invasion américaine, en fournissant des contingents ou en autorisant l'usage de bases ou de leur espace aérien. Ce faisant, Zawahiri joue sur du velours, car il épouse une revendication répandue au-delà de la mouvance jihadiste. Au Qatar, qui devait devenir le quartier général de l'offensive américaine contre les troupes de Saddam, le cheikh Qardhawi se prononça dans un sens similaire, tout en enveloppant son argumentaire de la prudente casuistique de rigueur chez les oulémas. Il disparut ensuite des écrans d'Al Jazeera (qui émet depuis le Qatar) pour cause opportune d'une intervention chirurgicale au ménisque, longtemps remise, suivie d'une convalescence coïncidant avec la durée des opérations militaires américaines. Quels que soient les torts du laïque Saddam, représentant du parti Baas exécré par les islamistes, ils ne justifient en rien à leurs yeux que des musulmans s'allient contre lui à des non-musulmans — dont les intentions, nécessairement perverses, visent *in fine* à adultérer la croyance et ruiner la soumission à Allah. Ainsi, tout allié musulman de l'Amérique face à Saddam est *ipso facto*, selon Zawahiri qui pousse là le raisonnement plus loin qu'un Qardhawi, un apostat dont « le sang est licite », une cible légitime du *jihad*.

L'objectif ultime des « judéo-croisés », selon l'expression en vogue depuis la création du Front islamique international contre les juifs et les croisés, en 1998, est l'occupation et l'annihilation, symbolique ou réelle, des lieux saints de l'islam, afin de porter un coup fatal à celui-ci. L'occupation de

Jérusalem par Israël prélude à celle de La Mecque et Médine par l'Amérique. En fournissant de la sorte un argumentaire théologique à un sentiment d'inquiétude et d'humiliation fréquemment répandu mais rarement explicité de cette manière, Zawahiri poursuit la chimère sempiternelle des jihadistes regroupés autour de la nébuleuse Al Qa'ida : l'emprise sur les âmes et les esprits de la Communauté des Croyants à travers le monde en tentant de se faire passer pour son avant-garde combattante et accepter comme telle.

Aucune alliance, aucune « amitié » n'est de mise avec les infidèles ; n'est autorisée, lorsque ceux-ci sont en position de force, comme en Inde, en Chine, ou dans les banlieues de l'Europe et de l'Amérique, que la « dissimulation » (*taqiyya*), une allégeance de façade destinée à renforcer les rangs de la Communauté pour que celle-ci puisse, le moment venu, lorsqu'elle s'en sentira capable, déclencher le *jihad*, sans arrière-pensée ni état d'âme. Face aux régimes « apostats » valets des « judéo-croisés », contre les oulémas et autres penseurs, journalistes et intellectuels qui sont les laquais des princes, et inventent mille prétextes pour retarder ou arrêter le combat, la jeunesse du monde musulman doit rejoindre séance tenante la « caravane du *jihad* », en tout lieu. « La jeunesse musulmane ne doit attendre l'autorisation de personne, le *jihad* contre les Américains, les juifs et leurs alliés parmi les hypocrites et les apostats est devenu l'obligation de tout un chacun (*fard 'ayn*) », conclut le pamphlet de Zawahiri à l'aube de l'année 2003, galvanisant une nouvelle promotion d'activistes qui entendra son appel.

Les attentats de l'année 2003 marquent une nouvelle étape de la violence, qui se recentre sur le Moyen-Orient, où l'armée américaine mène, à partir de la mi-mars, l'invasion et l'occupation de l'Irak — censée éradiquer le terrorisme grâce au processus vertueux enclenché par l'élimination du tyran Saddam Hussein et l'instauration à sa place d'un régime démocratique ayant vocation à gagner par métastase toute la région. Pour le réseau Al Qa'ida et toutes les forces hostiles à la présence américaine qui pratiquent au moins le laisser-faire face aux activistes, il est crucial de pouvoir démontrer, par la persistance des attentats dans la région même, l'inanité des espoirs de la Maison-Blanche. Si l'on excepte l'Irak, sur lequel on reviendra ultérieurement, la série s'ouvre en Arabie saoudite. À Riyad, le 12 mai, neuf Américains figurent parmi les trente-cinq personnes tuées dans un ensemble résidentiel, au moment où le secrétaire d'État Colin Powell est en visite dans la capitale saou-dienne. À Casablanca, le 16 mai, sont visées des cibles « juives et européennes » — la totalité des victimes, qua-rante-cinq personnes, sont musulmanes. À Riyad, de nou-veau le 8 novembre, les dix-sept morts sont tous des Arabes (dont un certain nombre de chrétiens libanais). À Istanbul, les 15 et 20 novembre, une synagogue, un centre israélite et une banque britannique sont touchés ; un journal islamiste local titre : « Soixante-neuf morts et seulement six juifs ».

Le bilan des attentats de 2003 est contrasté. D'une part, il manifeste, par rapport à l'année précédente, un moindre « professionnalisme », eu égard au nombre élevé de victimes musulmanes. Cela s'avère contre-productif par rapport à l'objectif des Zawahiri et autres, désireux de mobiliser les « masses de l'Oumma » alors que sont issues de leur sein les victimes des carnages perpétrés dans les pays musulmans, fussent-ils « occupés par l'envahisseur ». En Arabie, au Maroc, en Turquie, le rejet du terrorisme s'est exprimé avec virulence dans la population, ce qui a coupé la mouvance islamiste radicale de bien de ses soutiens — comme cela était advenu en 1997 dans une Égypte révulsée par le carnage. D'autre part, ces attentats suicides représentent une indigé-nisation, ou une « inculturation » croissante de la nébuleuse terroriste, dont le principal cerveau opérationnel, Khaled Cheikh Mohamed, a été arrêté en mars à Rawalpindi, comme on l'a vu. Les auteurs des attentats sont des auto-chtones : Saoudiens, Marocains, Turcs, superficiellement formés par quelque compatriote issu de l'un des camps d'entraînement afghan ou pakistanais, d'où leur amateu-risme, traduit par la disproportion entre le carnage et son impact, relativement faible, peu durable, dans les médias, à l'inverse des opérations de 2001 et 2002, remarquablement efficaces de ce point de vue. Mais, en contrepartie de cette moindre efficience, la pratique terroriste a proliféré au-delà des cercles d'activistes chevronnés, des séides de Ben Laden, qui emplissent les geôles. C'est une évolution particulièrement préoccupante — qui évoque la banalisation du terrorisme prévalant en Palestine et en Israël, ainsi que, de manière croissante, en Irak. La violence inspirée de près ou de loin par l'idéologie d'*al wala wa-l bara'* et autres libelles comparables gagne les quartiers informels, les réseaux de délinquants financés par des trafics de fourmi, qui se dotent d'explosifs peu onéreux et aisés à composer à base de nitrate d'ammonium, mais terriblement dévastateurs. Al Qa'ida s'est, pour ainsi dire, franchisée : Ben Laden devient le logo des petites boutiques du terrorisme islamiste qui travaillent sous licence, mais sont gérées par des micro-entrepreneurs indépendants.

Cette « indigénisation » ne se manifeste nulle part mieux que dans l'affaire des attentats de Casablanca du 16 mai — et aussi, l'année suivante, lors des explosions dans les trains de banlieue à Madrid, qui en sont pour partie la prolongation.

Les attentats de Casablanca représentent, en un certain sens, un 11 septembre du pauvre. À la simultanéité des quatre aéronefs qui frappent New York et Washington fait écho le déclenchement simultané de cinq explosions, causées par des kamikazes qui se font sauter avec leur bombe, dans des lieux à connotation juive ou européenne (l'association des anciens élèves de l'Alliance israélite universelle, un restaurant dont le propriétaire est juif, un hôtel qui abrite des touristes israéliens, le cimetière juif, et le club Casa de Espana, fondé à l'époque coloniale pour socialiser et distraire des Espagnols, mais qui n'est plus fréquenté aujourd'hui que par des Marocains). Comme le 11 septembre, où sont égorgés, à bord des avions détournés, ceux qui tentent de résister, les portiers, policiers et gardes en faction sont égorgés par les jihadistes, munis de longs couteaux, avant qu'ils ne déclenchent les bombes dont ils sont porteurs, faites d'un fruste mélange à base d'engrais agricole. Toutes les victimes sont marocaines — ce qui brouille le message dans une population censée se solidariser avec le *jihad* et ses objectifs — ainsi que tous les terroristes, dix sur douze provenant d'un même quartier de la périphérie de Casablanca, le bidonville Thomas, ainsi nommé en référence au domaine agricole d'un colon français d'antan sur lequel les baraques ont été édifiées. La plupart des kamikazes ont un niveau d'éducation rudimentaire, tous appartiennent à un milieu social extrêmement défavorisé, même si quelques-uns, après avoir réussi à « s'en sortir », sont retombés, plusieurs avaient déjà tenté d'émigrer clandestinement, notamment vers l'Espagne, dans l'espoir d'y trouver du travail.

Aucun n'avait de lien direct avec Al Qa'ida ni n'avait séjourné dans un camp d'entraînement au Pakistan ou en Afghanistan. Leur endoctrinement s'est produit de manière strictement locale, à partir des sermons et des prêches d'imams appartenant à la mouvance salafiste, dont certains ont été formés en Arabie saoudite, et qui avaient monté, pour faire régner l'ordre islamique dans le bidonville, y « commander le Bien et pourchasser le Mal », des milices armées de bâtons et de fouets, qui traquaient couples illicites, petits dealers, buveurs d'alcool et autres femmes légères. L'un de ces imams était considéré comme le représentant au Maroc du salafiste-jihadiste Abou Qatada, l'une des figures les plus radicales du milieu islamiste londonien, le « Londonistan ». Un autre avait déjà fait exécuter plusieurs « contrevenants » par lapidation ou décollation. Un dernier avait rédigé, en même temps qu'Ayman al Zawahiri, un bref traité également intitulé *al wala wa-l bara'*, qui servait de « manuel » pour inciter au *jihad* immédiat ses lecteurs, galvanisés contre le régime marocain « faussement musulman » à ses yeux. Selon les témoignages recueillis sur place, plusieurs des kamikazes du 16 mai n'avaient découvert qu'à une époque récente la pratique de l'islam, certains ayant un passé de délinquants, de toxicomanes ou d'alcooliques. Tous avaient été transportés d'enthousiasme par le 11 septembre, séduits par le charisme d'Oussama Ben Laden, et brûlaient de l'imiter. Les sermons de la *salafia jihadia*, la nébuleuse islamiste où se retrouvaient leurs imams, les avaient convaincus qu'à défaut de pouvoir embarquer sur une *patera* traversant nuitamment le détroit de Gibraltar vers l'Eldorado européen, ils quitteraient pour de bon la misère d'un bidonville sans espoir. Ils se donnaient rendez-vous au paradis où leur statut de martyrs du *jihad* leur assurait des rétributions formidables.

Les attentats de Casablanca sont le produit d'une greffe entre l'idéologie véhiculée par Al Qa'ida, adaptée par des imams salafistes locaux radicalisés, et les frustrations sociales de jeunes déshérités, qui ont décidé de traduire dans le terrorisme jihadiste leur impuissance politique. La contrepartie de cette hybridation assez fruste est l'échec à convaincre de la justesse de leur combat les « masses de l'Oumma » — les sympathisants qui n'objectent en rien aux carnages de juifs, d'Américains, d'Européens et autres « infidèles », voire s'en réjouissent, mais réagissent de manière négative à la mort de musulmans. Le même sentiment sera perceptible lorsque, en novembre de la même année 2003, un massacre à Riyad ne tue que des Arabes — ce qui contraint les imams jihadistes à faire amende honorable. Le tir sera corrigé avec le carnage de Madrid, le 11 mars 2004, qui tue principalement des Européens « impies », et est perpétré par des Marocains liés à la mouvance de Casablanca, dûment encadrés cette fois-ci par des jihadistes aguerris et formés directement par le réseau Ben Laden.

La filière « marocaine immigrée » d'Al Qa'ida avait attiré l'attention dès les enquêtes consécutives au 11 septembre 2001 ; elle s'était illustrée notamment par l'inculpation de Marocains passés par l'immigration en France et en Allemagne, l'un détenu aux États-Unis, Zacarias Moussaoui, l'autre à Hambourg, Mohammed al Moutassadeq. Le rôle de plaque tournante de l'Espagne, où vit une population d'origine marocaine importante, qui compte de nombreux résidents illégaux, dans la phase préparatoire aux attentats avait été mis en lumière. En juillet 2001, dans la ville de Tarragone, s'était tenue la principale réunion de cadrage pour le 11 septembre, en présence notamment de Mohammed Atta l'Égyptien, le chef du commando aux États-Unis, et du Yéménite Ramzi Ben al Shibh, l'officier de liaison avec Khaled Cheikh Mohamed et Ben Laden. Grâce à l'inexpérience de la police et de la justice espagnoles à l'époque dans la surveillance et la traque des réseaux islamistes radicaux, à l'inefficacité relative des contrôles aux frontières, au manque d'expertise général en ce domaine, les séides de Ben Laden avaient pu utiliser la péninsule comme un sanctuaire et une base par où transitaient les activistes, passaient les transferts bancaires, etc. Mais cette tranquillité avait été mise à rude épreuve par une série d'enquêtes diligentées très remarquablement et d'arrestations consécutives. Elle fournirait une masse de données permettant, aux lendemains de l'attentat du 11 mars 2004, d'établir rapidement liens et connections entre ceux-ci, Casablanca et Al Qa'ida.

Lorsque les déflagrations de Madrid se produisent, à une heure matinale où des trains de banlieue bondés se dirigent vers la gare d'Atocha, l'Espagne est en fin de campagne électorale. Le gouvernement Aznar a aligné son pays sur les États-Unis, en dépit d'une opinion publique majoritairement hostile à l'engagement des troupes espagnoles en Irak ; il affronte une opposition de gauche qui a inscrit le retrait du contingent à son programme. Seul le retard qu'ont pris certains des quatre trains piégés permet de limiter l'ampleur d'un massacre — le plus important de ce type en Europe — où l'on déplora 191 victimes, et des milliers de blessés à vie. Si les trains étaient arrivés à l'heure prévue dans la gare, celle-ci se serait effondrée et aurait englouti des milliers de personnes dans la mort. Le parallèle avec le 11 septembre est, d'emblée, frappant : de même que Atta et

ses complices avaient visé le transport aérien, qui est la base
et le symbole des communications outre-Atlantique, les terroristes madrilènes ont ciblé des trains, dans une Europe où
le réseau ferroviaire constitue le symbole de la circulation
rapide et efficace des passagers. À l'identique, également,
l'heure matinale, les quatre avions, les quatre trains. En
revanche, en incriminant faussement et exclusivement l'organisation terroriste basque ETA dans un premier temps, dans
une perspective électoraliste qui s'est révélée contre-
productive dès les premières arrestations d'islamistes et la
production de pièces à conviction les confondant, le gouvernement Aznar a été immédiatement sanctionné par les électeurs, et s'est privé de capitaliser politiquement, comme
l'avait fait George W. Bush sur le 11 septembre pour rassembler derrière lui une union sacrée afin de mener sa
« guerre contre la terreur ». La victoire de M. Zapatero, le
dirigeant socialiste et futur Premier ministre, qui réitéra son
engagement à retirer les troupes espagnoles d'Irak, fut
« saluée » par un communiqué d'Al Qa'ida annonçant en
remerciement une trêve des attentats en Espagne. Ce précédent, qui voulait faire accroire, à la suite de la déclaration
de M. Zapatero — le moment n'était guère opportun —, que
Ben Laden et ses séides étaient à même d'influer par le massacre et le chantage sur la politique intérieure des États
européens, devait être ramené à sa juste valeur lorsque, le
3 avril, fut désamorcée à temps une bombe qui devait exploser au passage d'un train à grande vitesse bourré de passagers entre Madrid et Séville.

   Les attentats de Madrid furent revendiqués le jour
même par un communiqué en arabe parvenu au quotidien
londonien *Al Qods al 'Arabi* (le même titre qui avait publié
le libelle de Zawahiri *al wala wa-l bara'*). Le texte est signé
« Brigades Abou Hafs al Masri (Al Qa'ida) », en référence à
l'Égyptien (en arabe : *Masri*) Mohamed 'Atef, alias Abou
Hafs, un ancien policier devenu le responsable militaire
et sécuritaire auprès de Ben Laden, tué vraisemblable-
ment par un bombardement américain en Afghanistan le

16 novembre 2001. Le texte se réfère d'abord à un communiqué précédent, daté du 2 mars, qui démentait toute implication des sunnites d'Al Qa'ida dans l'attentat qui fit ce jour-là des centaines de morts à Kerbala, en Irak, siège du plus grand pèlerinage chiite du monde, et incriminait les États-Unis — au moment où se préparait le « scellement par le sang » de l'alliance entre sunnites et chiites radicaux, qui lanceraient une insurrection contre l'occupation américaine le mois suivant. Comme on l'a vu plus haut, à l'occasion du double communiqué paru lors de l'attentat peu réussi de Mombasa, au Kenya, en novembre 2002, la crédibilité des signatures se réclamant du label Al Qa'ida demande une forme de continuité dans l'expression des revendications. Après trois citations du Coran destinées à légitimer l'opération au regard de l'islam, le texte commence ainsi :

> « Opération trains de la mort.
> Les brigades Abou Hafs al Masri ont affirmé, dans leur dernier communiqué [communiqué d'Al Qa'ida relatif aux attentats de Kerbala et Bagdad] en date du 11 moharram 1425 correspondant au 2 mars 2004, que des opérations étaient à venir... et voici que les brigades tiennent parole... l'escadron de la mort a réussi à pénétrer en profondeur dans l'Europe croisée, et a frappé l'un des piliers de l'alliance croisée [l'Espagne] d'un coup douloureux... qui n'est qu'une partie du règlement de comptes anciens avec l'Espagne croisée, alliée à l'Amérique dans sa guerre contre l'islam [...]. Et nous dans les brigades Abou Hafs al Masri, ne nous affligeons pas de la mort de soi-disant civils... est-il licite [*halal*] pour eux de tuer nos enfants, nos femmes, nos vieillards et notre jeunesse en Afghanistan, en Irak, en Palestine et au Cachemire, et illicite [*haram*] pour nous que nous les tuions ? [...] »

Après avoir rappelé et justifié d'autres attentats, donné des instructions codées à d'autres brigades « prêtes à agir », annoncé l'imminence de la destruction de l'Amérique sous le coup de l'opération Vents de la mort noire, dont les préparatifs seraient achevés à 90 %, le communiqué s'achève, avant les éloges habituels d'Allah, sur un « avertissement à l'Oumma » : « Ne vous approchez pas des installations civiles et militaires de l'Amérique croisée et de ses alliés. »

Il est notable que ce communiqué fasse référence au « règlement de comptes anciens avec l'Espagne croisée », une expression que le quotidien *Al Qods al 'Arabi* met en exergue de la reproduction du texte. Hasard ou fait exprès, les lieux de départ des trains piégés portent des noms d'origine arabe — comme de nombreux toponymes de la péninsule Ibérique, qui rappellent l'époque de l'Andalousie musulmane : Alcala de Henares (en arabe, *al qal'a* : le « château ») et Guadalajara (en arabe, *wadi al hajara* : « rivière pierreuse »). La reconquête islamique de la péninsule est, pour la mouvance salafiste-jihadiste, explicitement à l'ordre du jour depuis les pamphlets et les sermons d'Abdallah Azzam, le héraut du *jihad* afghan, dès les années 1980, lorsque ce dernier était révéré par le gouvernement américain comme *freedom fighter* antisoviétique. Le *jihad* dans la péninsule Ibérique est une obligation de chacun (*fard 'ayn*) car Espagne et Portugal ont le statut de terre d'islam usurpée (fût-ce depuis six siècles) par des infidèles, à l'instar d'Israël et de la Bosnie par exemple. Il est donc parfaitement licite, comme le note le communiqué, d'y mener un « *jihad* de défense » qui prenne pour cible la population non musulmane, civils compris, jusqu'à ce qu'elle accepte de se soumettre de nouveau à la domination d'un gouvernement islamique. Ces thèses paraissent aujourd'hui des élucubrations à la plupart des musulmans, mais la minorité qui y croit dispose des moyens et de la volonté de transformer sa doctrine en machine à terreur, et de galvaniser par là la frange de sympathisants qui, révulsée par le massacre de musulmans à Casablanca ou Riyad, n'objecte rien au carnage des impies que prescrivent les textes sacrés dans leur interprétation rigoriste.

Par-delà ces considérations de doctrine, les attentats de Madrid ont une double signification. Ils manifestent la « reprise en main » des opérations par des « professionnels » d'Al Qa'ida, capables d'émettre des communiqués qui inscrivent le phénomène dans un contexte universel et en fournissent la clef d'intelligibilité. Après le texte cité ci-dessus, une cassette revendiquant les attentats rappelait que ceux-ci avaient lieu « deux ans et demi exactement après le 11 septembre » — réitération de l'attachement quasi obsessionnel des séides de Ben Laden aux effets de symbole qui affectent d'un coefficient multiplicateur dans le domaine des médias et de la propagande l'impact matériel des attentats. Certains amateurs de divination par les nombres ont noté que 911 jours (à rapprocher du sigle américain du 11 septembre : *9/11*) séparent les attentats de New York de ceux de Madrid (à un jour près, en réalité). En second lieu, une fois repris en main et corrigé l'«amateurisme» du carnage de musulmans à Casablanca, ils confirment que l'exécution sur le terrain d'une action de grande ampleur est confiée à des « autochtones », en l'occurrence des Marocains résidant en Espagne, y ayant pignon sur rue, et dont les liens avec les premiers cercles de la nébuleuse Al Qa'ida, bien réels semble-t-il pour l'un des principaux suspects, sont ténus pour la plupart des autres, embrigadés dans le groupe terroriste sur la base de sympathies de voisinage, de mosquée, ou des liens familiaux et tribaux noués dans le Maroc du Nord, la zone déshéritée de Tanger et du Rif. On est là très loin des « professionnels » du 11 septembre, infiltrés aux États-Unis pour y accomplir les attentats, mais sans aucun lien avec la société américaine, ni implantation dans le tissu associatif musulman local.

L'« inculturation » du terrorisme, pour effrayante qu'elle soit car elle facilite la confusion entre les auteurs des attentats et le milieu d'où ils sont issus — qui, dans les entretiens de voisinage effectués par la presse, atteste d'ordinaire que les suspects sont de gentils jeunes gens bien élevés, travailleurs, et excellents musulmans —, a pour contrepartie l'efficacité accrue de la répression, en milieu fruste et aisé à infiltrer par les agents de renseignement. La célérité des arrestations en Espagne est due notamment aux nombreux indices laissés par des terroristes non professionnels. De même, la découverte, le 30 mars, dans les environs de Londres, d'un stock important de nitrate d'ammonium et l'arrestation consécutive de huit Britanniques d'origine pakistanaise ont été facilitées par le faible degré de sophistication du complot — ce qui ne l'aurait pas rendu moins meurtrier s'il avait abouti.

Au moment où sont rédigées ces lignes, au printemps 2004, et sans préjuger d'autres pages sanglantes que, chacun l'anticipe, le terrorisme issu de la nébuleuse Al Qa'ida aura écrites postérieurement, la traque n'a pas été un succès du point de vue des États-Unis. Cela en dépit des moyens gigantesques mis en œuvre, et des restrictions aux libertés publiques engendrées — restrictions portées au paroxysme avec la détention sans inculpation ni jugement de centaines de personnes sur la base militaire de Guantanamo, un précédent préoccupant. Guantanamo est à l'État de droit ce que les places off shore sont au commerce. Et ce camp de relégation n'exciperait d'une justification morale, à défaut de légalité, en tant que système d'exception, que si les interrogatoires qui y sont conduits permettaient de faire la lumière sur les attentats des États-Unis, d'en capturer les responsables, d'en prévenir la répétition, en Amérique ou ailleurs sur la planète. Or, si l'on nous dit — en l'absence de toute information vérifiable — que des arrestations ont été effectuées grâce à des informations venant de Guantanamo, force est de constater que les deux principaux personnages auxquels on identifie Al Qa'ida, Ben Laden le financier charismatique et Zawahiri l'idéologue, courent toujours (à moins qu'ils ne soient décédés). Et la mise sous les verrous d'Abou Zubayda le Palestinien, de Ramzi Ben al Shibh le Yéménite ou de Khaled Cheikh Mohamed le Pakistanais n'a pas permis de mettre un terme aux attentats. Quant à l'éradication du régime des Talibans, si elle a privé le terrorisme islamiste de son sanctuaire privilégié — anciennement parrainé par les États-Unis —, elle n'a eu les effets attendus ni pour détruire la mouvance, ni pour trouver une formule de gouvernement viable en Afghanistan. Dans ce pays, le gouvernement de Hamid Karzaï, qui a les faveurs de Washington et reçoit les subsides de la communauté internationale, ne parvient pas à exercer son autorité au-delà de Kaboul, le reste du territoire demeurant sous contrôle des divers seigneurs de la guerre tribaux, comme au début des années 1990. En ce qui concerne la nébuleuse terroriste proprement dite, l'offensive américaine, dont on a vu ce qu'elle devait aux logiques héritées de la vision bipolaire du monde de la guerre froide, s'est focalisée sur l'infrastructure afghane et la « tête » du réseau. À la manière d'un cancéro-logue inexpérimenté, elle a éradiqué les parties visibles de la tumeur, d'où prolifération et mutation. Le terrorisme s'est en effet répandu sur l'ensemble de la planète, et a glo-balement changé de nature, recourant à des militants peu sophistiqués, comme au Maroc, moins aisément décelables depuis Washington.

Est-ce à dire que Ben Laden, Zawahiri et consorts l'ont emporté ? Tout au contraire, l'objectif premier du passage au terrorisme, la conquête du pouvoir dans les pays musulmans, grâce à la mobilisation des « masses de l'Oumma » galvani-sées par l'audace du *jihad* n'est pas advenue. Le seul État qui appliquait la *chari'a*, au dire des militants, l'Afghanistan des Talibans, a été liquidé — même si l'État successeur ne constitue pas nécessairement une grande réussite politique. Le Soudan du général Bashir, autrefois havre de Ben Laden et Zawahiri dans leur fuite, a mis aux arrêts à domicile l'éminence islamiste Hassan el Tourabi, et multiplie les signes d'amitié envers Washington, dans la perspective d'une fructueuse collaboration pétrolière. La Libye du colo-nel Kadhafi, qui, avant Al Qa'ida, avait érigé le terrorisme en mode de fonctionnement des relations internationales, est venue à résipiscence, admettant sa culpabilité dans les attentats qui ont détruit des aéronefs civils américain et français au-dessus de Lockerbie et de l'Afrique. Kadhafi a payé des dommages et intérêts considérables aux victimes afin d'être réintégré dans le concert des nations et de pou-voir développer sa production pétrolière grâce à la tech-nologie occidentale. Quant à la situation en Palestine, elle n'a fait que se dégrader : si les Israéliens sont frappés par

des attentats toujours plus meurtriers, les conditions de vie
des Palestiniens se font de jour en jour plus insupportables,
tandis que la surenchère à la violence semble prise dans une
spirale infinie. En mars et avril 2004, les assassinats
« ciblés » consécutifs du cheikh Ahmad Yassine, fondateur
de Hamas, puis de son successeur le docteur Abdelaziz al
Rantissi, par des missiles israéliens, sont l'expression la plus
claire que cette surenchère se déploie sans issue prévisible.
Enfin, comme on le verra plus loin, la persistance du terrorisme a été l'un des prétextes invoqués pour que les États-
Unis envahissent l'Irak et renversent le régime de Saddam,
installant leurs troupes au cœur de la région la plus riche du
monde en pétrole — même si l'occupation rencontre de terribles difficultés, marquée qu'elle est par des attentats
dévastateurs et spectaculaires.

Le passage au terrorisme de 2001 a été théorisé, nous
l'avons vu, par Zawahiri, qui estimait que les coups spectaculaires portés à l'« ennemi lointain » frapperaient de terreur l'« ennemi proche », les dirigeants des États du monde
musulman. D'après lui, cela faciliterait leur renversement
grâce à la mobilisation populaire derrière les activistes du
jihad dont les hauts faits étaient relayés par Al Jazeera et
les autres chaînes arabes par satellite. Et seul ce type
d'action permettrait d'enrayer le déclin manifesté tout au
long des années 1990 par l'échec des guérillas en Égypte, en
Algérie, en Bosnie et ailleurs. Indéniablement, la figure de
Ben Laden a su séduire, sa voix lente et posée, au timbre
rauque, son accoutrement mi-salafiste mi-afghan, ont suscité des vocations par la seule vertu de l'image — comme
l'ont montré les attentats de Casablanca. Mais par-delà les
alliances improbables, à l'ampleur restreinte, d'intellectuels
ou de fils de famille dévoyés, de quelques banquiers islamiques interlopes, et de bandes de jeunes déshérités
poseurs de bombes, le terrorisme s'est révélé, à ce jour,
inapte à mobiliser de conserve les masses de la jeunesse
urbaine pauvre, la classe moyenne pieuse et l'intelligentsia
islamiste dans une coalition capable de s'emparer du pou-

voir — à l'instar de la seule révolution islamique victorieuse, la révolution iranienne de 1978-1979.

S'il a raté son objectif politique, le terrorisme manifeste
toutefois avec force, en dépit de la répression, sa résilience.
Il parasite les relations internationales et commence à
peser, on le verra plus loin, sur les relations sociales à l'intérieur même de certains pays occidentaux. En ce sens, la
traque américaine a clairement échoué à l'éradiquer. Mais,
dans la stratégie de la Maison-Blanche et du Pentagone, la
lutte contre Al Qa'ida, fort opportune pour mobiliser les
soutiens internationaux dans la « guerre contre la terreur »
et rassembler l'électorat américain derrière le président
Bush, ne représente que l'une des pièces du puzzle du
« nouveau siècle américain », pour reprendre une expression favorite des néoconservateurs. Au Moyen-Orient, elle
s'articule avec le remodelage de la région, qui passe par le
renversement du régime de Saddam Hussein et la création
d'un Irak démocratique et pro-américain. Cela devait permettre de reconstruire sur des bases stables les deux piliers
de la politique des États-Unis dans la région : la sécurité
d'Israël et celle des approvisionnements pétroliers. La lutte
contre le terrorisme est subordonnée à cette fin, comme
l'est le destin du pays dont l'Amérique avait fait la clef de sa
politique pétrolière, l'Arabie saoudite, hier encensée, aujour-
d'hui maltraitée à Washington, depuis qu'on a découvert
que, sur les dix-neuf terroristes du 11 septembre, quinze
étaient de nationalité saoudienne.

CHAPITRE 4

L'Arabie dans l'œil du cyclone

Dans les jours qui suivent le 11 septembre 2001, au moment où le monde découvre, stupéfait, que quinze des dix-neuf pirates de l'air possèdent la nationalité saoudienne, cent quarante autres sujets du royaume résidant aux États-Unis, dont la plupart appartiennent à la famille régnante ainsi qu'à celle de Ben Laden, sont évacués en urgence et rapatriés par avions spéciaux vers l'Arabie saoudite. Les enquêtes menées par la presse américaine deux ans après les faits se sont interrogées sur les facilités dont auraient bénéficié ces mouvements d'aéronefs prétendant que certains d'entre eux avaient été autorisés dès le 13 septembre, alors que les vols privés étaient encore interdits dans l'espace aérien américain. Elles questionnaient l'apparente absence de contrôle d'identité des passagers en partance, après que le pays avait subi l'attaque terroriste la plus dévastatrice de son histoire. De même, le rapport du Congrès des États-Unis sur les événements du 11 septembre et les défaillances du renseignement, remis en décembre 2002 et rendu public en juillet suivant, comporte vingt-huit pages blanches, classées secrètes, qui incrimineraient, selon la rumeur unanime du Beltway, l'Arabie saoudite. À telle enseigne que l'ambassadeur du royaume à Washington, l'inamovible prince Bandar ben Sultan, fils du ministre de la Défense, doyen du corps diplomatique, ami proche et compagnon de chasse du président Bush père, réclame que ces pages soient rendues publiques afin de pouvoir organiser sa défense — demande rejetée par le président Bush fils. Il n'en faut pas davantage pour que les plus antisaoudiens des groupes de pression américains soupçonnent la famille Bush de vouloir sauver la mise à son associée en affaires de longue date, la famille Saoud, qui règne à Riyad.

Par-delà les polémiques politiciennes, les attentats du 11 septembre servent de révélateur à l'insolite relation américano-saoudienne, en montrent au grand jour les ambiguïtés, sans pour autant faire la lumière sur les plus ténébreux de ses méandres. Ils closent une époque qu'avaient inaugurée les serments échangés, le 14 février 1945, en ce jour de la Saint-Valentin, par le président Franklin D. Roosevelt et le roi Abd al-Aziz Ibn Saoud à bord du croiseur *USS Quincy*, ancré dans les lacs amers du canal de Suez. Donnant sa sanction politique aux entreprenantes compagnies pétrolières américaines qui avaient obtenu la concession des champs d'hydrocarbures d'Arabie, Roosevelt assoit l'hégémonie des États-Unis dans un royaume jusqu'alors féal de la Grande-Bretagne. Il promet le concours des armes américaines contre toute menace sur les intérêts conjugués, et dès lors indissociables, des *majors* regroupées dans l'Aramco, du « monde libre » et de la dynastie saoudienne — garantissant la pérennité d'un fragile royaume hétérogène dont la proclamation officielle ne remonte guère qu'à 1932. Ce lien trinitaire indissoluble entre pétrole, Occident et monarchie locale noue l'imbroglio saoudo-américain : le 11 septembre tranchera le nœud gordien.

Les serments du 14 février 1945 avaient abouti à un mariage de raison, qui s'accommoda durant un demi-siècle des foucades de chacun des deux partenaires, en bridant toujours les emballements dans l'intérêt bien compris de leur société d'intérêts mutuels. Côté saoudien, cette ardeur — consubstantielle au royaume, et qui, au fil des années, évolua en manie — s'appelle wahhabisme. Côté américain, ce penchant — qui, avec le temps, tourna à l'obsession — se nomme Israël. Tant que planait la menace soviétique, chacun pardonna à l'autre ses engouements. Au pont aérien qui approvisionna l'État hébreu en armements américains dès les succès de l'offensive arabe initiale lors de la guerre d'octobre 1973 répondit l'embargo sur les exportations d'hydrocarbures vers l'Occident soutien d'Israël. Le pétrole devint une arme aux mains des pays producteurs et leur procura, durant toute la décennie suivante, des milliards de dollars de rente supplémentaire. Au-delà de l'enrichissement fabuleux des dynastes et des militaires au pouvoir dans ces pays, l'explosion des prix bouleversa de fond en comble les équilibres structurels des sociétés : l'expansion islamiste des années 1980 en fut l'une des conséquences majeures. Celle-ci traduisit l'expression du ressentiment des couches sociales exclues des prébendes issues de la rente pétrolière, et gonflées par une explosion démographique sans pareille. Mais elle fournit du même coup l'occasion de canaliser le mécontentement à travers une idéologie et des thèmes de mobilisation populaire qui semblaient sans danger dans l'immédiat pour les puissants, et donnèrent matière à réconcilier le couple américano-saoudien après les brouilles israélo-pétrolières des années 1970.

Le wahhabisme et ses avatars, avec le concours enthousiaste des conservateurs de toute tendance qui hantaient la Maison-Blanche durant les deux mandats de Ronald Reagan, furent promus en une théologie de la libération du communisme, qui culmina dans le *jihad* afghan contre l'Armée rouge à partir de 1980. Washington et Riyad ravivaient, dans ce retour de flamme, les serments de la Saint-Valentin 1945, communiant dans une frénésie idéologique antisoviétique que, in petto, l'un traduisait *liberty* et *freedom fighters*, l'autre *islam* et *moujahidin*.

Mais l'effondrement de l'URSS, à qui le *jihad* porte l'estocade finale, prive soudain d'objet la passion mutuelle américano-saoudienne, et les doctrinaires conservateurs des deux parties, entre lesquels régnait l'idylle la plus parfaite, retournent désormais contre le partenaire d'hier la fougue avec laquelle ils combattaient de conserve le communisme. Pourtant les vicissitudes du cœur et les emportements de la doctrine n'avaient su remettre en cause les bases du contrat originel. Tant que Washington considérait Riyad comme le pilier de l'équilibre du marché mondial des hydrocarbures — par sa situation unique de producteur « élastique » (*swing producer*) à même d'orienter les prix du baril — et tant que la monarchie voyait dans l'armée américaine le garant le plus sûr de sa pérennité, aucun coup de canif ne pouvait entamer la solidité de l'alliance. À ces considérations de géopolitique, il faut aussi, et avant tout, affecter des considérants privés qui jouent un rôle primordial : en 1945 déjà, ils précédaient de plus de dix ans la rencontre entre Roosevelt et Ibn Saoud. Les premiers bénéficiaires du deal du *Quincy* n'étaient pas les deux États concernés, mais d'une part les actionnaires des compagnies pétrolières qui avaient construit la « colonie américaine » de Dhahran, sur la côte orientale, et de l'autre la cassette royale de la famille Saoud, qui vivait chichement jusqu'alors des revenus aléatoires du pèlerinage à La Mecque et de la liste civile octroyée par Whitehall.

Tout au long du demi-siècle qui suivit, des fortunes colossales se bâtirent sur l'interaction entre *corporate America* (le monde américain des affaires) et la famille saoudienne, définie comme l'ensemble des princes qui bénéficient d'un accès direct aux revenus de la rente pétrolière avant qu'elle n'abonde le budget de l'État. Cette manne privative, qui n'apparaît bien évidemment dans aucune statistique, et que les observateurs évaluent autour de 5 % des royalties (en 2003, par exemple, le royaume a produit 8 8660 millions de barils par jour, à un prix de vente moyen de 27 39 dollars américains), est en sus de toutes commissions et rétrocommissions de rigueur dès qu'un contrat est signé. Aux États-Unis comme dans le royaume, l'armement ou le BTP, pour ne prendre que les exemples les plus saillants, ont noué des liens de dépendance extrêmement étroits entre les deux parties. Les achats massifs d'armement américain par l'Arabie ont permis de financer recherche et développement des technologies militaires de pointe — chères à Albert Wohlstetter et à ses disciples néo-conservateurs — qui ont contribué de manière décisive à l'écroulement du système soviétique. Le bâtiment et les travaux publics, en partenariat avec le géant d'outre-Atlantique Bechtel, ont fait les beaux jours du Groupe fondé par Mohammed, Ben Laden, le père d'Oussama, roi du béton saoudien et de toute l'Oumma islamique, en sa qualité de concessionnaire exclusif des travaux permanents d'expansion et d'entretien de la Grande Mosquée de La Mecque et du site environnant. La ruse de l'histoire voulut que Mohammed Ben Laden meure en 1967 dans un accident d'avion au-dessus de la province montagneuse du 'Asir où il surveillait la construction des ouvrages d'art spectaculaires qui jalonnent la route nationale 15, laquelle serpente entre des villages haut perchés d'où seront issus les principaux participants saoudiens aux attentats des États-Unis en 2001.

La multiplicité des liens entre les deux pays a ainsi tissé une toile d'araignée complexe où s'enchevêtraient inextricablement, avant le 11 septembre, intérêts financiers, solidarités politiques et convergences idéologiques. Elle a pris un essor exceptionnel durant les années 1980, lorsque la dimension antisoviétique de l'alliance fut portée au paroxysme, et se traduisit notamment par l'ouverture, sur le territoire américain, de centres de recrutement pour le *jihad* en Afghanistan. En lien avec les associations islamistes estudiantines au début de leur phase d'implantation sur les campus universitaires, qui y accueillent les prédicateurs salafistes et les Frères musulmans du Moyen-Orient, et y créent les premiers sites Internet anglophones à visée universelle de la mouvance, ils tracent les linéaments d'un important réseau de soutien à toutes les causes islamistes à travers le monde. Chacun est alors convaincu que le territoire américain, où aucune restriction n'est mise à pareilles activités, est sanctuarisé par rapport à la violence qui se déploie ailleurs, notamment dans le *dar al koufr* (le « domaine d'impiété ») européen en général et français en particulier, où le terrorisme d'origine moyen-oriental commence à faire, sous le vocable de *jihad*, ses premières victimes. Tout juste les constructions de mosquées, majoritairement financées par des fonds saoudiens, se multiplient-elles, et des conversions à l'islam ont-elles lieu — la presse du monde musulman en fait ses gros titres et ses choux gras, y voyant la promesse de l'imminent lever du soleil d'Allah sur l'Occident.

Cette projection sur le sol américain de réseaux islamistes, aidée par la législation sur l'immigration, qui favorise alors l'installation de ressortissants du monde musulman (pour compenser des flux spontanés abondants en provenance d'Amérique latine), a permis d'établir aux États-Unis un champ religieux musulman qui prolonge outre-mer un phénomène naissant en Arabie saoudite à partir des années 1960. Il vise depuis lors à l'hégémonie sur l'islam sunnite contemporain à travers le monde.

Celui-ci a mêlé aux oulémas locaux formés dans la tradition wahhabite des activistes et des militants réfugiés ou exilés des pays arabes voisins, comme la Syrie, l'Égypte ou l'Irak, alors alignés sur Moscou, et issus de la matrice des Frères musulmans. Cet amalgame, concocté au départ pour relever le défi de l'islam « progressiste » et philo-soviétique prêché à l'époque à l'université religieuse cairote Al Azhar sous contrôle nassérien, est devenu, avec les années, un mélange détonant, qui devait exploser entre les mains de ses artificiers, une fois ravagées les cibles qui lui avaient été assignées. Le phénomène Oussama Ben Laden et affidés ne peut se comprendre si on ne l'inscrit pas dans la filiation de cette tradition hybride, même si celle-ci ne s'y réduit pas. Mais il demeure l'enfant — monstrueux, naturel ou légitime, selon le point de vue — de ces amours entre wahhabisme local et activisme islamiste international, facilitées au plus haut niveau par l'entremise complice des États-Unis et de l'Arabie saoudite.

Le wahhabisme désigne le corps de doctrine et surtout les attitudes et les comportements inspirés par un réformateur religieux particulièrement rigoriste, Muhammad Ibn Abd Al Wahhab, qui vivait en Arabie centrale au milieu du XVIIIe siècle (décédé en 1792) — un contemporain des Lumières européennes et de la Révolution française, auquel on ne pourrait imaginer opposé plus inconciliable. Deux siècles après, les héritiers de ces deux visions du monde continuent à se combattre — en des lieux aussi improbables que les écoles, collèges et lycées de la République française. Dans ces institutions enfantées par les Lumières, l'irruption de jeunes élèves voilées inspirées par la doctrine wahhabite et sa traduction islamiste manifeste les surprenantes avancées de pareille idéologie jusqu'au sein des temples de la raison laïque sur le territoire de l'Occident. L'apport intellectuel propre d'Abd Al Wahhab lui-même à la théologie musulmane est peu significatif. Ses disciples, du reste, rejettent l'appellation « wahhabites » née et propagée en milieu hostile — qui leur prêterait d'idolâtrer un homme — et lui préfèrent celle de « salafistes » — qui évoque leur effort pour imiter les « pieux ancêtres » (*salaf*), compagnons du Prophète au mode de vie exemplaire. L'enseignement d'Abd Al Wahhab se consacre à mettre en œuvre, avec une vigueur inouïe, les injonctions de jurisconsultes et d'oulémas médiévaux, dont le plus célèbre est le Syrien Ibn Taïmiyya (1263-1328), mentor de la mouvance islamiste sunnite toutes tendances confondues. Ses œuvres ont été réimprimées et diffusées gratuitement partout à travers le monde par les institutions religieuses saoudiennes, sur le compte des royalties pétrolières, depuis la seconde moitié du XXe siècle. Elles se sont vu abondamment invoquer en diverses occasions : par l'idéologue du groupe des assassins de Sadate en Égypte en 1981, l'électricien Abdel Salam Farag, dans les tracts du GIA appelant au massacre des « impies » dans la guerre civile algérienne des années 1990, et aujourd'hui sur les sites Internet qui font du port du *hijab* à l'école française un impératif religieux.

En termes succincts, Ibn Taïmiyya comme Abd Al Wahhab préconisent l'application la plus stricte de la *charí'a*, la loi islamique, dans la vie quotidienne, seule propre à « réformer » l'islam, à le purger des scories humaines dont il est pollué, et à retrouver le souffle divin qui l'inspire. Qui suit ces doctrinaires en prenant les textes sacrés au pied de la lettre prie obligatoirement cinq fois par jour en congrégation à la mosquée. Le prince musulman (sous peine de s'entendre morigéner voire discréditer par les docteurs de la Loi) doit employer la coercition pour contraindre ses sujets récalcitrants à vivre ici-bas les commandements de l'au-delà, à se conformer avec minutie aux injonctions du dogme jusque dans les aspects les plus infimes de l'existence. Depuis que le wahhabisme exerce son emprise sur les royaumes saoudiens successifs, la milice religieuse des *mutawi'a*, ces barbus formés à la religion et armés de gourdins (et aujourd'hui équipés de rutilants véhicules tout-terrain), impose la cessation de toute activité, la fermeture des commerces, des administrations, et l'affluence aux mosquées aux heures canoniques de prière. La même inspiration animait la milice des Talibans, l'infamante « *vice & virtue police* » redoutée par les étrangers et les Afghans, qui traduisait par la violence la « commanderie du Bien et le pourchas du Mal » à l'époque où ils régnaient en maîtres sur Kaboul, jusqu'à l'automne 2001. Ces milices ont en charge l'application des *hudud*, les prétendus « châtiments islamiques » qu'elles ont remis à la mode : elles organisent sur les grand-places ou dans les stades lapidation de femmes adultères, décollation de criminels et autres ablations de main et de pied des voleurs, devant une foule fascinée par le jaillissement du sang en public comme on pouvait l'être durant les spectacles les plus cruels des jeux du cirque de l'Antiquité romaine.

La réflexion autonome de l'homme, l'esprit critique sont abhorrés par cette école de pensée, qui y suspecte toujours quelque hérésie. Au raisonnement individuel, interlope par nature, elle préférera la recherche de solution aux

problèmes actuels dans la connaissance livresque et la mise
en application littérale du corpus insoupçonnable des textes
sacrés, de la révélation divine, de la tradition sacro-sainte
du Prophète, incarnation suprême des vertus islamiques et
source d'imitation machinale pour le croyant invétéré.
Comme le corpus sacré, révélé il y a quatorze siècles, ne
saurait répondre avec évidence à tous les questionnements
contemporains, le wahhabisme et ses avatars, à la suite de
l'école hanbalite de l'islam sunnite, accordent une confiance
extrême aux dires et faits attribués au Prophète, même ceux
que le consensus des oulémas, les docteurs de la loi, avait,
après examen et collation des sources, disqualifiés comme
apocryphes. Ces récits (*hadith*) à vocation de paradigme,
même improbables, valent toujours mieux, aux yeux des
disciples d'Ibn Taïmiyya et d'Abd Al Wahhab, que la faiblesse intrinsèque du raisonnement humain. À l'époque
contemporaine, le spécialiste du *hadith* Nasr al Din al
Albani, décédé en 1999, a poussé au paroxysme cette révé-
rence extrême et quasi illimitée pour ceux-ci. Dans ces
récits douteux, marginalisés par la majorité de la tradition
savante au long de l'histoire intellectuelle des sociétés
musulmanes, gît d'ordinaire la justification, par l'exemple
sacré du Prophète, des comportements les plus extrêmes de
la haine pour l'autre. On y puise à l'envi des incitations à
exécrer les « impies » (chrétiens et juifs, hindous, mais aussi
« mauvais » musulmans).

Cette exécration (en arabe *takfir*, « dénonciation comme
impie » ou *kafir*) s'exerce avec un fanatisme débridé dès
l'alliance que contractent, en 1744-1745, Abd Al Wahhab et
le chef tribal Muhammad Ibn Saoud, qui règne alors sur
l'oasis de Dir'iyya, près de l'actuelle Riyad, dans le Nejd, la
province centrale désertique de la péninsule, dont l'aridité
est traduite par le nom même (un *nejd* désigne en arabe
toute zone où les cours d'eau se perdent dans les sables).
Dans l'Arabie du xviiie siècle, une sorte de guerre perpétuelle hobbesienne oppose les tribus bédouines soucieuses
de s'accaparer les rares ressources qui prémunissent contre

la disette : au gré de leurs razzias elles achèvent de ruiner un sol ingrat en coupant les palmiers et en saccageant les maigres pâtures de leur adversaire. Dans ce contexte, le wahhabisme émerge comme une option qui, sous son aspect de sectarisme et d'intolérance, offre paradoxalement l'équilibre le plus adéquat à l'écosystème bédouin en lui permettant de rompre le cercle vicieux de son autodestruction. En sanctifiant la guerre, il établit la paix. En effet, Abd Al Wahhab, en échange de l'adhésion de Muhammad Ibn Saoud à sa conception rigoriste du dogme, sacralise les opérations militaires de razzia des Saoud contre les bédouins qui nomadisent autour des oasis voisines. Il les qualifie de *jihad*, de guerre sainte menée pour promouvoir par l'épée le triomphe de l'islam sur l'impiété. À la lutte réflexe pour la survie couplée à l'appétit improductif du lucre se substitue le *fath*, l'« ouverture », la conquête d'un vaste territoire innervée par le zèle de la foi.

Ce *jihad* permettra, en deux décennies, d'assujettir l'ensemble du Nejd, puis la côte orientale alors riche de ses huîtres perlières (et de quelques gisements de naphte dont l'on use, faute de mieux, pour calfater les boutres des pêcheurs de perles et des pirates), et enfin les villes saintes de La Mecque et de Médine, donc d'en contrôler le pèlerinage et ses retombées matérielles et symboliques. Pareil succès est redevable à l'alliance du cimeterre et du Livre saint, comme le proclament les armes qui diaprent le blason saoudien, traduisant en héraldique le pacte fondateur entre Muhammad Ibn Saoud et Muhammad Abd Al Wahhab. Les bédouins cupides dont on canalise la violence derrière l'étendard vert sont transmués, par la force du Verbe wahhabite, en moujahidines pour qui l'Oumma, la Communauté des Croyants universelle, transcende l'affiliation tribale. À l'occasion de chaque pillage, ils consacrent désormais une part de butin à Allah et aux desservants de son culte, selon les règles canoniques du *jihad* qui en répartissent l'allocation, en règlent l'économie générale et la pérennité.

L'alliance wahhabo-saoudite permet de la sorte d'agréger des forces autrefois disparates et mutuellement destructrices, d'en faire le levain d'une Oumma rigoriste, le parangon de cette « avant-garde » de cavaliers que l'on retrouvera dans le registre fantasmatique d'un Ben Laden sur les cassettes vidéo de propagande d'Al Qa'ida, comme dans le titre imagé du manifeste d'Ayman al Zawahiri *Cavaliers sous la bannière du Prophète.* L'épopée wahhabite constitue un remake de la saga du groupe des compagnons de Mohammed, chevauchant les pistes de la péninsule Arabique à la naissance de l'islam. Elle fournira le relais d'un rêve, l'objet d'une identification aux jeunes Saoudiens éduqués dans le moule scolaire contrôlé par les religieux, et à tous ceux et toutes celles qu'endoctrine le wahhabisme à l'étranger par Internet, téléconférence, webcam, à travers les relais polymorphes de prêcheurs influencés et rémunérés par ces réseaux. Elle sera projetée dans le *jihad* afghan, dans la guerre civile algérienne, dans le *jihad* en Tchétchénie ou tout autre théâtre dont on visionne les hauts faits sur support numérique depuis les « cités » d'Occident jusqu'aux zones déshéritées et aux quartiers informels d'Afrique du Nord, du Moyen-Orient, du sous-continent indien ou d'Asie du Sud-Est — mais aussi dans les *compounds* climatisées où la jeunesse pourrie-gâtée par la rente pétrolière trompe son ennui en se fabriquant un idéal de substitution viril, frugal et spirituel.

Du vivant de Muhammad Ibn Abd Al Wahhab, sa forte personnalité l'emporte sur celle de l'émir Muhammad Ibn Saoud, et le dogmatisme religieux connaît son apogée. Après sa mort, les descendants de Saoud prennent l'ascendant sur ceux du prédicateur, et l'histoire des relations entre les Al Sheikh (le lignage de Ibn Abd Al Wahhab) et les Al Saoud (les princes de la famille régnante) est marquée par l'alternance entre les phases où chacun des deux groupes se maintient en position dominante. En règle générale, lorsque la situation est stabilisée, les dynastes l'emportent et parviennent à soumettre les prédicateurs, qui se limitent à légitimer le pouvoir au nom d'Allah en échange de prébendes qui leur permettent de vivre bien et d'exercer leur magistère sur les âmes; en cas de besoin, quand les plus fanatiques des jeunes sermonnaires et les zélotes qui les suivent se risquent à prôner la révolte contre le souverain (*al khuruj 'ala wali al amr*), ils sont liquidés par celui-ci. En temps de crise, les religieux sont envoyés aux avant-postes, et les princes sont contraints de leur laisser la bride sur le cou : ils étendent leur influence sur l'éducation, les mœurs, l'organisation sociopolitique, mais leur extrémisme même devient vite antisocial, et leurs excès menacent la stabilité du système de pouvoir saoudien, qui se retrouve confronté à un péril extrême mettant en danger sa survie.

Ainsi, par deux fois déjà dans l'histoire, le royaume des Saoud a été détruit par des forces extérieures. Au début du XIXe siècle, conséquence de la conquête des villes saintes du Hedjaz, le pèlerinage annuel fut soumis au zèle iconoclaste des wahhabites, qui l'organisèrent à leur manière, au grand dam de l'Empire ottoman, protecteur des lieux saints, dont les caravanes étaient arrêtées et pillées, les pèlerins molestés s'ils ne se conformaient pas aux préceptes du rigorisme extrême. Le sultan-calife d'Istanbul ordonna en conséquence au khédive du Caire de reconquérir le Hedjaz, et les troupes égyptiennes de Méhémet-Ali, débarquées en 1811, anéantirent le royaume des Saoud, ravageant en 1818 l'oasis de Dir'iyya, berceau de la dynastie, exterminant les oulémas wahhabites, et déportant à Istanbul le souverain, Abdallah Ibn Saoud, pour l'y décapiter. Après un second rétablissement de l'État wahhabite au XIXe siècle, qui tourna finalement à la confusion, le fondateur de l'actuelle branche régnante, Abd al-Aziz Ibn Saoud, depuis son exil au Koweït, relance en 1902 l'effort jihadiste. Il portera au pouvoir sa maison selon des modalités comparables à la fondation du premier État au XVIIIe siècle. De nouveau, l'alliance entre la famille régnante et les prédicateurs wahhabites est au cœur du succès : la transformation des tribus pillardes et belliqueuses en combattants du *jihad* disciplinés par la foi est systématisée par la création, vers 1912, d'une milice, l'Ikhouan (selon la graphie popularisée en français par Benoist-Méchin).

Les « frères » qui la constituent sont d'anciens bédouins mobilisables sur-le-champ, sédentarisés au sein de colonies agricoles faisant fonction de casernes et de camps d'entraînement, nommées *hijar* (ou « hégires », un terme qui évoque l'établissement du prophète Mohammed à Médine lorsqu'il rompit avec les impies mecquois à l'aube de l'islam). À son habitude, la doctrine wahhabite trouve dans la récurrence de l'expérience fondatrice du Prophète la ressource symbolique déterminante pour mobiliser les énergies humaines. Jusqu'à la fin des années 1920, dans la phase conquérante initiale de la dynastie saoudienne, les prédicateurs, qui galvanisent au nom d'Allah l'ardeur guerrière de l'Ikhouan contre toutes les tribus rivales, jouent les premiers rôles. Leurs prêches enflammés sont indispensables pour sabrer les agriculteurs chiites de la côte orientale, les montagnards du 'Asir, les habitants cosmopolites du Hedjaz sous domination hachémite, les dépeindre sous les traits d'impies contre qui le *jihad* est permis, dont le sang est licite, dont les biens et les femmes constituent un butin légitime, la récompense de l'effort sincère des croyants.

Une différence toutefois sépare le *jihad* des années 1910-1920 de celui du XVIIIe siècle : la présence tutélaire britannique. Aux côtés d'Ibn Saoud, le capitaine Shakespear, détaché par l'Indian Office, encourage discrètement les convoitises d'une famille que Whitehall aide à s'emparer de La Mecque et de Médine en 1924-1925, en chassant la dynastie hachémite aux dangereuses ambitions panarabes, dont T.E. Lawrence, le légendaire Lawrence d'Arabie, s'était en vain fait l'avocat. Une fois les villes saintes sous contrôle, le mouvement de balancier revient des prédicateurs vers la famille royale, des Al Sheikh vers les Al Saoud : l'Ikhouan et ses frères prêcheurs, exécrant la présence des infidèles britanniques sur la terre d'islam, plus encore que celle des « mauvais musulmans » du Hedjaz et de la côte orientale, se soulèvent. Réalisme et leçons de l'histoire conduisent Ibn Saoud à exterminer les hordes révoltées, avec l'appui des bombardiers de la Royal Air Force, en 1929. Dans la foulée, les oulémas wahhabites, privés des plus zélés de leurs séides, perdent une large part de leur capacité d'imposer leurs vues à la dynastie qui les bride, leur laissant en apanage éducation et moralité publique. La légitimité politique de la famille régnante ne peut s'émanciper de la sanction religieuse conférée par ces docteurs de la Loi.

Toutefois, le souvenir de l'écrasement de l'Ikhouan reste vivace, et de nombreux prédicateurs de second rang, ralliés contraints et forcés à une dynastie qui leur garantit le gîte, le couvert et quelque influence, sont toujours prêts à raviver les braises d'un rigorisme qu'ils opposent à la corruption imputée à la famille royale. Le *jihad* se voit prohibé sur le territoire saoudien dès le début des années 1930, puisque celui-ci est un État islamique parfait, qui applique la *chari'a*. Mais, figurant par excellence le mythe fondateur du royaume, il reste enseigné, tel qu'il fut pratiqué par l'Ikhouan des années 1910-1920, dans les manuels scolaires sans aucune mise à distance historique. La jeunesse saoudienne est nourrie de son épopée, incitée à son imitation — il lui est interdit de le mettre en œuvre sur place. Ce hiatus entre l'idéal enseigné par les religieux et la réalité contrôlée par la dynastie régnante ouvre une faille que le pouvoir s'efforcera de résorber, notamment à partir des années 1980, grâce à la fuite en avant vers les théâtres extérieurs du *jihad* (l'Afghanistan en premier lieu, suivi au cours de la décennie suivante de la Bosnie, de l'Algérie, du Cachemire, de la Tchétchénie, de l'Albanie, du Kurdistan, des Philippines, etc.).

Dans le royaume lui-même, cette schizophrénie entre contenu des programmes scolaires et réalités de la vie quotidienne a été portée au paroxysme par la modernisation spectaculaire qu'engendre l'opulence pétrolière. Les équilibres en sont bouleversés de fond en comble, surtout au lendemain de l'explosion des prix consécutive à la guerre d'octobre 1973. Submergée par l'afflux des pétrodollars, l'Arabie saoudite, dont les revenus sont quasiment multipliés par vingt-cinq en six ans, passant de 4,3 millions de dollars par an en 1973 à 22,6 en 1974 et 102,2 en 1980 — avant de retomber à 21,2 en 1986 —, a un besoin vital d'établir des garde-fous pour éviter l'implosion de sa société. La révolution islamique de l'Iran voisin, qui advient dans un même contexte d'emballement mal géré des prix du brut, sonne le tocsin. Le royaume est dirigé, au début de la décennie 1970, par son monarque le plus efficace, Faysal, le plus intellectuel des fils du roi fondateur Abd al-Aziz. Il allie une connaissance très précise de l'environnement international, ayant beaucoup voyagé, résidé à l'étranger, éduqué ses propres enfants en anglais et en français, à une extrême piété personnelle qui lui permet, dans une large mesure, de se dispenser de l'onction des prédicateurs pour établir sa légitimité religieuse. Sous son règne, la modernisation des infrastructures va de pair avec un discours public très rigoriste, tandis que l'embargo de 1973, qui fait du pétrole une arme politique dans les mains des producteurs, couplée à une attitude intransigeante face à Israël, lui confère dans le monde arabe et musulman l'aura de la résistance aux États-Unis. Même si celle-ci relève davantage de la mise en scène que de la réalité, elle inquiétera assez Washington pour que, dans la foulée de la guerre d'octobre, on y prépare des plans afin d'envoyer les troupes américaines s'assurer par la force des champs d'hydrocarbures saoudiens si besoin était.

L'assassinat de Faysal en 1975 par l'un de ses jeunes cousins, promptement décapité, qui emporte dans la tombe le secret de ses motivations, expose la dynastie à des fragilités qui la contraindront à s'appuyer davantage sur le corps des oulémas wahhabites — demandeurs en contrepartie d'un accroissement considérable de leur influence. Le roi Khaled, qui succède à son demi-frère, est confronté, en la redoutable année 1979, qui voit en février la victoire de la révolution iranienne avec le retour de Khomeyni à Téhéran et en décembre l'invasion de l'Afghanistan par l'Armée rouge, à la brusque résurgence de l'extrémisme wahhabite oppositionnel lors de la prise de la Grande Mosquée de La Mecque. Le 20 novembre, qui correspond au premier jour du quinzième siècle de l'hégire, un groupe de plusieurs centaines de jeunes Saoudiens wahhabites radicaux, auxquels se sont adjoints des islamistes étrangers, prend d'assaut et investit le lieu saint par excellence de l'islam, retenant en otage des milliers de pèlerins présents dans l'enceinte sacrée. Dirigé par un activiste rompu au magistère du cheikh Ibn Baz, doyen de l'Instance des grands oulémas du royaume, nommé Juhayman al 'Utaybi, le groupe fait d'un autre de ses membres, Mohammad al Qahtani, le *mahdi*, le « messie », ou le rénovateur, que, selon la tradition, chaque nouveau siècle doit apporter à l'islam. 'Utaybi et Qahtani sont des patronymes qui manifestent l'appartenance à deux tribus comptant plusieurs centaines de milliers de membres, dont le territoire se situe à cheval sur le Nejd et le Hedjaz, entre les déserts centraux berceau de la dynastie, et la bordure côtière où se situent les deux villes saintes. Dans leurs rangs avaient été levés beaucoup de guerriers de l'Ikhouan, qui finit écrasée par le roi Abd al-Aziz avec l'appui britannique en 1929. Dans l'ensemble, ces deux tribus ont été marginalisées dans le processus de redistribution des prébendes issues de la rente pétrolière.

Certains de leurs membres en ont cultivé le ressentiment en ressassant le corps de doctrine wahhabite auprès d'oulémas connus pour leur distance critique envers la dynastie. Le plus fameux de ces docteurs de la loi intransigeants était alors le cheikh Abd al-Aziz Ibn Baz, qui commença sa carrière en s'opposant au roi Abd al-Aziz Ibn Saoud au début des années 1940, lorsqu'il lui reprocha de concéder à des Américains, donc des infidèles, l'exploitation de ressources minières et agricoles du Nejd. En cela, Ibn Baz se référait à un célèbre *hadith* du Prophète, attesté dans les recueils les plus consensuels, qui attribue à

Mohammed les stipulations suivantes : « En vérité, expulsez les juifs et les chrétiens de la péninsule Arabique, jusqu'à ce qu'il n'y reste plus que des musulmans » (recueil de Muslim, 1767). Ce dire — dont Ben Laden a fait l'un des principaux slogans d'Al Qa'ida — est interprété avec circonspection par certains oulémas comme le cheikh Qardhawi. Ce dernier, qui vit au Qatar entouré de non-musulmans indispensables à l'exploitation des champs gaziers de l'émirat et à la production de la chaîne Al Jazeera, où il est l'hôte du talk-show islamique hebdomadaire *al chari'a wa-l hayat* (« la loi islamique et la vie »), expliqua à l'auteur qu'il fallait prendre comme une synecdoque l'expression « péninsule Arabique », et la limiter aux enclos sacrés, les *haram* mecquois et médinois, interdits aux non-musulmans.

En revanche, pour Ibn Baz, dont la fatwa des années 1940 reste consignée dans un recueil en vente dans le royaume en 2001, « il est illicite d'employer un serviteur non musulman, mâle ou femelle, ou un chauffeur non musulman, ou un travailleur non musulman dans le golfe Arabe, car le Prophète — salut et bénédictions d'Allah sur lui — a ordonné l'expulsion de tous les juifs et les chrétiens, et commandé que seuls des musulmans y demeurent. Il a fait cela au moment de sa mort, quand il a ordonné que tous les polythéistes soient chassés du golfe Arabe. Cela parce que la venue d'infidèles mâles ou femelles est un danger pour les musulmans, leurs croyances, leur moralité, et l'éducation de leurs enfants — pour cela, il faut l'interdire ».

Convoqué au *diwan* royal, confronté à l'exemple sacro-saint du Prophète qui avait employé des étrangers, sommé de se soumettre, Ibn Baz fit savoir qu'il obtempérait sans conviction. Emprisonné pour prix de cette insolence, libéré après une explication avec le monarque, qui le convainquit que l'expression publique de la dissidence ruinait la stabilité de l'État islamique, il tira de cet épisode une réputation flatteuse d'indépendance. Elle le faisait rechercher tant par la famille régnante — il avait l'oreille des dissidents et saurait leur faire passer des messages d'apaisement en temps utile — que par les wahhabites, radicaux et insurgents — ils louaient son courage, vénéraient son savoir, et pourraient compter sur sa mansuétude en cas de besoin. Promu doyen de l'Instance des grands oulémas (*Hay'at Kibar al-'Ulama*), qui déterminait la norme religieuse en tous domaines mais fut obnubilée par le charisme religieux propre de Faysal durant son règne, Ibn Baz mit à profit la moindre légitimité islamique du roi Khaled pour accroître son influence. Sollicité par celui-ci pour discréditer les rebelles qui avaient investi la Grande Mosquée en novembre 1979 — et n'en furent délogés que grâce aux gendarmes d'élite français appelés à la rescousse —, il condamna la rébellion, blâmable en ce qu'elle introduisait la *fitna* (l'anarchie et la sédition) en terre d'islam, mais refusa d'excommunier les insurgés, parmi lesquels il comptait des disciples. Soixante-quatre d'entre eux, dont Juhayman al 'Utaybi, furent décapités en janvier 1980.

Cette alerte majeure — tandis que le monde musulman alentour plonge dans la tourmente, que Téhéran appelle à renverser les laquais saoudiens du « grand Satan » impérialiste américain, que Saddam Hussein concocte l'invasion de l'Iran, et que se met en branle la grande entreprise du *jihad* en Afghanistan — contraint le roi Khaled puis son successeur le roi Fahd à offrir aux oulémas emmenés par Ibn Baz les contreparties que ceux-ci demandent en échange de leur appui à la monarchie. Un tour de vis se fait sentir dans le domaine des mœurs, et la vie sociale des femmes devient de plus en plus difficile. Pour le pouvoir, ces concessions envers les oulémas les plus rétrogrades semblent, sur le court terme, politiquement indolores, mais l'emprise de ces derniers s'accroît de manière phénoménale dans le champ éducatif, outre la propagation comme telle de la foi, et leur permet de se livrer à un endoctrinement sans frein. Les fonds consacrés à l'islamisation et gérés par l'institution wahhabite progressent au rythme de l'envolée des revenus pétroliers — et ils ne seront pas affectés par la décrue des cours du brut au milieu de la décennie 1980 : radio et télévision diffusent en permanence des programmes où les sermonnaires barbus, qui fulminaient jadis l'anathème contre le petit écran, vecteur de débauche et de perdition, sont omniprésents, serinant leur vision du monde et enjoignant aux croyants et croyantes de les respecter sous peine des pires châtiments ici-bas comme au-delà.

À La Mecque, à l'université islamique Umm al Qura, fondée dès 1949, se forme, sous la houlette des plus rigoristes des oulémas et de quelques Frères musulmans étrangers, une jeune génération richement dotée de prédicateurs zélés qui, durant les décennies suivantes, essaimeront dans la péninsule et le monde entier, des banlieues de l'islam européennes aux rizières d'Indonésie en passant par l'Afghanistan. Transposée sans adaptation en dehors du contexte propre au royaume, une vision du monde binaire oppose irrémédiablement pieux salafistes et « impies », multiplie les marqueurs identitaires d'une définition limitative du bon croyant, refuse l'altérité, et prône de la réduire par un *jihad* contre quiconque diffère de la norme établie. Elle aura des effets considérables sur la configuration de l'islam à la fin du xxe siècle — d'autant qu'elle est généreusement subventionnée.

À l'intérieur du royaume lui-même, un tiers de l'horaire d'enseignement à l'école élémentaire est constitué de matières religieuses, un quart au collège et de 35 à 15 % au lycée. À l'université, près de la moitié des enseignements, dans les départements de sciences sociales, sont obligatoirement consacrés à la religion — la proportion s'élève encore à un cinquième du total en sciences appliquées, dans l'université du pétrole ou en médecine. Au début des années 2000, un jeune chiite de l'est du royaume postula, au vu de brillants résultats scolaires, à l'entrée en faculté de médecine. Identifié par ses origines confessionnelles, il s'entendit demander, lors de l'entretien d'admission, de faire une synthèse commentée du dernier sermon du vendredi qu'il avait écouté (les chiites n'écoutent pas les prédicateurs wahhabites du Vendredi). On l'élimina, avant que la décision ne fût cassée suite à un recours auprès des plus hautes autorités. Ces faits, sans pareils dans le reste du monde, sont un révélateur de l'emprise exceptionnelle des oulémas sur la gestion des valeurs centrales de la société, telles que l'éducation les inculque à la jeune génération.

Ce phénomène advient à une époque cruciale, où l'explosion des prix du brut engendre une insouciance procréatrice généralisée, couplée avec les encouragements des religieux à la polygamie — en application littérale des préceptes de la *chari'a*. Cela rencontre la volonté nataliste de l'État, qui a longtemps diffusé des statistiques démographiques gonflées, craignant que le faible nombre des Saoudiens rapporté à leur extraordinaire richesse ne nourrisse les appétits de voisins démunis et surpeuplés, comme le Yémen, voire l'Égypte, ou n'encourage des revendications pour partager sur un mode équanime la manne procurée par Allah avec la pléthore des musulmans nécessiteux. Ces diverses incitations se conjuguent au début des années 1980, marqué par une expansion démographique inouïe. L'indice de fécondité atteint 8,26 enfants par femme saoudienne, et le taux brut de natalité, autour de 50 °/00, s'inscrit parmi les records mondiaux. En 1981, grâce à la rente pétrolière, le produit intérieur brut par tête en Arabie saoudite avoisine celui des États-Unis, avec 28 600 dollars.

Cet affolement des statistiques n'était imputable à aucune hausse de la productivité du travail, tout au contraire, et le retournement du marché pétrolier, au milieu de la décennie, s'est chiffré par un véritable effondrement du niveau de vie : en 2000, le PIB par tête est descendu, dans le royaume, à moins de 7 000 dollars, tandis que les États-Unis dépassent les 35 000 dollars. La transition démographique, qui s'enclenche dès la fin des années 1980 avec la baisse drastique des cours du brut, et a fait tomber l'indice de fécondité presque de moitié en 2000, avec 4,37 enfants par Saoudienne, n'en amène pas moins, aujourd'hui à l'âge adulte, sur le marché du travail, du chômage — ou du *jihad* — plus de six cent mille personnes par an, pour une population estimée à plus de quinze millions de nationaux et cinq millions d'étrangers.

Des variances d'une telle amplitude dans la démographie ou l'opulence ne sont pas chose nouvelle dans la péninsule ; la manne pétrolière n'est, pour plus d'un natif du lieu, que l'une des manifestations de la manne céleste qui a gratifié cette terre aride à de rares occasions, mais avec une intensité exceptionnelle. On rangera dans cette catégorie, selon ses préférences subjectives, l'avènement de l'islam ou celui de la dynastie saoudienne ; pour demeurer dans un registre objectif, ce sont surtout les caprices de la pluviométrie qui ont engendré, à travers l'histoire, les bouleversements les plus extraordinaires. En quelques rares occasions, des pluies torrentielles récurrentes, gonflant les oueds et remplissant les nappes phréatiques, ont *fait couler le rocher et fleurir le désert.* De verdoyants pâturages ont engraissé les ovins, les tribus rassasiées ont déployé une activité génétique extrême et insouciante, exprimée par un croît démographique phénoménal — qui s'est traduit en malédiction dès les ressources épuisées, les sources taries et l'ordinaire des années de sécheresse revenu. Ces populations en surnombre, filles de la pluie comme celles de la fin du xxᵉ siècle sont filles du pétrole, ont été confrontées à de mêmes goulots d'étranglement sur le marché du travail.

Au temps jadis, poussées par la faim, elles se lancèrent dans la razzia des pays voisins, traversant la mer Rouge et ravageant l'Afrique du Nord, jusqu'à asservir, arabiser, repousser vers les terres les plus ingrates les paisibles indigènes nilotiques ou berbères. En haute Égypte, on garde encore aujourd'hui à la campagne, comme l'auteur a pu le constater, la mémoire des invasions les plus récentes, et les fellahs distinguent les villages « égyptiens » des villages « arabes », qu'en apparence rien ne différencie, mais entre lesquels la tradition a prohibé les intermariages. Au Maghreb, l'invasion hilalienne des tribus venues de la péninsule au xᵉ siècle reste un traumatisme vivant dans la conscience collective berbère, synonyme d'arabisation forcée, d'abandon des plaines fertiles et de refuge dans les montagnes escarpées de Kabylie, du Rif ou de l'Atlas, où les dromadaires des envahisseurs ne se risquaient pas. Cet exutoire par la razzia à l'explosion démographique et à l'absence de débouchés locaux façonne la légende dorée qui habite l'imaginaire collectif de l'Arabie bédouine — en contrepoint du traumatisme des victimes indigènes d'Afrique du Nord. N'est-ce pas l'un des stimulants de la frénésie qui a poussé des milliers de ces jeunes Saoudiens issus des classes d'âge pléthoriques de l'ère pétrolière à accomplir le *jihad* de l'Afghanistan à la Bosnie et de la Tchétchénie au Cachemire — en sus des incitations doctrinales des oulémas wahhabites ?

Laissé à lui-même, le wahhabisme n'aurait guère été capable de prospérer à travers la planète comme il l'a fait à partir du dernier quart du XXᵉ siècle, même avec le secours de la rente pétrolière. Adapté à l'écosystème tribal et désertique dont il était le produit, il ne disposait guère des instruments de connaissance lui permettant d'affronter de plain-pied les défis du monde moderne, pas même de s'imposer aux autres grands courants de l'islam qui, jusqu'aux années 1960 au moins, le tenaient en piètre estime, au regard de leurs riches civilisations, des dynasties fameuses, des empires qu'ils avaient portés, de l'essor des sciences et des arts qu'ils avaient accompagné. De Cordoue à Samarcande, de Fès à Delhi, d'Istanbul à Damas et au Caire, d'Ispahan à Bagdad, le grand souffle de l'histoire des sociétés musulmanes oublia durant quatorze siècles la péninsule d'où la révélation avait surgi.

Jusqu'aux années 1950, l'islam local wahhabite paraît politiquement adapté à une société relativement close — après qu'il a triomphé des « hérésies » répandues d'ouest en est. Il a réduit les agriculteurs chiites de la province orientale, le Hasa, à quia. Quant aux sédentaires sunnites du littoral de la mer Rouge, entre le Hedjaz et les montagnes du 'Asir, qui professaient le chaféisme, une interprétation libérale de l'islam donnant sa place à la raison humaine, et comptaient de nombreuses confréries mystiques, ou soufies — abhorrées par le wahhabisme comme une hérésie blâmable associant à Allah l'Unique un culte répréhensible des santons —, ils ont été contraints de se conformer au dogme des vainqueurs qui a pratiqué l'éradication systématique de leurs croyances « déviantes ». À la mort du monarque fondateur, Abd al-Aziz, en 1953, le processus d'homogénéisation wahhabite paraît quasiment abouti, en surface à tout le moins.

Le défi vient désormais de l'extérieur, avec l'établissement à proximité immédiate, de l'autre côté d'une mer Rouge trait d'union plus qu'obstacle, vecteur de communication et d'influence aisé à traverser, du pouvoir nassérien socialiste, en 1952, qui inquiète très vite les autorités saoudiennes comme leur partenaire américain. Les Saoudiens, en particulier, sont préoccupés par la transformation graduelle d'Al Azhar, l'université islamique millénaire du Caire, forte encore à l'époque d'un prestige inégalé dans l'ensemble du monde musulman, en instance de formation d'oulémas « progressistes » et de conditionnement des étudiants, y compris de jeunes Saoudiens, qui y étudient à une époque où les structures universitaires du royaume sont encore embryonnaires, tandis que le prestige de Nasser brille à son zénith. En octobre 1954, un attentat contre le raïs égyptien, qui prononce un discours à Alexandrie, est imputé aux Frères musulmans. Leur organisation est détruite, quelques-uns de leurs dirigeants sont pendus, les cadres sont emprisonnés ou fuient le pays. Nombre de ces derniers trouvent refuge en Arabie saoudite — et, dans une moindre mesure, au Koweït. Ils sont bien accueillis par le régime et par une société au sein de laquelle, notamment à Djedda (alors capitale du royaume), nombre de liens matrimoniaux unissent les bonnes familles des deux rives.

À une époque où le royaume manque cruellement de cadres, l'arrivée des exilés égyptiens, qui appartiennent d'ordinaire à une classe moyenne pieuse éduquée, parfois polyglotte, frottée aux défis du monde moderne et d'une société relativement ouverte, constitue, dans l'immédiat, une véritable bénédiction. Les brevets d'antisocialisme que leur vaut leur persécution par Le Caire leur permettent d'accéder rapidement à des responsabilités et des postes de confiance — à condition toutefois qu'ils s'interdisent tout prosélytisme politico-religieux propre au milieu saoudien, du ressort exclusif des oulémas wahhabites. À cette première vague de réfugiés égyptiens des années 1950 viennent s'adjoindre, dans la décennie qui suit, des flux de Syriens et d'Irakiens, pourchassés par les régimes baassistes qui s'emparent du pouvoir à Damas et Bagdad, puis un autre contingent d'Égyptiens à l'occasion de la nouvelle campagne contre les Frères musulmans qui aboutit, à l'été 1966, à la pendaison de Sayyid Qotb. À ces réfugiés strictement politiques se mêlent tous ceux qu'attirent les rumeurs de prospérité pétrolière et la puissance des cercles islamiques conservateurs, structurés autour d'institutions riches pourvoyeuses de beaucoup d'emplois. Les Palestiniens religieux, mal à l'aise avec une OLP encore très marquée par le nationalisme arabe et la gauche, à l'instar d'Abdallah Azzam, le futur héraut du *jihad* afghan, croisent des Algériens en délicatesse avec le pouvoir socialiste de Boumediene, comme le doctrinaire Abou Bakr al Jazaïri — auteur d'un vademecum salafiste, *La voie du musulman* (*minhaj al muslim*), best-seller qu'on trouve en pile sur les tables des librairies islamistes d'Afrique du Nord et d'Europe —, et des milliers d'autres barbus de tout poil.

Ils peuplent les bureaux de la Ligue islamique mondiale, ouverte à La Mecque en 1962 pour contrer la réforme nassérienne d'Al Azhar qui en 1961 visait à transformer la vénérable université islamique en une sorte d'annexe de l'université moscovite Patrice-Lumumba. Ils sont employés par la WAMY (*World Assembly of Muslim Youth*), dont le siège est à Djedda, et qui vise à fédérer les organisations de jeunesse islamistes à travers le monde, par des stages communs, des rencontres, des activités caritatives en Afrique pour faire pièce aux ONG chrétiennes. En lien

avec le Koweït, où les Frères musulmans disposent d'un
parti constitué, l'Association pour la réforme sociale
(*jama'at al islah al ijtima'i*), et surtout d'un hebdomadaire, *al
mujtama'* (« la société »), fondé en 1969, qui sert d'organe
international à la mouvance, ils mettent en contact les étudiants, cadres islamistes de demain, au sein de l'IIFSO
(Fédération internationale des organisations estudiantines
islamiques). Cette dernière publie, traduit dans toutes les
langues de l'Oumma, et diffuse à travers le monde les textes
de référence de Sayyid Qotb, de Mawdoudi, de Hassan el
Banna, établissant ainsi les standards d'un corps de doctrine
homogène et universel.

Circulent dans ces cercles et grâce à ces relais et vecteurs, qui bénéficient de la mansuétude américaine au nom
des intérêts supérieurs d'un anticommunisme partagé, les
internationalistes de la mouvance. L'un des plus discrets et
des plus actifs, Saïd Ramadan, Égyptien réfugié à Genève,
est le gendre de Banna et le père des frères prêcheurs hel-
vètes Hani et Tariq Ramadan, futures stars de la prédication en langue française et coqueluches des *talk-shows*
télévisés, de Genève à Casablanca et de Paris à Dakar, au
début du xxie siècle. Greffés sur la rente pétrolière, les
Frères musulmans en sont les bénéficiaires indirects, à la
discrétion du pouvoir saoudien et koweïtien — même si,
dans ce dernier émirat, la présence de Frères autochtones
organisés comme tels leur confère une marge de manœuvre
plus large que dans le royaume. Les Frères étrangers résidant en Arabie jouent de la sorte un double rôle : ils
accompagnent la montée en puissance de la dynastie dans
sa politique islamique mondiale, lui servent de relais, lui
confèrent une valeur ajoutée intellectuelle à une époque où
le wahhabisme n'est pas encore présentable comme produit
d'exportation, en des temps où les codes idéologiques du
tiers-mondisme sont dominants. Par ailleurs, ils poursuivent, à travers les organisations internationales qu'ils
gèrent pour le compte de la dynastie, puis grâce à celles
qu'ils contrôlent directement, et dont ils multiplient les

relais, une politique propre d'expansion universelle tentaculaire, dont les bras se déploieront à terme jusqu'en Occident pour conquérir l'âme des jeunes générations de musulmans immigrés qui s'y sont sédentarisés.

Dans le royaume lui-même, les Frères respectent l'interdit de tout prosélytisme envers les sujets saoudiens qui leur a été signifié. Toutefois, ils contribuent à des cercles de discussion, fréquentent assidûment les *majliss*, ces salons des princes et des riches roturiers où, dans une vaste pièce bordée de fauteuils surdorés que l'humour égyptien épingle comme « style Louis Farouk », circulent les idées et les informations, se concluent informellement les contrats d'affaires, se décident les carrières et se jouent les destins individuels. Discrètement, à la manière des oulémas, ils investissent le champ intellectuel local, publient des ouvrages, et prolongent tout naturellement cette emprise dans le domaine éducatif — rendant ainsi des services — sans enfreindre les consignes qui les tiennent éloignés des chaires des mosquées. Parmi tant d'autres, deux personnages appartenant à cette mouvance jouent un rôle clef dans l'hybridation qui commence, à partir de la fin des années 1960, à exposer la jeune génération saoudienne à l'influence des Frères à côté de celle du wahhabisme traditionnel. Le premier, fort visible, est l'Égyptien Mohammed Qotb, frère de l'idéologue et « martyr » Sayyid Qotb, pendu en août 1966. Le second, infiniment discret, est le Syrien Mohammed Sorour Zayn al 'Abidin — connu aujourd'hui sur les sites islamistes en ligne sous le webname de Soroor, tandis que ses adversaires affublent ses disciples du sobriquet de *sorooriyyin* (« sorouristes ») et ses idées de *sorooriyya* (« sorourisme »).

Mohammed Qotb s'installe en Arabie saoudite après sa libération d'une prison égyptienne, en 1972, au moment où Sadate élargit les Frères musulmans, qui vont servir d'alliés contre les mouvements de gauche. Sans être actif dans l'organisation, il a rédigé quelques ouvrages, dont le plus fameux s'intitule *La* jahiliyya *du xxᵉ siècle*. Il glose et

précise le sens de ce terme, qui évoque la période dite
d'« ignorance » prévalant en Arabie avant la révélation islamique. Son frère Sayyid en a fait le critère pour juger le
monde contemporain, l'aune à laquelle mesurer les pays
véritablement islamiques pour les distinguer de ceux qui,
musulmans de façade, sont en réalité impies. Dans un
contexte où le débat sur la signification des livres de Sayyid
Qotb fait rage, où sa pensée est annexée par les idéologues
du *jihad* les plus radicaux et rejetée comme « extrémiste »
par les Frères musulmans les plus rangés, Mohammed Qotb
s'emploie à « arrondir les angles », signifiant aux lecteurs
que son pays d'accueil ne saurait être compté au nombre
des États musulmans de pure apparence que stigmatise le
label infamant de *jahiliyya*. Continuateur de la pensée de
son frère, il s'efforce de la maintenir dans le corps de doctrine des Frères musulmans, contre ceux qui voudraient l'en
exclure, tout en la détachant des interprétations les plus violentes promulguées par les jeunes exaltés qui se proclament
« qotbistes » (*Qotbiyyin*). À cette fin, il préside à l'entreprise de réédition et diffusion des livres de ce dernier, proscrits dans la plupart des pays arabes à l'époque, en
particulier *Signes de piste* (*Ma'alim fi-l tariq*), qui servira de
manifeste, de « Que faire ? », à l'islamisme radical du dernier quart du xxᵉ siècle. Il en certifie l'authenticité, dans un
marché du livre arabe où le droit d'auteur est foulé aux
pieds, où les éditeurs coupent, caviardent, glosent à loisir et
à contresens — l'auteur de ces lignes l'a constaté lui-même
lorsqu'il lui est arrivé de découvrir, vendues sur les trottoirs
du Caire, les traductions arabes « pirates » de ses propres
livres.

Dans le cas de Sayyid Qotb, l'affaire revêtait une
grande importance politique, et les éditions arabes de
Signes de piste, notamment, divergent les unes des autres,
occultant ou mettant en exergue tel passage ou tel chapitre
en fonction du but recherché par ceux qui manipulent le
texte. Tout en révisant les écrits de son frère, en limant
leurs aspérités avant de les confier à l'éditeur Mohammed al

Mu'allim, responsable de la maison libano-saoudienne Dar al Shorouk, Mohammed Qotb poursuit une œuvre prudente où il s'efforce de concilier la doctrine des Frères avec le salafisme prédominant dans son pays d'accueil. Son aura propre, son patronyme attirent néanmoins ceux qui désirent goûter à des idées plus roboratives que la prédication wahhabite, recherchent l'affrontement entre islam et *jahiliyya*, sont avides d'en découdre avec la laïcité, le socialisme, l'Occident, etc., en utilisant des arguments « modernes ». Il obtient un poste de professeur à l'université islamique Umm al Qura, à La Mecque, et attire autour de lui des étudiants recherchant pareille inspiration.

La Mecque est le débouché naturel du 'Asir voisin, la région pauvre et escarpée à laquelle la relie la nationale 15 — qu'empruntera l'un des élèves les plus fameux de Mohammed Qotb, Safar al Hawali, originaire de la bourgade de Hawala, dans la tribu des Ghamdi, à un jet de pierre de la route. Né en 1950, ce dernier, qui soutient sa maîtrise sur (ou plutôt contre) la laïcité et sa thèse, en 1986, sous la direction de Mohammed Qotb, sur (contre) l'*Irja'* (littéralement le « retardisme » religieux) dont sont accusés les grands oulémas wahhabites, comme l'on verra en détail, fait une telle impression lors de la soutenance que son directeur déclare publiquement que l'élève a dépassé le maître. Il deviendra l'une des deux principales figures de la *sahwa* (le « réveil » islamiste des années 1990 en Arabie qui mêle wahhabisme radical et filiation qotbiste), se rendant célèbre, dès 1985, par l'« école du dimanche » qu'il anime chaque semaine dans une mosquée proche de l'université de Djedda, après la prière de l'après-midi, où il attire une foule d'étudiants de la frange côtière du royaume, tandis que sa parénèse touche le reste de la péninsule par voie de cassettes enregistrées. L'autre personnage, dont le nom est toujours accolé au sien, et dont le destin suivra un cours parallèle jusqu'au début des années 2000, est Salman al 'Auda. Né en 1955 d'une famille aisée, dans une bourgade proche de la ville de Burayda, métropole du Qasim, une

vaste oasis du Nejd septentrional, et connue pour son rigorisme religieux, il a grandi dans le milieu où enseigne
Mohammed Sorour.

Frère musulman syrien, celui-ci a vu le jour en 1938
dans le Hauran, en Syrie méridionale, une région frontalière de la Jordanie — « frontière artificielle au cœur de
l'Oumma tracée par le colonialisme franco-britannique au
moment des accords Sykes-Picot », rappela-t-il à l'auteur
venu lui rendre visite dans son exil londonien en 2003, avant
de le morigéner pour s'être fait préciser s'il s'agissait bien
du Djebel Druze. « C'est une région arabe mise en valeur
par des tribus arabes venues d'Irak ; le Djebel Druze n'est
qu'un nom inventé par le Mandat français pour diviser les
Arabes et les musulmans. » Militant dès son adolescence, il
entreprend à l'université de Damas des études juridiques
qu'il n'achèvera pas. En 1965, à vingt-sept ans, deux ans
après que le parti Baas laïque et socialiste a assuré son
emprise définitive sur la Syrie, à une époque où les Frères
sont doublement pourchassés comme religieux et réactionnaires, il se réfugie à Burayda. Il y passe huit années, pendant lesquelles il enseigne la religion et les matières affines
dans les « instituts scientifiques » de cette localité, une sorte
d'instance qui mêle, dans le désert éducatif saoudien de
l'époque, l'instruction des enfants et les cours du soir des
moins jeunes, et où il n'est pas besoin de doctorat pour pro-
fesser. Il y répandra ainsi son magistère simultanément
auprès de générations diverses.

En 1968, il quitte, selon ses dires, l'organisation des
FM, et organise sa voie propre, se réclamant d'un salafisme
dans lequel l'ambition politique des Frères, s'emparer du
pouvoir pour appliquer la *chari'a*, la loi islamique, grâce à la
puissance de l'État, reste présente. En 1973, il est prié de
quitter le royaume pour des raisons sur lesquelles il maintient le silence — mais que ses écrits, très critiques sur la
compromission des religieux wahhabites envers le pouvoir
des Saoud, explicitent sans mal. Passant ensuite onze
années au Koweït, il devient l'un des rédacteurs de la revue

al mujtama', qui sert à l'époque d'organe international aux Frères musulmans, manifestant ainsi qu'il demeure un compagnon de route. En 1984, il gagne Londres, où il demeure jusqu'à ce jour. Pour qui vient rendre visite à ce père tranquille dans sa *semi-detached house* anglaise, dans le nord de l'agglomération londonienne, vêtu d'une djellaba damascène passée sur des caleçons de flanelle pour se prémunir de la froide humidité britannique, le menton orné d'une longue barbe grise (l'ordinaire des salafistes et non des Frères) et qui fait très courtoisement les honneurs d'un repas syrien, pris à même le sol, selon des manières de table directement inspirées de la norme édictée par le Prophète, il est difficile de comprendre le bruit et la fureur que déclenchent sur le Web ses écrits. Sorour n'a pas souvenir d'avoir compté Salman al 'Auda au nombre de ses élèves directement, mais il y a tout lieu de penser que celui-ci, qui a fréquenté les « instituts scientifiques » de Burayda pendant son adolescence, s'y est nourri de l'hybridation entre salafisme et doctrine propre aux Frères que Sorour y a expérimentée — et que l'on retrouvera dans la pensée et l'action du jeune cheikh de la *sahwa*, moins « intellectuel » que son aîné Hawali, mais excellent orateur et activiste efficace.

La première moitié des années 1980 est une époque de bouillonnement religieux dans le royaume. Après l'attaque de la Grande Mosquée de La Mecque en 1979, le pouvoir réagit de deux manières. À l'encontre des plus radicaux, il a adopté une répression sans merci, traduite par soixante-quatre décapitations. Les autres conjurés ont été incités à partir étancher immédiatement leur soif de *jihad* en Afghanistan, où débute alors la guerre contre l'Armée rouge. Ces héritiers de Juhayman al 'Utaybi, qui poussent à l'extrême la doctrine wahhabite et veulent raviver la violence jihadiste originelle qui avait permis l'expansion simultanée de la prédication rigoriste et du royaume saoudien, sont qualifiés par les observateurs de « néosalafistes ». Ils sont alors imperméables à l'influence des Frères musulmans en général et des frères Qotb en particulier, car ceux-ci ne comptent pas parmi les oulémas, les clercs patentés, et n'ont donc pas qualité à se prononcer sur les valeurs centrales de la société. Le séjour en Afghanistan favorisera par la suite des rapprochements entre ces deux filiations, notamment après la fusion entre Oussama Ben Laden et Ayman al Zawahiri en 1986.

Autant le pouvoir a exécuté ou poussé à l'exil les « néosalafistes » qui représentaient un danger immédiat, autant il ouvre, en contrepartie, un grand espace aux militants, idéologues et prédicateurs de la *sahwa*, de « l'éveil ». Safar al Hawali et Salman al 'Auda en sont les porte-drapeaux, avec une pléthore d'autres jeunes activistes, 'Aïd al Qarni, Mohsen al 'Awaji, Abd al Aziz al Qassim.

Ils prêchent et écrivent librement, alors même que leurs propos trahissent, pour la première fois avec cette ampleur, l'influence de la pensée des Frères musulmans et des frères Qotb dans la jeune génération saoudienne. Le gouvernement, qui avait jusqu'alors veillé à maintenir le clivage entre Frères, tous étrangers, et Saoudiens, en principe wahhabites, doit soudain s'accommoder d'une situation nouvelle ; il y voit un contrepoids utile à l'extrémisme des « néosalafistes » dans les rangs des nationaux. Ni le roi Khaled — au contraire de son prédécesseur Faysal — ni Fahd, qui lui succède en 1982, n'ont la réputation de piété nécessaire pour endiguer le phénomène par leur seule exemplarité, malgré la nouvelle titulature que ce dernier se choisit en 1986 à cette fin, en substituant l'appellation honorifique de « Desservant des deux sanctuaires » (*khadem al haramain*) de La Mecque et Médine, à celle de « Majesté ».

En contrepartie de l'appui qu'apporte la *sahwa* pour raffermir la légitimé religieuse de la dynastie, ces idéologues et doctrinaires obtiennent que la prédication religieuse, la morale, notamment la multiplication des interdits touchant la vie sociale des femmes, la mainmise générale sur le système éducatif redoublent d'intensité. Conformément à la tradition qui remonte aux fondements de l'alliance entre famille royale et religieux en Arabie saoudite, ces derniers, en cette période de crise, sont propulsés sur le devant de la scène et tirent profit de pareille situation pour pousser leur avantage. Toutefois, les années 1980 marquent une inflexion notable dans ce processus : jusqu'alors, les religieux mobilisés pour rétablir l'ordre moral se recrutaient exclusivement parmi la filière wahhabite, que celle-ci appartienne au lignage des descendants d'Abd Al Wahhab, les Al Sheikh, ou parmi les clercs formés dans leur entourage. Or, pendant la décennie 1980, pour la première fois, la dynastie laisse occuper le champ religieux par des acteurs qui ne sont pas exclusivement wahhabites, en la personne de ces prédicateurs hybrides, les jeunes militants de la *sahwa*, dont le salafisme est mâtiné par la pensée qotbiste, et dont les allégeances se situent ailleurs que dans le pacte constitutif du royaume saoudien.

On peut supposer que le pouvoir a pris ce risque pour deux raisons : tout d'abord, le principal danger rencontré en 1979, à l'occasion de l'assaut et de l'investissement de la Grande Mosquée de La Mecque par Juhayman al 'Utaybi, venait de wahhabites ultras, liés — quoi que celui-ci pût en dire — au doyen de l'Instance des grands oulémas, le cheikh Ibn Baz. Sur le milieu comme tel pesait quelque suspicion, et il n'était pas mauvais de lui susciter un peu de concurrence, ne serait-ce que pour mieux l'inciter à rentrer dans le rang en temps opportun. Ensuite, à l'heure où la révolution iranienne enflammait les esprits dans la région, mêlant dans son discours un vocabulaire traditionnel issu du corpus chiite ancien à une syntaxe moderne à caractère tiers-mondiste et anti-impérialiste, il était impératif de disposer, dans l'islam saoudien, d'un argumentaire également moderne opposable aux assauts verbaux lancés depuis Téhéran contre Riyad — dépeint par les mollahs révolutionnaires comme un laquais des États-Unis. Cela d'autant que l'explosion démographique que connaissait le royaume grossissait les cohortes de *chebab*, ces jeunes assoiffés d'idées nouvelles, que le prêchi-prêcha wahhabite ne semblait plus guère, à lui seul, capable d'abreuver. Il fallait leur offrir, dans l'urgence, une vision et un discours propres à éviter l'implosion d'un système social soumis à de fortes tensions consécutives à la fabuleuse manne pétrolière qui s'abattait sur les pays producteurs — et dont la gestion politique déficiente par le régime du chah d'Iran avait tôt fait d'emporter celui-ci.

De la sorte, le royaume s'engage à la suite des événements de 1979 (prise de La Mecque, révolution iranienne et invasion de l'Afghanistan par l'Armée rouge) dans l'une de ces phases récurrentes de réislamisation contrôlée destinées à parer aux turbulences. Il multiplie les affichages de la piété et investit une part importante de la rente pétrolière en primes d'assurance politico-religieuse, tandis que les plus turbulents des barbus ont été évacués sur le théâtre fort opportun du *jihad* afghan. Mais en laissant la bride sur le cou aux jeunes prédicateurs de la *sahwa*, le pouvoir saoudien ouvre le champ religieux à la concurrence. Celle-ci tournera bientôt à une surenchère à la radicalisation, qui mettra de nouveau le système en péril lorsqu'il lui faudra affronter une autre menace majeure : l'invasion du Koweït par l'Irak le 2 août 1990 et le stationnement des troupes de Saddam Hussein sur la frontière saoudienne, à portée d'infanterie des champs de pétrole de la province orientale. Ces deux données contraignent le roi Fahd à solliciter, le 7 août, en application du gentleman's agreement conclu le 14 février 1945 sur le *Quincy* entre son père le roi Abd al-Aziz et le président des États-Unis Franklin D. Roosevelt, l'intervention des troupes « infidèles » de la coalition menée par Washington qui stationneront dans le royaume. À cette occasion, le champ religieux saoudien est soumis à des tensions terribles, les idéologues de la *sahwa* entrent en dissidence ouverte, tandis que l'establishment wahhabite, forcé d'approuver par une *fatwa* cette décision, demande pour prix de son soutien au pouvoir, et au nom de l'islam, de nouvelles mesures de contrôle social. Elles précipitent le royaume dans la fuite en avant vers une islamisation sans fin, qui aboutit à inhiber de larges pans de la décision politique et rend la dynastie otage de ses religieux.

Pour bien comprendre ce processus complexe — qui aura des conséquences majeures à l'extérieur du royaume, car l'émergence d'Oussama Ben Laden comme figure d'opposant date de ce moment —, il faut situer précisément les termes du débat puis du conflit interne qui agitent le champ religieux saoudien et mènent à son implosion, libérant des forces qui avaient été canalisées pendant les années 1980. En permettant aux idéologues de la *sahwa* de s'exprimer publiquement et d'effectuer leur prosélytisme en milieu saoudien autochtone, le pouvoir espère que ceux-ci, d'ores et déjà issus d'une frange estudiantine locale touchée par le message propre à la filière qotbiste des Frères, se rangeront au service des intérêts de la dynastie. Or, les fondements doctrinaux sur lesquels se bâtit la *sahwa* lui interdisent de contracter pareille alliance. Cela est clairement perceptible dès lors que l'on analyse les deux objectifs que se fixe ce courant et qui le distinguent : la lutte contre l'*Irja'* et la promotion de la *hakimiyya*.

L'exposition et la réfutation de l'*Irja'* constituent l'objet de la thèse de Safar al Hawali soutenue en 1986, dont le texte, popularisé à travers d'innombrables prêches et cassettes audio, bénéficie, avec la révolution de l'Internet pour tous à la fin des années 1990, d'une vaste diffusion sur la Toile — avant de se voir réfutée à son tour, à grands coups de fatwas électroniques, et dépecée dans les sites en ligne des wahhabites grand teint. Elle s'intitule *Le phénomène de l'*Irja' *dans la pensée islamique* (*Zahirat al Irja' fi-l Fikr al-Islami*). Il s'agit au départ d'un débat assez obscur propre aux polémiques qui agitèrent le monde des oulémas et docteurs de la loi islamique médiévaux, mais qui devient, sous la plume de Safar al Hawali, une terrible arme de guerre indirecte contre les grands oulémas wahhabites contrôlant le champ religieux du royaume. L'*Irja'* est une attitude blâmable, selon la doctrine islamique, qui consiste à reporter à plus tard la mise en conformité de ses actions

avec les injonctions de l'islam ; pour ceux qui sont stigmatisés comme coupables d'*Irja'*, les *Murji'a*, personne ne se
targuant de cette qualification infamante, la pureté de la foi
ne saurait être mise en cause par les œuvres. À l'origine,
cette attitude est apparue lorsque des conflits essentiels
affectèrent l'islam naissant, entre la secte des Kharijites (qui
taxaient d'impiété tous ceux, compagnons du Prophète
inclus, qui n'appartenaient pas à leur groupe), les chiites,
qui donnaient au gendre du Prophète, Ali, un statut supérieur à tout autre, et la majorité des musulmans — ou sunnites — ralliés aux califes successeurs de Mohammed à la
tête de la Communauté des Croyants, après la mort de
celui-ci en 632. Les *Murji'a* refusèrent de prendre parti
entre les différentes factions politiques, reportant à plus
tard ou « retardant » leur avis, afin de maintenir autant que
possible l'unité des croyants face aux ennemis de l'islam.
Cette attitude, qui se fondait sur une logique de conserva-
tion de l'Oumma, la communauté, fut rétrospectivement
condamnée par tous ceux qui avaient d'emblée embrassé
une cause particulière, que celle-ci eût triomphé ou perdu.
La majorité sunnite dénonça les *Murji'a* comme des traîtres
et des opportunistes, les accusant de dissocier la foi des
œuvres, de donner un blanc-seing à toute autorité sans
questionner au préalable la validité de ses fondements islamiques. Les Kharijites, qui constituaient une minorité de
fanatiques pourchassés par les sunnites, et excommuniaient
systématiquement tous ceux qui se disaient musulmans mais
ne se conformaient pas aux injonctions du dogme de
manière rigoriste, voyaient pour leur part dans les *Murji'a*
l'incarnation de l'islam tiède, voué à tous les compromis et
compromissions, dont les tenants devaient être passés au fil
de l'épée.

Dans sa thèse et les divers textes qu'il en tire ultérieurement, Safar al Hawali se drape dans la tradition de la
majorité sunnite, grands auteurs à l'appui, pour exposer
l'hérésie des *Murji'a* à travers l'histoire du monde musulman, tout en ayant à l'esprit ceux qu'il accuse d'en être les

continuateurs contemporains. Ils ne sont nommés qu'au détour d'une phrase ou d'une note infrapaginale, pour des raisons politiques évidentes, afin d'éviter de donner prise à la répression, mais sont visés les grands oulémas wahhabites qui placent la sauvegarde de la dynastie des Saoud avant toute critique contre celle-ci au nom des préceptes qui veulent que la souveraineté (*hakimiyya*) revienne à Allah seul, et non à des hommes, qui l'auraient usurpée. Or, cette lecture de l'islam qui fait de la *hakimiyya* le critère de distinction par excellence entre État islamique d'une part et État impie (ou *jahiliyya*) de l'autre est étrangère à la tradition wahhabite, et directement issue des textes des frères Qotb, eux-mêmes inspirés en ce domaine par l'idéologue islamiste pakistanais Mawdoudi (décédé en 1979). Sousjacente à la *sahwa* qui se diffuse avec la bénédiction du pouvoir saoudien dans les années 1980, il y a l'idée que ce même pouvoir ne gouverne pas selon la *hakimiyya* divine mais en fonction du caprice de la dynastie et de ses intérêts financiers et politiques particuliers ; plus grave encore, il est rappelé que ceux qui ne gouvernent pas selon ce qu'Allah a enjoint sont des impies (*kafirin*). Cette constante du discours islamiste radical prend tout son sens dès lors qu'elle est formulée dans une thèse produite sous l'égide de l'université de La Mecque : elle représente une épée de Damoclès pour le pouvoir, mais celui-ci ne s'estime apparemment pas menacé par un propos qu'il pense contrôlable.

Jusqu'au 7 août 1990, la monarchie est auréolée de légitimité islamique par le soutien ostensible apporté à la cause du *jihad* afghan. Elle est aussi soulagée par l'épuisement graduel de la révolution iranienne ; après que Téhéran a réussi à perturber gravement le pèlerinage à La Mecque par des manifestations causant plusieurs centaines de morts, le pouvoir des mollahs est affaibli par la guerre contre l'Irak de Saddam soutenu par les monarchies arabes et l'Occident, et Khomeyni doit signer en juin 1988 un armistice. La dynastie se considère assez forte pour laisser persister, dans le champ religieux du royaume, prédicateurs de la *sahwa* et oulémas wahhabites traditionnels, ce qui lui permet de réduire sa dépendance envers ces derniers en organisant la concurrence entre ces deux courants. Avec la décision du roi Fahd d'en appeler aux armées « infidèles » le 7 août, tandis que les troupes de Saddam, n'ayant fait du Koweït qu'une bouchée, sont massées à la frontière saoudienne, tout l'équilibre entre pouvoir et religieux se trouve bouleversé. Le monarque a, dans l'urgence, besoin que ces derniers cautionnent une initiative heurtant le sentiment fort répandu, et encouragé par la dynastie, que le royaume est un sanctuaire islamique, en aucun cas un champ de bataille où se déploient des armées « impies ». Un dit du Prophète, attesté par la tradition, prononcé sur son lit de mort, aurait enjoint, comme on l'a mentionné ci-dessus : « Expulsez les juifs et les chrétiens [ou les "associateurs", *mushrikin*] de la péninsule Arabique. » Même si les casuistes débattent pour déterminer ce que recouvre au juste l'expression « péninsule Arabique », il est impératif que des oulémas respectés se portent garants au lendemain du 7 août 1990. Ibn Baz avait eu, dans les années 1940 déjà, matière à conflit à ce propos avec le roi Abd al-Aziz, comme on l'a noté plus haut. Cela lui donne tout naturellement la crédibilité nécessaire pour justifier la décision du roi — si celui-ci parvient à le convaincre.

Toutefois, avant même que les oulémas ne donnent leur avis, un événement tout à fait étonnant a lieu — qui a été relaté, mais point apprécié à sa juste mesure. Le prince Sultan, ministre de la Défense et frère utérin du roi, reçoit Oussama Ben Laden. Replié dans le royaume depuis le début de l'année, privé de passeport et en délicatesse avec le pouvoir, notamment après l'assassinat non élucidé, à Peshawar, en novembre 1989, d'Abdallah Azzam, le héraut palestinien du *jihad* afghan et l'un des principaux relais du pouvoir saoudien dans le monde interlope des jihadistes internationaux, Ben Laden aurait proposé d'aligner ces derniers sur la frontière saoudienne face aux divisions blindées de Saddam Hussein l'« apostat » (en référence à l'idéologie laïque, à l'origine, du parti Baas au pouvoir à Bagdad). Le plus surprenant n'est pas le refus du prince Sultan — qu'on imagine à la fois peu désireux de devoir la défense du royaume à d'infréquentables jihadistes, et dubitatif sur les capacités militaires de ceux-ci — mais le fait que le ministre saoudien de la Défense, à un moment de crise aussi aiguë, trouve le temps de recevoir Ben Laden. L'absence d'accord entre les deux interlocuteurs ouvre la fissure interne à la mouvance islamiste : elle libérera de toute attache le courant jihadiste radical dont le terrorisme qui ravage la planète au tournant du siècle est la conséquence directe.

Dans un premier temps, la cohabitation organisée pendant les années 1980 à l'intérieur du champ religieux saoudien entre jeunes idéologues qotbo-salafistes de la *sahwa*, derrière Safar al Hawali et Salman al 'Auda, et oulémas de l'establishment wahhabite vole en éclats. Dans l'urgence, la dynastie se retourne vers ces derniers, ses soutiens traditionnels, les seuls à accepter, en traînant les pieds et en demandant d'importantes compensations, d'apporter leur caution islamique à la venue sur le sol saoudien des troupes de la coalition sous commandement américain. Le cheikh Ibn Baz et l'Instance des grands oulémas émettent à cette fin deux fatwas : la première le 14 août, qui autorise le stationnement des troupes de la coalition sur le sol sacré saoudien (correspondant à l'opération Bouclier du désert), la seconde en janvier 1991, qui légitime la participation des soldats musulmans à l'offensive contre l'Irak (opération Tempête du désert). Cela discrédite l'establishment wahhabite officiel aux yeux des trublions excités par les prédicateurs de la *sahwa*. Ce clivage majeur ne fera que s'accentuer tout au long de la décennie. Il est marqué par trois étapes. Une première offensive des militants se traduit par la mise en cause du pouvoir, à travers deux pétitions de mai 1991 (« Lettre de réclamations ») et mars 1992 (« Mémorandum d'admonestation »), qui vont crescendo — la seconde sera condamnée par l'Instance des grands oulémas — et demandent, derrière l'islamisation complète de la législation, que la dynastie rende des comptes. Le pouvoir, également critiqué par le courant libéral, notamment par des femmes saoudiennes qui, rompant un tabou, prennent le volant et se voient réprimer pour complaire aux oulémas, crée un « conseil consultatif » (*majliss al shoura*) nommé, dont de nombreux membres ont été formés en Occident.

La deuxième étape se caractérise par la répression : tandis que se constitue, en exil à Londres, un groupe d'opposants, qui met à profit l'ignorance des journalistes occidentaux pour se présenter à eux en anglais sous les traits d'un Comité pour la défense des droits légitimes (CDLR) soucieux de droits de l'homme tandis que le sigle comme l'activité en arabe sont consacrés à promouvoir l'application de la *chari'a* tous azimuts, les principaux activistes de la *sahwa* sont incarcérés — l'arrestation de Salman al 'Auda à Burayda suscite presque une émeute. Ils demeureront sous les verrous entre 1994 et juin 1999, date à laquelle Hawali et 'Auda sont élargis. En 1994, Ben Laden, en exil depuis quatre ans et résidant au Soudan, est déchu de sa nationalité saoudienne, et deux attentats — imputables, en l'état actuel d'informations sujettes à caution, à la mouvance des salafistes radicaux influencés par le *jihad* afghan — sont commis à Riyad en novembre 1995 et au camp américain d'al-Khobar en juin 1996, dans la zone pétrolière. Cette seconde période de répression correspond aux deux proclamations de Ben Laden, la « déclaration de *jihad* contre les Américains occupant la terre des deux lieux saints » du 23 août 1996, et celle du « Front islamique international contre les juifs et les croisés », appelant à tuer les Américains partout sur la planète, cosignée avec Zawahiri et quelques autres, en février 1998. Elle est enfin marquée par le premier de la longue série d'attentats commis par la nébuleuse Al Qa'ida et revendiqué ultérieurement comme tel, dans lequel sont impliqués et arrêtés des proches de Ben Laden : la double explosion des ambassades américaines à Nairobi, au Kenya, et à Dar es-Salaam, en Tanzanie. Par-delà l'horreur qu'ils suscitent, ces attentats, qui font plus de deux cents morts et de cinq mille blessés, dont une grande majorité de Kényans et de Tanzaniens, outre douze Américains, revêtent une valeur symbolique extrême. Ils ont en effet lieu le 7 août 1998, date anniversaire du jour où le roi Fahd appela les troupes américaines sur le sol saoudien. Ils commémorent cette rupture inaugurale, où se brise l'agrégat de toutes les tendances de la coalition islamiste, permettant le jaillissement terroriste du salafisme-jihadisme devenu autonome qui mettra en application les théories longuement mûries par Ayman al Zawahiri et s'en ira frapper l'« ennemi lointain », jusqu'à New York, Bali et Madrid.

La troisième étape qui s'ouvre après la libération des porte-drapeaux de la *sahwa* à l'été 1999 fait immédiatement suite à la mort d'Ibn Baz en mai de cette année. Il était devenu au début de la décennie le grand mufti d'Arabie saoudite, et la principale figure, avec le cheikh Mohammed Ibn Otheimin (décédé deux ans plus tard, en janvier 2001), d'un wahhabisme institutionnalisé, mais qui conservait, du fait de l'immense érudition des deux personnages, de leur réputation d'intransigeance, une aura et un prestige dans la population. Le pouvoir saoudien se trouve alors face à un vide car il n'existe pas, dans le monde du clergé wahhabite *stricto sensu*, de grande figure qui puisse servir de point d'appui religieux à la famille Saoud, tout en donnant le change à la masse des croyants grâce à son magistère ou sa notoriété. Le mufti qui succède à Ibn Baz, Abdallah Abd al Aziz Al Sheikh, issu du lignage d'Adb al Wahhab, ne dispose pas d'une autorité comparable.

La famille Saoud elle-même connaît un problème majeur d'exercice du pouvoir, car le système successoral mis en place par le roi fondateur Abd al-Aziz touche désormais à ses limites. Celui-ci, en effet, avait enfanté un très grand nombre de fils, nés de dizaines d'épouses, issues souvent des tribus qui avaient fait allégeance. Contractant mariages et divorces avec celles-ci à un rythme soutenu pour assurer une large rotation génétique sans enfreindre les règles de la *chari'a*, qui établissent un plafond de quatre femmes simultanément, il avait ainsi construit, entre ses fils, un réseau étendu et solidaire de frères et demi-frères, une famille très large, suffisamment forte pour contrôler le système politique, et disposant en contrepartie d'un accès privilégié à la rente pétrolière. La transmission latérale de la succession garantissait la perpétuation de cette large assise, faisant primer la solidarité entre frères issus de lits variés sur la recherche du pouvoir individuel par un monarque désireux de voir ses propres enfants lui succéder.

Depuis la mort d'Abd al-Aziz, en 1953, se sont succédés sur le trône quatre de ses fils — cinq si l'on inclut le prince héritier Abdallah, gouvernant *de facto* le royaume — : Saoud, Faysal, Khaled et Fahd, ce dernier monté sur le trône en 1982, et frappé d'une embolie en 1996. Fahd a pour frères utérins six princes, dont Sultan, ministre de la Défense, Nayef, ministre de l'Intérieur, Salman, sexagénaire respecté, gouverneur de Riyad. Sultan est le prince héritier d'Abdallah, lequel n'a pas de frères utérins. Si Fahd mourait avant Abdallah, rien n'empêcherait ce dernier, en fonction du rapport de forces prévalant alors au sein de la fratrie des fils d'Abd al-Aziz, de choisir un autre héritier. Si Abdallah décédait le premier, le cœur du pouvoir demeurerait sous contrôle des Sudayri, c'est-à-dire des frères utérins de Fahd. À cela s'ajoute le grand âge de bon nombre des princes, dont Sultan lui-même. Le système politique inventé par le roi fondateur est frappé d'une sorte de syndrome de Tchernenko qui le nécrose et prohibe le renouvellement des générations au sommet du pouvoir. De plus, toute infraction à la règle de répartition de celui-ci, toute tentative d'accaparement par un sous-clan particulier de frères utérins, voire toute velléité de forcer le passage du relais à la génération des petits-enfants d'Abd al-Aziz — cela traduirait *ipso facto* la captation du pouvoir par le lignage qui y parviendrait — expose le pacte familial à l'implosion due au mécontentement de ceux qui seraient alors brutalement laissés pour compte. Au début du XXIᵉ siècle, le « système Saoud » se trouve ainsi pris entre l'impératif de son unité, au risque d'une sclérose et d'un vieillissement fatals, et l'urgence de sa modernisation, au risque de saper la domination absolue de la famille sur le pays et son contrôle primordial sur la rente pétrolière. Ce dilemme ne met pas la famille en position de force lorsqu'elle renégocie l'alliance avec les religieux wahhabites, fondatrice de sa légitimité à gouverner. Il est au contraire propice à la réification de « clans » qui recherchent des alliances extérieures (parmi les roturiers, la masse, les puissances étrangères, et éventuellement certains activistes) et fourbissent leurs armes, établissent leurs réseaux, dans l'attente du jour où la vacance annoncée en haut lieu permettra aux mieux préparés de faire prévaloir leur candidat.

Ce flottement et ces incertitudes pesant sur les sommets du pouvoir se sont illustrés par la situation curieuse qui veut que le roi en titre, Fahd, diminué par la maladie et incapable de gouverner, conserve toutefois son statut, ce qui renforce la position du groupe de ses frères utérins, tandis que le prince héritier Abdallah n'a pas accès au titre de roi bien qu'il en exerce les fonctions, et se trouve ainsi limité dans nombre de ses prérogatives et initiatives. Décisions et réformes, dans un pareil contexte, sont complexes à prendre ou entreprendre, demandent que les longues procédures d'un consensus préalable entre membres dominants de la famille aient été épuisées. Ensuite seulement, on se lance dans l'action. Cette pratique remonte à la tradition tribale bédouine, et est vantée par ses défenseurs comme la garantie de mise en œuvre solidaire et efficace d'une décision longuement mûrie et pesée. Toutefois, dans un contexte national et international où les tensions dans lesquelles est prise la monarchie suscitent face à elle des adversaires très rapides et imaginatifs — qu'il s'agisse des islamistes radicaux de la filière Ben Laden ou des cercles néoconservateurs antisaoudiens les plus véhéments de Washington et de leurs relais en Israël —, ce mode opératoire représente un handicap. Et cela d'autant que le consensus censé résulter de la lenteur de la prise de décision n'est plus atteint, que la proximité des échéances dues à l'âge du roi et du prince héritier, tous deux octogénaires, favorise les manœuvres de clans antagoniques contrôlant chacun un domaine de l'État. Ainsi, les arrestations d'opposants auxquelles procèdent les services du prince Nayef, ministre de l'Intérieur, paraissent mettre devant le fait accompli le prince héritier, qui a rappelé à une délégation venue lui remettre une pétition pour la réforme, en janvier 2003, que les arbitrages politiques en ce domaine ne relevaient pas exclusivement de lui.

C'est cette famille régnante âgée et divisée qui doit renouveler le pacte la liant aux religieux, à l'occasion de la mort des deux figures du wahhabisme, Ibn Baz et Ibn Otheimin, eux-mêmes fort chenus, au tournant du siècle, dans un contexte où la survenue des attentats du 11 septembre est suivie d'accusations fusant de toutes parts contre le système politique du pays d'où sont issus quinze des terroristes, tenu pour responsable par impéritie, sinon pour coupable. Le pouvoir saoudien est sur la sellette, et ses contraintes internes pèsent alors lourdement sur ses capacités de répondre aux défis.

Un profond chantier de réformes est mis en œuvre, lentement, par le prince héritier ; il a pour objet d'associer, sous une forme encore très contrôlée, certains secteurs de la société civile à la prise de décision politique et au pouvoir. Traduit dans le rapport avec les religieux, l'axe fondateur du pacte entre les deux familles, Al Saoud et Al Sheikh, entre dynastes et wahhabites, s'élargit pour intégrer les militants de la *sahwa* fraîchement sortis de prison, dans l'espoir de coopter ceux-ci tout en modérant leurs propos, et de contrôler par leur biais les secteurs les plus turbulents. Simultanément, il émerge, face à l'extrémisme terroriste, au sein de la société civile saoudienne, une tentative de rapprochement entre « islamistes modérés » et « libéraux », qui s'exprime à travers une série de pétitions, faisant pression en faveur de réformes plus audacieuses — dont l'objet final est de limiter l'emprise de la famille régnante et de contrôler la répartition discrétionnaire de la rente pétrolière. Le pouvoir, en retour, s'efforce d'encadrer ces initiatives en leur offrant un cadre institutionnel nouveau, à l'instigation du prince héritier : les « conférences du dialogue national », dont la première a lieu en mai 2003.

Après leur sortie de prison à l'été 1999, les deux principales figures de la *sahwa*, Safar al Hawali et Salman al 'Auda, dont les noms étaient toujours accolés, commencent à suivre chacun leur voie. Le second se montre relativement sensible aux ouvertures du pouvoir. Apparaissant fréquemment à la télévision, notamment sur la chaîne satellitaire de Dubaï Al 'Arabiyya (financée par des capitaux saoudiens), animant des « téléthons » pour lever des fonds en faveur des familles de « martyrs » palestiniens de la seconde Intifada (suscitant l'ire américaine), il jette la gourme de son extrémisme qotbiste et présente un profil de plus en plus acceptable pour occuper l'espace laissé vide par la disparition d'Ibn Baz et Ibn Otheimin. Mais sa relative jeunesse (il a quarante-cinq ans en 2000), sa faible renommée en sciences religieuses (il n'obtient son doctorat en cette matière que dans les premiers mois de 2004), ne lui confèrent pas l'autorité d'un Ibn Baz : son site en ligne, *al islam al yawm* (« L'islam aujourd'hui ») est bientôt surnommé par ceux qui voient d'un mauvais œil ses compromissions avec le pouvoir *al istislam al yawm* (« La capitulation aujourd'hui ») — jeu de mots sur la racine arabe SLM, qui connote le concept général de soumission (à Allah dans le cas de l'islam). Cette évolution est très visible à partir d'octobre 2001, quand, sur son site en ligne, Salman al 'Auda condamne sans appel les attentats aux États-Unis, avant de se définir comme un rempart face à l'extrémisme et au terrorisme. Par la suite il joue un rôle central dans l'élaboration du manifeste *Comment nous pouvons coexister*, paru en mai 2002 et rédigé, avec des libéraux et des laïques, en réponse au manifeste d'intellectuels américains défendant la politique des États-Unis au Moyen-Orient, la guerre contre les Talibans et l'offensive annoncée contre l'Irak au nom de la promotion des idéaux démocratiques dans la région et de l'émancipation de la société civile.

Safar al Hawali, en octobre 2001, condamne à son tour le terrorisme, mais ne voit là qu'une déviance blâmable dans le cadre d'une juste guerre des civilisations entre islam et impiété, formulée en des termes comparables à ceux de Samuel Huntington, mais inversés. S'il signe à son tour le manifeste sur la coexistence, il conserve une attitude beaucoup plus distanciée que son compère 'Auda envers les appels du pied du pouvoir. Figure intellectuelle plus assise que ce dernier, son aîné de cinq ans, docteur depuis 1986, il détient une position de négociation plus forte et peut, en prenant son temps, faire monter le prix de son éventuel ralliement. Cette attitude de prudence est renforcée par l'émergence, dès lors que les deux figures tutélaires de la *sahwa* évoluent vers le centre, d'une papardelle de cheikhs de tout poil, depuis le vieillard de Burayda, Hamoud al Chu'aïbi, jusqu'aux jeunes « cybercheikhs » de l'Internet, qui célèbrent la « double razzia de New York et Washington » et déversent leur mépris sur les musulmans tièdes compatissants envers les victimes. Safar al Hawali est soucieux de ne pas totalement abandonner le spectre du discours radical à des dissidents ou concurrents. Mais c'est là une position difficile.

Le cheikh octogénaire Chu'aïbi appartient au courant wahhabite radicalisé; du fait de son grand âge, il a été l'élève des plus prestigieux des oulémas du passé, et le professeur tant de son « pays » Salman al 'Auda que de l'actuel grand mufti d'Arabie et d'autres membres de l'establishment religieux. Sa célébrité médiatique remonte aux années 1990, quand il fit l'apologie sans nuances de « l'émirat » des Talibans, allant jusqu'à célébrer en lui le seul régime islamique — une opinion mal reçue par les dirigeants de Riyad. Emprisonné au milieu des années 1990, libéré ensuite, il est cité comme caution religieuse des attentats du 11 septembre dans le testament préenregistré du kamikaze Ahmed al Haznawi al Ghamdi, diffusé le 16 avril 2002 par

Al Jazeera, la première revendication explicite de ceux-ci par l'un de leurs auteurs. Pendant la campagne contre les Talibans à l'automne 2001, tant se lamente lors de la chute de Kunduz, s'écriant : « Mais où sont les musulmans ? » à la vision des jihadistes arabes ficelés de barbelés et remis aux forces américaines par les Afghans, que ses disciples craignent pour sa vie ; il ne survivra que peu à l'effondrement de son rêve afghan, emporté par le chagrin le 20 janvier 2002, à la consternation des sites jihadistes sur la Toile qui pleurent leur père spirituel.

Après sa disparition, les réseaux salafistes-jihadistes saoudiens sont pris dans une logique de prolifération, galvanisés par l'écho des attentats perpétrés par Al Qa'ida aux quatre coins du monde, tandis qu'est déclenchée l'attaque américaine contre l'Irak le 20 mars, et que l'Arabie saoudite, en produisant du pétrole au maximum de ses capacités, pour empêcher toute pénurie de brut qui pénaliserait les États-Unis, manifeste concrètement où va son engagement. À l'intérieur du pays, le gouvernement a choisi une politique d'accommodement avec les cheikhs jihadistes les plus radicaux, tels Nasir al Fahd, Ali al Khudair et Ahmad al Khalidi, mollement recherchés par la police, et abondamment présents sur leurs sites en ligne. Les espoirs de canaliser leur rage de *jihad* sont pourtant rapidement déçus : le 12 mai 2003 trois attentats suicides causent trente-cinq morts à Riyad, dont neuf Américains, le jour même où Colin Powell est en visite sur place. Malgré des arrestations massives, dont celle des trois cheikhs susmentionnés, un nouvel attentat dans la capitale, le 8 novembre, fait dix-sept victimes, toutes arabes. Déplorant la mort de ces « musulmans innocents », les cheikhs jihadistes emprisonnés font acte télévisé de contrition, craignant désormais que leurs soutiens financiers et leurs relais d'opinion dans les franges xénophobe, judéophobe et christianophobe de la population ne viennent à leur manquer dès lors que ces dernières redoutent d'être elles-mêmes mordues par les serpents réchauffés en leur sein — un phénomène parallèle à celui que l'on a observé au Maroc, après les attentats de Casablanca, en mai de la même année, dont toutes les victimes sont marocaines.

Face à ce défi sur son propre territoire, le pouvoir saoudien ne peut que mesurer la vanité des stratégies antérieures qui avaient projeté à l'extérieur du pays, depuis l'attaque de La Mecque en novembre 1979, les activistes du *jihad*. Pour tenter d'éradiquer intellectuellement ce courant, le prince héritier jette les bases, avec l'organisation de « conférences du dialogue national » à partir de juin 2003, de ce qui pourrait devenir un nouveau pacte social saoudien, mais qui se heurte aux réticences tant d'une partie de la famille que des militants les plus radicaux. Il ne s'agit de rien de moins que de substituer le « nationalisme » (*wataniyya*) à l'alliance entre le lignage des Saoud et celui des Al Sheikh — construit sur le *jihad* qui avait soumis, par la force militaire des milices de l'Ikhouan, toutes les composantes de la société saoudienne à une wahhabisation radicale —, dont les effets pervers l'emportent aujourd'hui, aux yeux du prince héritier, sur les bénéfices. Cette révolution dans les mentalités est mise en œuvre lorsque se rassemblent à Riyad, lors de la première conférence, pendant quatre jours, trente représentants de l'islam saoudien. Un tiers des participants sont issus de la *sahwa*, quelques-uns de l'establishment wahhabite, mais sont représentés aussi, avec une égale dignité, des religieux issus de l'islam sunnite chafé'ite et malékite du Hedjaz et du 'Asir, des mystiques soufis, des ismaéliens du Najran (la zone frontalière du Yémen) ainsi que des chiites de la province orientale. Jusqu'alors, ces derniers étaient considérés comme parfaitement abominables par les prédicateurs wahhabites — fatwa faisant des chiites des impies à l'appui. Quant aux sunnites non wahhabites, censés avoir disparu après le passage du rouleau compresseur des milices de l'Ikhouan dans les années 1920, leur réapparition et leur reconnaissance officielle ont représenté un bouleversement considérable. Au terme de la conférence, si Salman al 'Auda a été photographié invitant dans

sa voiture le dirigeant spirituel des chiites, Hassan al Saffar
— manifestant ostensiblement le chemin qu'il était disposé
à accomplir pour fonder avec lui l'unité nationale —, Safar
al Hawali a boudé, avec une ostentation égale, pareille
réconciliation.

Dans le même temps, suite au traumatisme engendré
par les attentats du 12 mai, un « printemps de Riyad »
— assez rapidement étouffé dans l'œuf dès lors qu'il échappait au contrôle du ministère de l'Intérieur — a vu les titres
les plus « osés » de la presse, comme *Al Watan*, quotidien
publié à Abha, capitale de la province du 'Asir, dont le gouverneur est le prince Khaled Al Faysal, faire paraître des
articles titrés par exemple « La nation est plus importante
qu'Ibn Taïmiyya », brisant explicitement le tabou de la doctrine wahhabite. Plus encore, une caricature, trois jours
après les attentats, montre deux personnages identiques,
vêtus d'une djellaba courte, barbus et chaussés de sandales,
le voile blanc de la piété salafiste sur le crâne, mais l'un
bardé d'une ceinture de dynamite tandis que l'autre, le nez
chaussé de vastes lunettes, a une ceinture de fatwas; la
légende indique : « Un terroriste... et celui qui émet des fatwas et des proclamations incitant au terrorisme... c'est aussi
un terroriste. » La pression des religieux les plus conservateurs obtint du ministère de l'Intérieur la tête du rédacteur
en chef d'*Al Watan*, le journaliste Jamal Khashoggi, devenu
par la suite conseiller de l'ambassadeur saoudien à Londres,
le prince Turki Al Faysal.

La « révolution tranquille » mise en œuvre par le
prince héritier Abdallah, avec l'appui de certaines branches
de la famille royale et contre les réticences d'autres, ne
pourra se passer, par-delà les mesures symboliques qui
brisent les tabous et donnent des signes forts pour l'évolution des mentalités, de mesures de réorganisation politique
qui vont nécessairement contraindre la lignée des Saoud à
ouvrir le spectre du pouvoir. Elle demandera aussi nécessairement que soient repensée la redistribution sociale, et
restituées la mémoire et la dignité de toutes les compo-

santes de la population du royaume, qui ont le sentiment d'avoir dû renier leur identité, depuis les commerçants cosmopolites du Hedjaz, les sédentaires du 'Asir, les chiites du Hasa, sous la pression idéologique wahhabite. C'est là un chantier considérable, où les obstacles sont nombreux, mais hors duquel il n'y aura guère d'issue pour la pérennité du royaume, à l'heure où, depuis Washington, Londres ou Tel-Aviv, des voix se font entendre pour pousser les forces centrifuges.

Lors d'un séjour dans la province du 'Asir en janvier 2004, l'auteur, interrompant sa route sur la nationale 15 pour déjeuner chez un membre de la tribu des Ghamdi, d'où sont issus nombre de kamikazes du 11 septembre, et non loin du village natal de Safar al Hawali, a pu observer — par le petit bout de la lorgnette — ce défi saoudien : dans cette région magnifique d'agriculteurs sédentaires montagnards, où les champs sont cultivés par des immigrés bengalis ou égyptiens, les jeunes sont en petit nombre, car il n'existe pas de marché du travail pour eux. Tous ont migré à Djedda, où ils peuplent les quartiers périphériques, côtoyant les étrangers pauvres. En tournée en jeep, on passe les franges du désert, où campent des bédouins, reconnaissables à leurs cheveux longs. Les jeunes bédouines, dûment voilées, sortent des campements pour veiller aux troupeaux ; elles suscitent la convoitise des sédentaires, embusqués sur les pistes dans leurs 4 x 4 pour reluquer ces représentantes de l'autre sexe, alors que les femmes dans les villages sont cloîtrées et invisibles, suite à la wahhabisation forcée qu'a subie la région dans les années 1920. La rumeur de Djedda veut que Mohammed Ben Laden, le père d'Oussama, qui mourut dans le crash de son avion au-dessus de la région, ait été épris des bédouines du 'Asir. Quand était annoncée la venue du milliardaire, on les parait de leurs plus beaux atours, dans l'espoir d'une union qui ferait s'abattre la manne céleste sur la tribu. De retour vers les zones cultivées, on observe, d'un promontoire, un vaste panorama : c'est de ce hameau lointain qu'est parti tel kamikaze, dont les restes pulvérisés ont été dispersés sur le sol new-yorkais. Plus bas, vers le sud, c'est Hawala, le lieu de naissance de Safar al Hawali. Les habitants sont désormais installés dans des demeures de béton, fonctionnelles et sans charme, à la périphérie des anciens centres historiques. Les vieux villages sublimes aux maisons de pierre peintes, aux portes de bois ouvragé surmontées d'élégants linteaux sculptés, témoignage de la civilisation sédentaire remarquable du 'Asir, sont abandonnés à des hordes de babouins clabaudeurs qui hurlent, de derrière les barreaux des fenêtres, à l'approche des visiteurs nostalgiques venus s'imprégner de la grandeur du passé. Les singes à la longue barbe en éventail protègent la fuite des guenons prolifiques, un petit accroché sur le dos ou à la mamelle, tandis qu'on offre cordialement à l'hôte étranger un bout de poutre sculptée tombé à terre. Sur les terrasses, des squelettes de singes, l'os du poignet lié à un mur par une corde de chanvre, attirent l'attention : un jeu cruel a attaché là ces squatters qui sont comme une variante dégradée de l'espèce humaine, livrés sans défense à des oiseaux de proie fondant sur eux depuis le ciel, pour l'amusement morbide de quelques jeunes désœuvrés. À Djedda, dans les familles riches, le patronyme tribal Ghamdi suscite toujours les mêmes sourires entendus : jadis, les Ghamdi étaient jardiniers, cuisiniers, chauffeurs. On avait perdu leur trace depuis que Philippins et Pakistanais les supplantèrent dans ces fonctions. Certes, diverses personnalités issues de leurs rangs ont mené de belles carrières, par leur mérite intellectuel, à l'université ou dans l'administration. Mais la tribu dans son ensemble a fait irruption dans la conscience universelle après le 11 septembre.

Les femmes sont un autre des défis qui attendent le royaume, et pour lequel les batailles seront rudes. Pour l'heure, la pression exercée par les oulémas confine les Saoudiennes dans quelques rares emplois « féminins », la plupart des autres sont contraintes à l'inactivité, en dépit de l'exemple donné par quelques femmes dynamiques, prin-

cesses ou roturières, comme la photographe Reem Al Faysal ou de la femme d'affaires Loubna Olayan, l'une des
grandes fortunes mondiales. Vedette du Forum économique
de Djedda le 17 janvier 2004, elle inaugura celui-ci avec un
discours diffusé par les télévisions du pays, où le fond le dis-
putait à la forme pour transmettre un message radical :
« Sans changement réel, il ne peut y avoir de progrès. Si
nous voulons progresser, en Arabie saoudite, nous n'avons
pas d'autre choix que de prendre le changement à bras-le-
corps. » La plupart des téléspectateurs du royaume, à l'instar de l'auteur, présent à Riyad ce jour-là, furent sans doute
moins frappés par la teneur du propos que par la tenue de
celle qui le formulait : elle était vêtue d'un tailleur et quand
son voile glissa entièrement de ses cheveux tandis qu'elle
parlait, elle ne le rajusta pas, donnant corps instantanément
à ce qu'elle préconisait. Cette première dans le pays — une
bravade aux prescriptions des oulémas imposant aux Saoudiennes le port de l'*abaya*, la longue robe noire, et du *hijab*,
le voile islamique —, reprise le lendemain à la une des journaux libéraux du royaume, fournissait matière à nombre de
conversations dans la salle d'embarquement de l'aéroport
de Riyad, aérogare des lignes intérieures, d'où l'auteur
s'envolait vers la province du 'Asir. Les messieurs mûrs et
apparemment assis dans la vie qui commentaient l'affaire
n'avaient, en règle générale, pas de mots assez durs pour
décrier l'initiative.

CHAPITRE 5

La boîte de Pandore irakienne

Le 20 mars 2003, le président George W. Bush lance l'offensive militaire qui doit, dans son esprit, parachever la « guerre contre la terreur » en débusquant Saddam Hussein. Le renversement du tyran de Bagdad et l'instauration d'un gouvernement démocratique et pro-américain à la place du régime baassiste sont la clef de voûte de l'édification d'un « nouveau Moyen-Orient » qu'on imagine, dans les cercles néoconservateurs de Washington, libéré de ses démons et prêt à se couler dans la mondialisation heureuse du « nouveau siècle américain » sous l'égide du *benevolent hegemon*, l'« hyperpuissance bienveillante » des États-Unis. En termes moins lyriques et selon des considérations plus immédiates, la liquidation de Saddam doit permettre, par un déploiement de l'arsenal militaire américain face à un ennemi adapté (au contraire de l'insaisissable Ben Laden), de frapper un grand coup inspirant « choc et effroi » (*shock and awe*). Cela doit faire oublier les demi-échecs des deux étapes précédentes de la « guerre contre la terreur », l'élimination d'Al Qa'ida et la venue à résipiscence du système saoudien, face auxquelles la panoplie de Washington s'est révélée inadéquate. La traque de Ben Laden et de ses acolytes, veut-on signifier, n'a pas permis l'éradication complète du terrorisme car elle n'en traitait que les symptômes. En abattant Saddam, montré du doigt par *The Weekly Standard*, principal organe des néoconservateurs, la grande presse liée au Parti républicain et la chaîne de télévision *Fox News* comme le marionnettiste d'Oussama, on traitera les causes du mal — détruisant, avec l'« État voyou » irakien, tant le commanditaire supposé de la terreur mondiale que le pire dictateur arabe. Faisant ainsi d'une pierre deux coups, on promouvra la démocratie tandis que le terrorisme, ce fils pervers de la mauvaise gouvernance arabe, disparaîtra avec son géniteur. Par ailleurs, l'instauration d'une démocratie philo-américaine en Irak permettra d'exercer des pressions irrésistibles sur le système saoudien, tenu pour le fourrier du 11 septembre. D'une part, la venue sur le marché de quelque cinq millions de barils de pétrole irakien par jour fera perdre à Riyad son arrogance de producteur « élastique » (*swing producer*), et le régime ne pourra plus résister à la réforme politique et religieuse. D'autre part, la juste représentation, au sein du nouveau pouvoir irakien, de la majorité chiite — tenue en lisière et opprimée sous Saddam — sera facteur d'émulation pour l'Iran postkhomeyniste, qui renouera avec Washington en ayant marginalisé les ayatollahs les plus fanatiques. La restauration dans leur grandeur des lieux saints majeurs du chiisme, Najaf et Kerbala, étouffés par Saddam, favorisera le rayonnement sur la centaine de millions de croyants de cette confession particulière de l'islam — répartis entre Liban et Inde, et démographiquement prépondérants autour des rives du Golfe — d'un pôle religieux bénéficiant de la bienveillance américaine. Cela permettra de faire contrepoids à la domination de pétromonarchies sunnites suspectées de complaisances terroristes sur les principaux gisements d'or noir de la planète. Enfin, le nationalisme arabe aux reins brisés par la déroute de Saddam, son ultime héros, n'aura plus la force d'exprimer son refus d'Israël, et l'État hébreu s'intégrera, en position de force, dans l'ensemble régional, rejouant la paix d'Oslo mais dans des conditions beaucoup plus favorables à ses intérêts. En bref, pour reprendre le titre quasi millénariste de l'ouvrage que Richard Perle publia en décembre 2003, les théoriciens du néoconservatisme et leurs fidèles à la Maison-Blanche voient l'enchaînement vertueux des missiles et des chars, de la libération et de la démocratisation de l'Irak, aboutir nécessairement à « *The End to Evil* », la fin de tout mal, en une réconciliation de l'eschatologie universelle et des intérêts propres de l'Amérique.

En dépit de quelques déboires passagers lors de la progression des troupes au sol, l'irrésistible offensive américaine, pilotée à partir du centre de commandement établi au Qatar, démontra que feu Albert Wohlstetter et ses disciples avaient fait de l'armée des États-Unis l'Invincible Armada de l'aube du XXIe siècle. Mais, comme la flotte espagnole éponyme fut dispersée et vaincue par un aléa que n'avaient pas prévu les amiraux de Philippe II (la tempête), la superbe machinerie si bien huilée pour écraser l'ennemi commença de se gripper avec les grains de sable accumulés par une occupation suscitant des réactions dont la violence — qu'on la nomme résistance ou terrorisme — n'avait pas été pressentie par les stratèges du Pentagone. Après l'entrée de l'US Army à Bagdad, la chute universellement médiatisée de la statue colossale de Saddam Hussein, place du Paradis (tirée par un câble attaché à un tank américain, après que des Irakiens se furent acharnés en vain pour la déboulonner), devait évoquer, dans l'esprit des téléspectateurs du monde, le renversement de la statue géante de Staline à Prague. Pareille illustration du télescopage idéologique entre l'empire du Mal cher à Ronald Reagan et l'axe du Mal de George W. Bush marque précisément les limites de l'intelligence du Moyen-Orient que l'on cultive dans la Beltway. De l'écrasement de l'armée du tyran à l'émergence de la société civile irakienne, la séquence des événements aurait dû se dérouler comme un remake de la transition postcommuniste en Europe de l'Est.

Pourtant, une fois passé l'enthousiasme des premières semaines de la libération, la grosse année d'occupation directe par les troupes des États-Unis et de leurs alliés, jusqu'au seuil de la dévolution formelle du pouvoir aux nouvelles autorités de Bagdad le 28 juin 2004, a suffi pour montrer que la démocratisation aléatoire de la société irakienne ne suit pas la même voie que l'Allemagne ou le Japon de 1945; pas davantage celle de l'ancien bloc soviétique après l'écroulement du mur de Berlin. Nulle part l'armée américaine ne fut confrontée à pareil déchaînement de violences, de la part de ceux-là mêmes qu'elle venait de libérer de la tyrannie. Passe encore pour l'insurrection récurrente dans le « triangle sunnite » entre le nord de la capitale, Fallouja et Ramadi : fief du dictateur déchu, cette zone fut le réceptacle des prébendes prodiguées par Saddam pour lier à son destin les Arabes sunnites minoritaires en confortant leur position prééminente dans l'Irak d'avant l'attaque américaine de mars 2003. Ceux-ci représentent à peine 17 % de la population irakienne, les chiites arabes comptant pour près des deux tiers, les Kurdes pour un cinquième, les chrétiens et les Turkmènes se partageant pour l'essentiel le restant. Mais le soulèvement, en avril 2004, des milices chiites de l'« armée du Messie » dirigées par un jeune zélote extrémiste, héritier d'une lignée d'ayatollahs prestigieux, Mouqtada al Sadr, passe pour d'autant plus surprenant à Washington qu'il confine à l'ingratitude, tant la population chiite apparaissait comme la colonne vertébrale de la société civile irakienne de demain, choyée par le libérateur américain, et investie par lui d'un grand rôle dans le Moyen-Orient de l'avenir. À titre anecdotique, l'auteur, lors d'une visite à Paul Wolfowitz dans son bureau du Pentagone en juillet 2003, après avoir passé les multiples filtres de sécurité de cet immense blockhaus, ne fut pas peu surpris de se retrouver dans l'antichambre entouré, non de militaires au crâne ras parlant anglais avec l'accent du Middle West, mais de dignitaires civils et religieux chiites irakiens, ces derniers dûment enturbannés, qui parlaient arabe avec l'accent du Middle East.

Dans la vision du monde néoconservatrice, il existe une sorte d'homothétie entre le destin des juifs et celui des chiites. Cela n'est pas sans fondement : les deux peuples

persécutés ont dû la sauvegarde de leur identité à un attachement viscéral à leurs Écritures saintes, et ont valorisé à
l'extrême le rôle des clercs, rabbins d'un côté, ayatollahs de
l'autre, garants de leur pérennité menacée. Lorsque la
sécularisation les a touchés, au début du siècle écoulé, la
survalorisation du savoir scripturaire s'est transférée des
clercs vers les intellectuels laïques, de la théologie messia-
nique vers le militantisme pour l'avenir radieux. Fils de rabbins comme d'ayatollahs ont grossi en nombre démesuré les
rangs des dirigeants communistes. Au Moyen-Orient, à
l'exception du Levant, où quelques chrétiens, notamment
grecs-orthodoxes, ont joué un rôle dans la gestation du
communisme, les marxistes ont été très largement juifs ou
chiites. Après la disparition des juifs des pays arabes consécutive aux succès du sionisme et à la création d'Israël, le
seul Parti communiste de masse s'est développé en Irak
— en milieu principalement chiite. Les persécutions de Saddam sont venues à bout de son appareil, et nombre d'exilés
et de proscrits se sont retrouvés, les cheveux blanchis, aux
côtés des Américains dont ils dénonçaient l'impérialisme
pendant leur jeunesse, dans le combat pour renverser le
tyran et démocratiser le pays.

Mais le Moyen-Orient du début du XXIᵉ siècle n'est que
pour partie l'héritier des combats des décennies passées.
Gonflées par l'explosion démographique, des cohortes de
jeunes sans aucune mémoire historique forment l'écrasante
majorité de la population dans un univers où la violence et
l'arbitraire ont privé de toute légitimité populaire les pouvoirs établis ou les partis institués, où chacun sait que la
richesse et les emplois s'obtiennent par la prévarication, la
ruse, la force. Ainsi, les lendemains de victoire de la coalition en Irak ont été marqués par des événements témoi-
gnant de l'extrême rapidité du changement, qui déjouent les
plans des stratèges de Washington et leurs modèles prévi-
sionnels. Outre la révolte des chiites de Mouqtada al Sadr,
la capture de Saddam Hussein s'inscrit dans ce surprenant
registre : présentée comme l'apothéose tant attendue de

l'invasion de l'Irak, longtemps retardée par les complicités dont bénéficiait le dictateur déchu fuyant de cachette en cachette, elle advint finalement, dans son fief tribal de Tikrit, le 13 décembre 2003.

L'événement, scénarisé par l'armée américaine, qui produisit quelques images d'un Saddam hirsute et barbu, l'air d'un SDF hagard, tandis qu'un médecin militaire lui vérifiait la denture et les cheveux, complétait l'épisode du renversement de la statue du tyran : l'humiliation du despote tombé devait décourager les partisans qui lui restaient, manifester que toute résistance au processus vertueux de transition démocratique sur lequel veillait l'administrateur provisoire Paul Bremer était vaine. Or, l'arrestation fut sans conséquence sur la violence quotidienne, on l'avait presque oubliée dès la reprise des attentats dans les jours qui suivirent. Comme si Saddam, malgré l'immensité de ses crimes, la multitude de morts, tant irakiens qu'iraniens ou koweïtiens, tant arabes que kurdes, qui lui sont directement imputables, appartenait irrévocablement à un passé révolu. Comme si celui-ci était relativisé par l'accélération de l'histoire, sans incidence sur les féroces combats immédiats pour le pouvoir dans un Irak où l'équilibre des forces entre communautés religieuses, groupes ethniques et nationaux, classes d'âges, villes, campagnes et banlieues reste indécis.

Dans pareil contexte, aucune prise en main d'une hypothétique société civile par elle-même ne saurait pallier les insuffisances criantes de l'occupation américaine, inapte à restaurer l'ordre public et à ravauder le tissu social irakien, déchiré, en sus de la violence de Saddam, par une décennie d'embargo. L'armée est trop peu nombreuse (135 000 soldats opérationnels) pour les tâches auxquelles elle est confrontée, mal formée aux fonctions de l'occupation, et son déficit d'encadrement s'est traduit par le recours à des pratiques dégradantes sur les prisonniers irakiens détenus à la prison d'Abou Ghraib comme cela a été révélé début mai 2004, ce qui contraignit le président Bush et ses plus proches collaborateurs à présenter des excuses.

Washington ne s'est pas donné les moyens d'assumer une occupation politiquement efficace, tant était grande l'illusion que de la rapidité et la qualité de la victoire des armes contre le régime baassiste découlerait un succès politique et social également éclatant et rapide, augure de démocratisation et de la prospérité économique retrouvée de l'Irak — prélude à celles du Moyen-Orient.

Comprendre comment une année a suffi pour que le triomphe militaire des États-Unis se transforme en enlisement politique voire en débâcle morale — compromettant à son tour tous les objectifs qui devaient s'ensuivre de la libération de l'Irak, depuis l'éradication finale du terrorisme jusqu'au retour de l'Iran dans le giron des « nations civilisées » en passant par la mise au pas du système saoudien et la réintégration régionale d'un Israël définitivement sécurisé — suppose que l'on revienne sur les origines de la guerre, en distinguant les causes réelles que l'on peut lui imputer des prétextes invoqués pour dissimuler celles-ci tout en mobilisant le soutien de divers alliés des États-Unis. Cela nécessite également que l'on mesure le décalage entre les objectifs du président Bush et les moyens déficients mis en œuvre pour y parvenir — on cherchera les fondements intellectuels de cette déficience dans l'autopersuasion idéologique cultivée à Washington parmi les cercles du pouvoir. Le décalage entre cette vision normative et la réalité sociale irakienne est à l'origine du chaos dans lequel a sombré l'occupation un an après la victoire. Et seule la mise à plat de cette aporie du raisonnement permettra d'évaluer l'ampleur des défis que doivent relever les États-Unis mais aussi leurs partenaires au Moyen-Orient et en Europe, confrontés aux effets pervers d'une situation infiniment plus volatile que ne l'imaginaient les coryphées de la guerre contre l'Irak.

La disjonction entre les causes réelles de l'offensive américaine et les prétextes invoqués pour la mener constitue le premier facteur explicatif des difficultés rencontrées par la suite sur un terrain qui ne correspondait pas à la chimère rêvée dans les *think-tanks* liés au pouvoir à Washington. L'arsenal rhétorique de la guerre destinée à abattre Saddam a été construit dès le discours de George W. Bush sur l'état de l'Union, le 29 janvier 2002, dans lequel il dénonce, tandis que la traque d'Al Qa'ida marque le pas, l'Irak, l'Iran et la Corée du Nord qui constituent un « axe du Mal armé pour menacer la paix du monde ». La cible irakienne a été précisée le 12 septembre suivant, lors d'un discours sur l'Irak prononcé par le président américain devant la 57ᵉ session de l'assemblée générale de l'Onu, où il est enjoint à Saddam Hussein de « retirer ou détruire immédiatement et sans condition toutes ses armes de destruction massive ». Le président Bush et le Premier ministre britannique se sont relayés pour fourbir cet argumentaire : douze jours plus tard, Tony Blair rendait public un rapport de ses services secrets selon lequel le régime irakien « continuait de développer des armes de destruction massive » et serait en mesure, à court terme, d'élaborer l'arme nucléaire. Sur ces bases, le Congrès américain autorisa à une très large majorité, le 11 octobre, le recours unilatéral à la force contre Bagdad. Dès lors, la machine de guerre fut lancée, tandis que soldats, navires et avions militaires étaient prépositionnés aux alentours de l'Irak. Le point culminant du discours de la guerre fut atteint dans l'exposé de Colin Powell aux Nations unies, le 5 février 2003 : à grand renfort de diagrammes et de maquettes, le secrétaire d'État apporta les « preuves » de la dangerosité imminente de Saddam — d'où découlait l'impérieuse nécessité de l'éliminer sans délai. Des photographies de tubes d'aluminium prétendument destinés à un usage nucléaire constituaient le cœur de la démonstration, destinée à emporter l'adhésion de la majorité des membres du conseil de sécurité de l'Onu — vaine tentative face au scepticisme de la France et de la Russie.

On sait désormais, après les recherches infructueuses de ces improbables « armes de destruction massive » (ADM) par des agents spécialisés américains, britanniques et australiens sur le territoire de l'Irak occupé, et après la publication de témoignages accablants venant d'experts militaires et de responsables du renseignement des États-Unis et de Grande-Bretagne, que Saddam ne détenait pas d'arsenal nucléaire, et que ses forces armées se trouvaient dans un état de délabrement leur interdisant d'utiliser des armes chimiques ou bactériologiques. Comme devait le déclarer le 28 janvier 2004 au Sénat le responsable du groupe des experts américains, David Kay : « *We were almost all wrong.* » Il confirmait ainsi, a posteriori, les rapports de l'Agence internationale de l'énergie atomique (AIEA) et de la commission de contrôle, de vérification et d'inspection des Nations unies (la Cocovinu, créée le 17 décembre 1999 et présente en Irak du 25 novembre 2002 au 17 mars 2003). Leurs directeurs respectifs, Mohammed el Baradei et Hans Blix, présentèrent entre le 27 janvier et le 7 mars 2003 plusieurs rapports indiquant n'avoir décelé aucun signe d'activité nucléaire en Irak, ni preuve que le pays possédât des armes de destruction massive. En 1998, lorsque les missions en Irak des inspecteurs de l'AIEA et de la commission spéciale des Nations unies pour le désarmement (l'Unscom, créée le 3 avril 1991) s'achevèrent en raison d'un conflit avec Saddam, ceux-ci avaient démantelé ou détruit les ADM opérationnelles dont disposait le tyran de Bagdad. Mais la parole de ces responsables fut mise en doute, voire tournée en ridicule, à Washington et Londres, où l'on se gaussa des services de l'Onu : ils fournissaient là, entendit-on à l'envi, une énième preuve de l'impéritie d'une organisation obsolète, sinon nuisible, à l'heure de l'hégémonie américaine.

On détient également, un an après la guerre, la certitude que les dirigeants de ces deux capitales ne péchaient pas par ignorance, mais qu'ils avaient fait de la question des ADM irakiennes un artifice de rhétorique destiné à persuader tant leur opinion publique que les gouvernements et les peuples occidentaux alliés de se rassembler derrière eux. Au Royaume-Uni, la tragique affaire Kelly conduisit au sui-

cide, le 17 juillet 2003, ce spécialiste des questions de prolifération au ministère de la Défense après qu'il eut fait des
déclarations à un journaliste de la BBC, le 22 mai. Elles
avaient permis à celui-ci d'affirmer que le gouvernement
Blair avait enjoint ses services secrets de gonfler (*sex up*,
selon la suggestive expression anglaise) le dossier des armes
irakiennes de destruction massive, opérationnelles « en qua-
rante-cinq minutes ». Et aux États-Unis, Paul Wolfowitz, au
cours d'un entretien avec le magazine *Vanity Fair*, en ce
même mois de mai 2003, une cinquantaine de jours après le
déclenchement de l'offensive, révéla la logique qui avait
placé les improbables ADM irakiennes au cœur du discours
de mobilisation pour la guerre — dans un raisonnement où
certains virent la trace d'un machiavélisme inspiré de Leo
Strauss, voire de Platon, qui autorisait le philosophe-roi à
mentir au peuple pour son bien. Interrogé sur la place accor-
dée à l'Irak dans la réunion stratégique autour du président
Bush à Camp David le premier week-end qui suivit le 11 septembre, le secrétaire adjoint à la Défense déclara (dans le
style oral non retouché qu'affectionne *Vanity Fair*) :

> « Il y a eu une longue discussion pendant la journée sur la place
> éventuelle qu'il faudrait qu'ait l'Irak dans une stratégie de contre-
> terrorisme. Ce qui a fait surface dans le débat, ce n'était pas "Est-ce
> qu'on attaque ?" mais "quand attaque-t-on ?". Il semblait y avoir une
> sorte d'accord que oui, il le faudrait, mais le désaccord, c'était est-ce
> qu'il faut que ça fasse partie de la réponse immédiate, ou qu'on se
> concentre d'abord simplement sur l'Afghanistan ? [...] Dans la mesure
> où c'était un débat sur la tactique et le calendrier, le président a claire-
> ment penché pour l'Afghanistan d'abord. Dans la mesure où c'était un
> débat sur la stratégie et sur notre objectif au sens large, il est au moins
> clair, rétrospectivement, que le président penchait du côté d'un objectif
> plus large. »

Plus loin dans l'entretien, à une question sur les liens
entre l'offensive américaine contre l'Irak et les attaques
d'Al Qa'ida contre le World Trade Center et le Pentagone,
Paul Wolfowitz fournit la réponse qui lui a attiré les foudres
des critiques. Le style oral la rend à la fois éloquente et
ambiguë :

« En vérité, pour des raisons qui ont beaucoup à voir avec l'administration gouvernementale américaine [*US government bureaucracy*], on s'est fixés sur le thème autour duquel tout le monde pouvait être d'accord, qui était les armes de destruction massive comme principal argument, mais [pause] il y a toujours eu trois soucis fondamentaux. L'un, c'est les armes de destruction massive ; le deuxième, c'est le soutien au terrorisme ; le troisième, c'est la manière criminelle de traiter le peuple irakien. En fait, je crois qu'on pourrait dire qu'il y en a un quatrième, plus englobant, qui est le lien entre les deux premiers [pause]. Pour récapituler : le troisième, comme je crois l'avoir déjà dit, c'est une raison d'aider les Irakiens, mais ce n'est pas un argument suffisant pour risquer la vie des jeunes Américains, sûrement pas à l'échelle où nous l'avons fait. Le deuxième, les liens avec le terrorisme, c'est ce sur quoi il y a le plus de désaccord à l'intérieur de l'administration [...]. »

Cette déclaration a fait couler beaucoup d'encre, car elle laissait entendre que la question des ADM avait été mise en avant pour de pures raisons d'opportunité, dans la mesure où, des deux autres thèmes invoqués, l'un était parfaitement avéré (le caractère criminel de Saddam) mais ne justifiait pas de sacrifier la vie des *boys*, tandis que l'autre (les liens de cause à effet entre l'Irak et Al Qa'ida, qui auraient dû pourtant fournir à l'offensive américaine sa légitimation suprême) paraissait insuffisamment convaincant à certains secteurs du gouvernement. Cette dernière affirmation ne laisse pas de surprendre : Colin Powell lui-même, chef d'un Département d'État jugé trop accommodant voire archaïque par les « *neo-cons* », avait défendu à l'Onu, le 5 février 2003, ce dernier thème, en excipant de la présence, en bordure de la zone kurde irakienne, d'un sanctuaire de Kurdes islamistes appartenant à l'organisation terroriste Ansar al Sunna (les « partisans de la Sunna »), dont certains cadres avaient été formés dans les camps pakistanais soumis à l'autorité de Ben Laden. Quant au *Weekly Standard*, il faisait grand cas, dès l'automne 2001, de la rumeur d'une rencontre à Prague, en juin 2000, entre Mohammed Atta, le chef du groupe des terroristes du 11 septembre, et un responsable de services secrets irakiens — qui aurait constitué le *smoking gun*, l'irréfutable preuve du lien entre Bagdad et Al Qa'ida (Mohammed Atta se trouvait en réalité en Floride à cette date). Gary Schmitt, directeur exécutif du Projet pour un nouveau siècle américain (PNAC), écrivait ainsi dans l'hebdomadaire de référence des néoconservateurs :

> « [...] les États-Unis ne sont pas engagés aujourd'hui dans des arguties juridiques, mais dans un jeu mortel d'espionnage et de terrorisme. Dans le monde où nous nous trouvons désormais, la rencontre de Prague est aussi claire et évidente que probante — d'autant que nos services de renseignement n'ont apparemment personne sur place qui puisse nous dire ce qui s'est vraiment passé. Et en tout cas, il ne fait aucun doute que Saddam Hussein et Oussama Ben Laden, quelles que soient les différences entre leur vision respective du Moyen-Orient, partagent le même objectif global : en expulser les États-Unis. Des alliances se sont construites sur moins que cela. »

D'autres témoignages parus sous forme de livres aux États-Unis à mesure qu'avançait la campagne pour l'élection présidentielle de novembre 2004, des déclarations sous serment devant les commissions d'enquête parlementaires ont multiplié les révélations selon lesquelles le renversement du régime de Saddam Hussein constituait une priorité pour le gouvernement de George W. Bush dès sa prise de fonctions en janvier 2001. Certains — à l'instar de Richard Clarke, ancien responsable de la coordination antiterroriste au Conseil national de sécurité — ont poussé le raisonnement jusqu'à estimer que le pouvoir américain avait traité les attentats du 11 septembre non pas en eux-mêmes, mais comme l'occasion opportune de déclencher une « guerre contre la terreur » dont la traque d'Al Qa'ida ne constituait qu'un objectif secondaire tandis que la destruction du régime irakien et son remplacement par un pouvoir philo-américain représentaient le principal sinon le véritable enjeu. La « guerre contre la terreur » (*war on terror*) se vit dès lors surnommée par les sceptiques *war on error*. Ces critiques se réfèrent fréquemment à la contribution de néoconservateurs en vue, notamment Richard Perle et Douglas Feith, au fameux document intitulé *Une franche rupture (A*

Clean Break), destiné à alimenter la campagne (victorieuse) de Benjamin Netanyahou pour les élections israéliennes de 1996, qui fixait comme objectif à moyen terme, pour stabiliser le Moyen-Orient autour d'un Israël sécurisé, le changement de régime à Bagdad. Par-delà les complots et autres « agendas secrets » des divers responsables, sur lesquels les historiens feront la lumière, il nous importe avant tout de comprendre pourquoi, si tel était leur objectif, les États-Unis ne l'ont pas clairement proclamé, et ont préféré recourir à une relation de causalité douteuse entre le terrorisme d'État de Saddam et le terrorisme planétaire de Ben Laden, et, surtout, ont construit tout l'effort de propagande préalable au déclenchement de l'offensive sur la détention — fictive — d'ADM opérationnelles par Saddam Hussein.

Le gonflement du dossier presque vide des ADM irakiennes était destiné à inscrire la destruction du régime de Saddam dans l'irrécusable logique morale d'une « guerre contre la terreur » qui trouve son fondement dans la réplique des « nations civilisées » à l'irrémissible barbarie du 11 septembre 2001. Cela s'avérait d'autant plus nécessaire que la coalition quasi universelle qui avait soutenu les États-Unis lors de l'attaque et l'éradication du régime des Talibans en octobre 2001 s'était fragmentée par la suite. Sans parler des États arabes, dont les dirigeants cultivent pour la plupart une grande méfiance envers le renversement d'un despote par des forces extérieures, de nombreux États européens — au premier chef l'Allemagne et la France, ainsi que la grande majorité des opinions publiques du vieux continent, où près de dix millions de manifestants défilèrent contre la guerre le 15 février 2003 — n'établissaient pas de lien de causalité entre le régime criminel de Saddam Hussein et Al Qa'ida, et ne comprenaient pas en quoi l'élimination du despote de Bagdad permettrait de traiter à sa racine le problème du terrorisme islamiste. Plus encore, l'invasion et l'occupation de l'Irak nourrissaient le soupçon que les États-Unis ne se référaient à l'avènement de la démocratie arabe que pour mieux masquer leurs intérêts propres, stratégique et énergétique, dans le Golfe. Le dossier des ADM avait pour ambition de vaincre ces réticences en présentant Saddam comme un danger imminent pour la paix du monde, et en outrepassant l'absence d'accord du conseil de sécurité de l'Onu, qui ne s'était « pas montré à la hauteur de ses responsabilités » selon le discours à la nation du président Bush le 17 mars 2003. L'unilatéralisme des États-Unis trouvait de la sorte sa justification par une réincarnation américaine de la morale universelle. La Maison-Blanche s'arrogeait la fonction que les Nations unies, dépeintes comme décadentes et faillies, se révélaient incapables d'assumer : débarrasser la planète du chef d'un « État voyou » déterminé à user au plus vite de ses armes de destruction massive, parachevant ainsi la « guerre contre la terreur ».

Or, le désenchantement ne tarda pas à se faire sentir, passé les premiers temps d'euphorie consécutifs à la chute de Bagdad et à l'effondrement du régime baassiste. La violence et le terrorisme furent prompts à se manifester, exprimant par là que l'élimination politique de Saddam, et même sa capture, quelques mois plus tard, ne constituaient pas la panacée capable d'éradiquer les causes de la terreur. Alors que le 1er mai 2003 le président Bush, depuis la passerelle du porte-avions *Abraham-Lincoln*, annonçait, sous le titre « Mission accomplie », la fin des « combats majeurs » en Irak, et que l'on envisageait de réduire le contingent américain à trente mille hommes en septembre, la tournure des événements en décida autrement. La guérilla qui prit forme dans le « triangle sunnite », au nord de Bagdad, contraignit les États-Unis, dont les forces étaient régulièrement accrochées, à y lancer au mois de juin les opérations de police Péninsule, Scorpion du désert et Crotale du désert — sans résultat durable. Les effectifs américains ne décrurent pas, renforcés par des troupes — outre les Britanniques, présents dès le début de l'offensive — envoyées par certains partenaires des États-Unis, européens principalement (Espagne et Italie, également Pologne et quelques États de l'ancien bloc soviétique dont les dirigeants courtisaient activement Washington). Le 1er mai 2004, donc un an plus tard, 600 soldats américains avaient été tués en Irak après la fin des « combats majeurs », contre 143 auparavant, durant l'offensive.

Tandis que, le 13 juillet 2003, l'administrateur américain Paul Bremer mettait en place un Conseil irakien de gouvernement, provisoire et composé de vingt-cinq membres, pondérant les diverses sensibilités confessionnelles du pays, symbolisant le premier pas vers l'instauration des institutions démocratiques, les groupes en présence sur le terrain multipliaient les actions pour conquérir le maximum de pouvoir — selon des méthodes fort éloignées du jeu démocratique escompté.

Dans la partie septentrionale du pays, qui vivait un régime d'autonomie sous contrôle international depuis avril 1991, les deux partis kurdes, le Parti démocratique du Kurdistan (PDK, dirigé par Massoud Barzani) et l'Union patriotique du Kurdistan (UPK, dirigée par Jalal Talabani), se mirent à étendre leur territoire. Les zones de peuplement majoritairement kurde ont fourni, jusqu'aux années 1990, un bon tiers de la production de pétrole irakienne, et une très large part des récoltes agricoles. Pour ces raisons, un Irak privé du Kurdistan se trouverait considérablement diminué — et les pouvoirs en place à Bagdad, surtout lorsqu'ils se réclamaient, comme le Baas, du nationalisme arabe, ont réprimé avec férocité les velléités d'autonomie kurde, un peuple non sémitique, de confession majoritairement sunnite. En 1968, lorsque le Baas, dont Saddam était déjà l'homme fort, conquit définitivement le pouvoir, la guérilla kurde attaquait les puits de pétrole de Kirkuk, financée et armée par l'Iran du chah. Après avoir négocié pour gagner du temps et regrouper ses forces, Saddam lança en septembre 1971 une opération de nettoyage ethnique destinée à expulser les Kurdes de cette région pétrolifère, où ils se trouvaient majoritaires : plusieurs dizaines de milliers de personnes furent chassées vers l'Iran, ou déplacées de force, et remplacées par des colons arabes. Le contrôle des pétroles de Kirkuk fut ainsi sécurisé, tandis que les guérilleros, les redoutables *peshmerga*, se retranchaient dans les montagnes, mais l'Irak affaibli dut accepter en 1975 de signer avec l'Iran un accord défavorable à ses intérêts sur la navigation dans le Chott al 'Arab, le confluent du Tigre et de l'Euphrate, qui est son seul débouché maritime. Durant la guerre de huit ans contre l'Iran khomeyniste, que Saddam déclencha en septembre 1980, les régiments kurdes irakiens désertèrent et mirent à profit les hostilités pour asseoir la rébellion ; au début de 1988, tandis qu'Iran et Irak étaient saignés par les combats, Saddam, craignant un regain d'irrédentisme kurde à l'occasion du cessez-le-feu (qui advint en juillet), lança une opération massive de génocide, qui portait le nom d'une sourate du Coran, *Al Anfal* (« Les dépouilles »). On estime à cent quatre-vingt mille le nombre de Kurdes, hommes, femmes et enfants, massacrés, et à un quart de million ceux qui fuirent en Iran ou en Turquie. Les atrocités atteignirent leur point culminant lorsque les forces irakiennes, commandées par le cousin de Saddam, Ali Hassan al Majid, surnommé, depuis lors, « Ali le chimique », utilisèrent des gaz asphyxiants contre les civils kurdes de la ville de Halabja, où plus de cinq mille personnes périrent en une seule journée de mars 1988. En tout, les campagnes d'épuration ethnique, accompagnées d'arabisation forcée, menées par le Baas depuis 1963, ont causé plus de trois cent mille morts, et quatre mille villages auraient été détruits.

Pour ces raisons, les Kurdes obtinrent après la guerre du Golfe en avril 1991 un statut d'autonomie (leur zone n'incluait pas Kirkuk ni ses puits). Toutefois, pas davantage qu'au lendemain de la Première Guerre mondiale — quand le traité de Lausanne entre la Turquie et les vainqueurs ignora les revendications d'indépendance des Kurdes — la communauté internationale n'était désireuse de remettre cette question sur le tapis. Au moment où le président Bush père s'efforçait de stabiliser le Moyen-Orient au mieux des intérêts américains, sécurisant simultanément les approvisionnements pétroliers et Israël, convoquant la conférence de paix à Madrid en décembre 1991, il était inenvisageable de laisser le génie kurde sortir de sa bouteille, d'ouvrir un abcès au flanc non seulement de l'Irak vaincu et de l'Iran hostile des mollahs mais aussi de la Turquie alliée (ainsi que de la Syrie) — tous pays sur le territoire desquels se répartit le peuplement de cette nation, et qu'aurait alors menacés la gangrène de l'irrédentisme. La Maison-Blanche de George Bush père avait opté pour maintenir un Irak unitaire, corseté par l'embargo, les zones aériennes exclusives et les sanctions, avec à sa tête un Saddam affaibli mais toujours dictatorial, afin de limiter les risques de prolifération incontrôlée de la violence — dans la hantise qu'un territoire démembré devînt un havre de terrorisme plus dangereux encore que le Liban sans État de la décennie précédente.

Les Kurdes, qui avaient été massacrés dans l'indifférence générale en 1988, purent vérifier de nouveau que leur destin restait soumis d'abord à des enjeux géopolitiques internationaux et aux logiques du marché pétrolier, deux domaines où ils n'étaient pas pris en considération comme des acteurs à courtiser, mais bien plutôt comme des gêneurs et des trublions potentiels. Pris en tenailles entre deux États hostiles, l'Irak amoindri de Saddam et la Turquie kémaliste en conflit avec sa forte minorité kurde, se livrant à d'intenses trafics avec le Kurdistan iranien sous les auspices bienveillants de Téhéran, les Kurdes vécurent également dans le déchirement entre leurs deux partis, l'UPK et le PDK, l'autonomie de la décennie 1990. En 1996, le PDK appela à la rescousse, pour affaiblir son rival, les troupes de Bagdad, qui franchirent la ligne de démarcation le 31 août : seuls des bombardements américains intenses firent ressortir de la bergerie kurde le loup irakien.

En jouant la carte des États-Unis, les partis kurdes, qui ont année après année très largement désarabisé la zone autonome et sont accusés par leurs adversaires de pratiquer discrètement, depuis l'effondrement du régime de Saddam, une « homogénéisation » ethnique dans les zones de peuplement mixte au sud de celle-ci, s'efforcent de créer un fait accompli, mettant à profit la tension entre les sunnites, puis les chiites de Mouqtada al Sadr, et Washington. De la sorte, instruits par les douloureuses leçons des décennies écoulées, ils construisent une position de force qui, espèrent-ils, contraindra les puissances, les États voisins et les compagnies pétrolières à les traiter avec d'autres égards que par le passé. La plus complète autonomie possible leur conviendra tant que la situation irakienne n'est pas stabilisée, mais ils conservent toutes les options ouvertes, prenant précaution face à l'avenir incertain d'une région où la seule dignité qui vaille à l'aune du système international consiste à être reconnus comme détenteurs inexpugnables d'hydrocarbures.

Vue de Washington, la question kurde a été, dans les lendemains de l'offensive, édulcorée : cette nation, n'ayant pas engagé de guérilla contre l'armée américaine, se voit ipso facto qualifiée de démocratique. Pourtant, la stratégie des partis qui en ont capté la représentation politique ne diffère guère, dans ses objectifs, de celle des dirigeants chiites ou sunnites — seulement par la méthode utilisée. Bénéficiaires immédiats de l'occupation, qui entérine le statut d'autonomie dont ils jouissaient depuis 1991, ils n'ont pas eu besoin de rechercher l'affrontement pendant la première année suivant l'offensive, mais ils sont sans aucun doute prêts à prendre les armes pour défendre leurs intérêts, s'ils perçoivent une menace contre ceux-ci, c'est-à-dire si un Irak centralisé et unificateur, contrôlant depuis Bagdad l'ensemble des ressources pétrolières, voyait le jour. Le vote, le 8 mars 2004, d'une Constitution intérimaire par le Conseil de gouvernement provisoire, qui prévoit de créer un Kurdistan autonome, mécontente, outre la Turquie, toujours inquiète d'un contrôle kurde des pétroles de Kirkuk et Khaneqin, de nombreux Arabes qui y voient un encouragement à l'indépendance des Kurdes ; et les plus irrédentistes parmi ces derniers, qui objectent à tout désarmement de la milice des *peshmerga*, menacent d'utiliser la force pour s'assurer des zones pétrolifères. Il n'est pas sûr alors que les objectifs kurde et américain coïncident.

À l'autre extrême par rapport aux Kurdes « collaborateurs » sur le spectre politico-confessionnel irakien qui s'est déployé pendant la première année d'occupation américaine, on trouve la minorité arabe sunnite, légèrement inférieure en nombre à la population kurde, et principalement répartie dans l'Irak central. Dans l'histoire moderne, jusqu'à la chute de Saddam, celle-ci a toujours constitué la minorité dominante, même si elle a élaboré des alliances changeantes pour maintenir son fragile pouvoir. Jusqu'à l'effondrement de l'Empire ottoman, avec la Première Guerre mondiale, elle partageait la confession du suzerain turc, et en tirait des avantages mesurés, la Sublime Porte sachant jouer de la mosaïque des minorités de son empire selon un système hiérarchisé dominé par les sunnites, mais qui maintenait vivace le pluralisme, y compris pour les juifs (très nombreux à Bassora et Bagdad) et les chrétiens (bien représentés alors dans la population urbaine). Ces deux minorités émigrèrent massivement vers Israël ou les États-Unis dans les lendemains de la Seconde Guerre mondiale, fournissant nombre des experts qui alimentèrent la réflexion des *think-tanks* américains. Lorsque l'Empire britannique s'était substitué à l'Empire ottoman, à la fin de la Première Guerre mondiale, les forces d'occupation nourrissaient au départ un modèle de société fédéral appuyé sur les élites urbaines locales qui, rétrospectivement, présente d'étonnantes similitudes avec le projet de démocratisation arabe voulu par Washington — si l'on prend en compte le décalage des mentalités que commandent les huit décennies séparant les deux occupations. Toutefois, les insuffisances de ces élites, la volonté de pouvoir des chefs tribaux (les tribus comptant alors pour les trois quarts de la population) ainsi que des notables religieux chiites favorables à un État arabe et islamique émancipé de la tutelle anglaise en décidèrent autrement. S'y conjugua le désir britannique d'instal-

ler sur le trône le jeune roi sunnite Faysal d'Arabie, fils du
chérif de La Mecque Hussein, qui incarnerait, avec son
frère Abdallah, roi de la Transjordanie nouvellement créée
à Amman, le songe d'un « royaume arabe » féal de Londres
cher à T. E. Lawrence. La révolte nationaliste des chiites
contre l'occupation anglaise, en 1920, qui fit de nombreux
morts et dont la répression nécessita l'envoi de troupes britanniques des Indes, devait maintenir cette communauté
désormais marquée du stigmate de la félonie à la lisière du
pouvoir, une fois l'ordre colonial rétabli. Faysal devint roi,
appuyé sur des officiers sunnites de l'ancien Empire ottoman, et protégé par Whitehall. L'Irak indépendant connut
la situation paradoxale d'être le seul pays musulman où la
confession majoritaire au sein de la communauté islamique
à travers le monde, le sunnisme, se retrouvait minoritaire et
détenait le pouvoir. De plus, les différences identitaires
qu'affichent Arabes et Kurdes sont telles qu'elles n'ont pas
permis, jusqu'à ce jour, d'additionner ces deux populations
en un même ensemble sunnite qui ferait contrepoids aux
chiites.

De ce fait, les dirigeants des Arabes sunnites se sont
efforcés de compenser leur sentiment minoritaire obsidional en se projetant dans deux ensembles plus vastes : le
panislamisme et le panarabisme, qui leur permettaient de
chercher des appuis et un réconfort identitaire à l'extérieur.
Cette projection a volontiers pris prétexte du spoliant tracé
des frontières irakiennes voulu par les cartographes coloniaux de la Perfide Albion : richement nanti d'hydrocarbures, l'Irak est cependant un pays enclavé, chichement
doté, pour seul débouché maritime, d'une façade de 46 kilo-
mètres sur le Golfe entre Iran et Koweït, à la merci de
l'artillerie de Téhéran. L'exportation de son pétrole dépend
donc d'accords avec Turquie, Syrie, Iran, Arabie saoudite,
tous États dont la relation avec l'Irak est grevée de querelles de frontière et de sempiternels conflits de voisinage
envenimés par la surenchère idéologique dans laquelle se
complaît la logorrhée politique arabe. Les offensives tous

azimuts lancées vers l'est contre l'Iran puis vers l'ouest contre le Koweït par Saddam Hussein durant son règne ne sont pas seulement imputables à la folie d'un tyran assoiffé de sang : elles ont aussi un fondement géostratégique, qui n'est pas sans évoquer l'aspiration du IIIe Reich à son *Lebensraum*, son espace vital.

Enfin, le caractère minoritaire du pouvoir n'est sans doute pas étranger à la tradition de violence inouïe qu'a connue le pays au regard des normes régionales. Outre les atrocités engendrées par la révolte de 1920, la chronique de la barbarie politique irakienne, dès avant les records atteints par Saddam, fournit une profusion d'images sanglantes. Ainsi, le 14 juillet 1958, lors du coup d'État qui renversa la dynastie issue de Faysal, le corps mutilé du régent Abdulillah fut traîné dans les rues par une foule en furie, puis pendu aux grilles du ministère de la Défense. On peut y voir une anticipation du lynchage, le 31 mars 2004, de civils américains à Fallouja par des jeunes surexcités, qui après avoir tué les malheureux et s'être acharnés sur leurs corps à coups de pelle, les arrosèrent d'essence et y mirent le feu, avant d'exhiber les cadavres décapités et carbonisés, pendus aux arcatures métalliques du pont sur l'Euphrate, eux-mêmes brandissant leur kalachnikov et souriant de toutes leurs dents devant l'objectif des photographes. Ces images seraient ensuite inscrites dans une série contemporaine de clichés monstrueux, des sévices subis par les Irakiens incarcérés dans la prison américaine d'Abou Ghraib, à la décapitation de l'otage américain Nicholas Berg par des ravisseurs islamistes en mai 2004.

Avec le renversement de la monarchie, en 1958, le pouvoir passe, pour l'essentiel, aux mains d'officiers sunnites qui, imbus de socialisme arabe, font prévaloir le panarabisme sur le panislamisme et liquident les classes moyennes urbaines traditionnelles ou les contraignent à l'exil, tout en utilisant la manne pétrolière pour subventionner des couches sociales émergentes issues de leur base tribale et montées en ville. Les dignitaires religieux, sunnites comme chiites, et leurs propriétés terriennes et autres « biens du clergé » font les frais de cette politique — et la rumeur veut que certains clercs aient fini dans les chaudrons des locomotives. Le corps du général Qassem, le tombeur de la monarchie, est exposé quatre ans plus tard à la télévision, criblé de balles, par les officiers baassistes qui s'emparent du pouvoir pour une première tentative de quelques mois, pendant laquelle la torture est érigée en mode de gouvernement. Le parti Baas s'assure pour de bon du pouvoir lors d'une seconde tentative, en 1968 : il se réclame de l'arabisme et de la laïcité, une doctrine épousée également par les alaouites baassistes qui détiennent le pouvoir dans la Syrie voisine, et permet à une minorité confessionnelle de gouverner sans souffrir d'un déficit de légitimité par rapport à la majorité — sunnite dans le cas syrien, chiite dans le cas irakien.

Le panarabisme de Saddam — homme fort jusqu'en 1979, puis seul maître à bord au gré de purges sanglantes qui ont fait surnommer son régime la « République de la peur » par l'intellectuel et opposant irakien Kanaan Makkiya — est couplé avec une politique de relations publiques dispendieuse alimentée par des revenus pétroliers qui ont engendré, en 1979, 35 milliards de dollars de réserves monétaires (le pays compte alors une quinzaine de millions d'habitants). Cela lui vaut une pléiade de thuriféraires « du Golfe à l'Océan », selon la formule consacrée qui désigne l'emprise géographique arabophone. Journalistes de titres arabes publiés à Londres ou à Paris, romanciers et essayistes aux revenus médiocres du Maroc au Yémen, cinéastes cairotes sur le retour, tous améliorent leur niveau de vie grâce aux largesses de Saddam, qui soudoie les plumes du nationalisme laïque, quand l'Arabie saoudite abreuve de pétrodollars les chantres du wahhabisme. La découverte et la publication de certains livres de comptes et des reçus, trouvés dans les pillages de Bagdad après mars 2003, ont causé un embarras momentané à quelques bénéficiaires de ces largesses. Le raïs irakien sait également se montrer généreux avec des politiciens occidentaux, confortés par des orientalistes peu scrupuleux qui voient dans l'Irak de Saddam la modernité arabe à même de réconcilier tradition et défis d'aujourd'hui. Enfin, les hommes d'affaires et représentants des compagnies pétrolières, d'armement, de BTP du monde entier se pressent chez ce dirigeant modernisateur et solvable, qui équipe son pays d'infrastructures civiles et militaires grandioses. La population, à condition d'acquiescer à la confiscation totale du pouvoir par le raïs et sa coterie politico-confessionnelle et ethnico-tribale, touche, de manière proportionnelle à sa proximité du régime, des bribes de la rente pétrolière qui lui donnent un niveau de vie moyen enviable par rapport aux critères du Moyen-Orient (péninsule Arabique exceptée).

Sont favorisés, dans l'ordre, les membres de la famille du raïs, ceux de sa tribu, les habitants de son fief de Tikrit, les Arabes sunnites, les hiérarques du parti Baas et les officiers fidèles. Comme dans les autres États rentiers de la région, la manne est telle dans la seconde moitié des années 1970 qu'elle permet, en redistribuant un pouvoir d'achat plus élevé que ne le serait le produit du travail, d'acheter des allégeances bien au-delà du cercle des affidés. L'écart se creuse d'autant lorsque l'on monte dans la hiérarchie des féaux ; après mars 2003, une fois la famille et les dirigeants baassistes éliminés, restent sur place tous les anciens prébendiers sunnites, ainsi que les officiers, sunnites aussi pour la plupart, démobilisés par l'administrateur américain. Leur révolte et la violence qu'ils déploieront contre les Américains, puis tous les étrangers, des accrochages armés au lynchage des prisonniers et à l'assassinat des otages, s'expliquent d'une façon quasi mécanique et somme toute assez prévisible.

Avec le déclenchement de la guerre contre l'Iran en septembre 1980, Saddam est contraint de modifier le registre de légitimation de son pouvoir. Son panarabisme se mâtine désormais de panislamisme avec un fort accent sunnite car il lui faut affronter la révolution islamique iranienne sans laisser à celle-ci le monopole du discours religieux. Il

s'emploie à la discréditer, grâce à la propagande de ses services relayée par les plumes arabes serves du Golfe à
l'Océan, en dépeignant Khomeyni comme un Persan, héritier des Sassanides vaincus par les armées des premiers
califes arabes et musulmans à la bataille de Qadissiya en
637. Le cinéaste égyptien Salah Abou Seif tourne un film de
commande sous ce titre pour porter au pinacle le héros qui
se réconcilie — pour une décennie — avec les ci-devant
régimes réactionnaires arabes de la péninsule, désormais
pourvoyeurs de fonds destinés à financer l'effort de guerre.
À l'intérieur de l'Irak, la logique arabo-islamique porte ses
fruits : la chair à canon des régiments de Saddam est faite de
conscrits mais aussi d'engagés chiites, attirés par les primes
versées par l'armée, issus de la gigantesque cité HLM d'une
banlieue pauvre de la capitale baptisée d'abord *medinet al
thawra* («cité de la révolution») puis renommée en l'honneur du despote *medinet Saddam* («Saddamville», la «Saddam City» des articles de presse) ainsi que des zones
déshéritées et marécageuses du Sud. Ils formeront les fantassins premiers sacrifiés sous la mitraille de leurs coreligionnaires iraniens, tandis que les régiments d'élite de la
garde républicaine, les prétoriens du régime, sont composés
de sunnites fidèles équipés des meilleurs armements, adaptés en particulier à la répression des soulèvements éventuels
de la plèbe chiite.

Au fil de la guerre, Saddam bénéficie du soutien croissant de l'ensemble des pays occidentaux, notamment la
France et les États-Unis, et des subsides des pays du Conseil
de coopération du Golfe terrorisés par l'effet de souffle de
la révolution iranienne sur leurs pays peu peuplés, dont certains comptent des populations chiites majoritaires (70 %
de la population de Bahreïn), influentes (un quart de la
population du Koweït) ou stratégiquement situées (les 10 %
de chiites saoudiens résident pour la plupart dans la province orientale pétrolifère). Le maître de Bagdad délaisse la
référence laïque pour tenter de récupérer à son profit le discours sunnite. Des mosquées se construisent partout, et un

personnel religieux est remis en selle afin de prendre en marche le train d'un islamisme porteur d'«authenticité culturelle», qui permet de masquer habilement le caractère dictatorial du régime, en puisant dans une symbolique ancienne. Le phénomène atteindra son paroxysme lorsque, une fois la guerre contre l'Iran achevée, à l'été 1988, sur un cessez-le-feu qui laisse les deux adversaires exsangues et ruinés, Saddam se retourne contre le Koweït, le plus tenace créancier de Bagdad — envahi le 2 août 1990. Une fois ce pays razzié, sous les applaudissements des derniers nationalistes et d'une bonne part de l'opinion arabes, l'offensive menace directement les puits saoudiens tout proches — et le roi Fahd appelle, comme on l'a vu, la coalition internationale dirigée par les États-Unis à la rescousse.

Pour Saddam, la guerre de la propagande se joue désormais à l'intérieur de l'espace arabe et sunnite : son adversaire n'est plus le chiisme révolutionnaire iranien de Khomeyni, mais le « desservant des deux lieux saints » saoudien, qui contrôle d'influents relais wahhabites dans les mosquées et les associations islamiques du monde entier. Pour le contrer, il s'efforce de mobiliser des « conférences islamiques » à Bagdad, où l'on vilipende l'hypocrisie des Saoud, imposteurs vendus aux États-Unis, alliés à Israël, indignes de contrôler les villes saintes. Dans le camp opposé, des conférences rivales sont tenues à La Mecque, où les clients des Saoud fulminent l'anathème contre l'impiété du baassiste laïque Saddam. Les Frères musulmans venus du Moyen-Orient, d'Asie et d'Europe, se saisissant de l'occasion qui leur est offerte, se rendent dans les deux camps offrir leurs bons offices — valorisant ainsi leur rôle de « médiateurs » dans les rangs de l'Oumma —, ce qui leur permettra de rentrer en grâce en Irak, et d'y rétablir les réseaux anciens de l'organisation, qui émanait de la ville à majorité sunnite de Mossoul, où elle se constitua à la fin des années 1940, mais que la répression avait brisée. Saddam manifeste pareille surenchère islamique et sunnite en brandissant l'étendard de Saladin, héros musulman qui vainquit les croisés dans l'imaginaire idéologique arabo-islamique. Il envoie quelques missiles Scud contre Israël, l'État hébreu figurant la réincarnation d'une croisade contemporaine qui serait frappée de l'étoile de David. En parallèle, pendant et après la déroute de l'armée de Saddam dans l'opération Tempête du désert, le pays est soumis à d'intenses « campagnes de foi » (*hamlat al iman*) destinées à inscrire la résistance à la défaite puis à l'embargo, dans une ténacité culturelle et religieuse des musulmans persécutés face à l'Occident — ce qui exonère aisément le despote de sa responsabilité dans les malheurs dont souffre la société.

Or l'islam politique sunnite qu'avait débridé Saddam, pensant en faire son instrument, a suivi sa propre logique — prudent tant que le régime était puissant, investissant son énergie dans le maillage d'un tissu social déchiqueté par la répression et l'embargo, à travers des activités caritatives accompagnées d'un réarmement moral prônant voilement ou réclusion des femmes et autres vertus islamiques destinées à renforcer son contrôle sur la vie quotidienne. Les islamistes irakiens procèdent à l'instar des Frères musulmans palestiniens des territoires occupés qui prospéraient comme association piétiste avec les encouragements israéliens jusqu'au déclenchement de la première Intifada, en décembre 1987, avant de passer à l'affrontement politique contre l'État hébreu en mobilisant les ouailles rassemblées par leurs réseaux caritatifs derrière un Hamas créé *ad hoc* à cette date. Frères musulmans irakiens et militants salafistes, qu'ils soient liés aux réseaux saoudien ou koweïtien de cette mouvance, ou se réclament de Mohammed Sorour, étendent leur présence sociale en milieu sunnite tout au long des années 1990, avec les encouragements du ministère des Biens religieux (*waqf*), se substituant aux instances d'encadrement du parti Baas, délitées, et, pour ce qu'il en reste, elles-mêmes en pleine réislamisation. Au milieu de cette décennie, toutes les femmes militantes du parti ou responsables politiques, de même que les universitaires, chercheuses et scientifiques que Saddam aimait exhiber pour illustrer l'émancipation féminine sous son règne — à l'instar de Huda Ammash, dite « Docteur bactéries », biologiste formée au Royaume-Uni qui acquit son renom grâce aux armes bactériologiques —, apparurent voilées à la télévision d'État. Dès l'effondrement du régime de Saddam, avec le démantèlement de ses réseaux de contrôle social, parti et services secrets, le tissu associatif islamiste se substitua à ceux-ci comme instance de pouvoir en milieu sunnite. Un téléprédicateur irakien, Ahmad al Kubaisi, qui avait acquis quelque renommée sur les chaînes arabes du Golfe, fit son retour à Bagdad, prononça des sermons enflammés contre l'occupation américaine, organisa des manifestations à la sortie des mosquées sunnites après la prière du Vendredi, fournissant un catalyseur religieux aux anciens ayants droit du régime déchu et la ressource idéologique nécessaire pour qu'ils relèvent la tête. Peu après, les premiers accrochages eurent lieu dans la cité sunnite conservatrice de Fallouja, qui commande la principale route vers la Jordanie et le pont sur l'Euphrate. Ils devaient se poursuivre de manière continue dans cette ville. Les factieux se réclamaient d'une foule de groupuscules dont certains portaient des noms indiquant une filiation baassiste ou nationaliste, la plupart se targuant de références islamiques. À pareils développements, les forces d'occupation américaines furent inaptes à réagir, convaincues que tout se réglerait dès l'émergence d'un symbole politique « démocratique » que devait incarner le Conseil de gouvernement transitoire, mis en place le 13 juillet 2003, et doté d'une visibilité internationale. Le pourrissement de la situation à Fallouja conduisit pourtant l'armée américaine, en avril 2004, à y mettre, un siège qui se conclurait sur un demi-échec : le 1er mai suivant, un an après la proclamation de la fin des combats par le président Bush, les clefs de la ville furent remises symboliquement par un général de l'US Army à un ancien général sunnite de la garde républicaine de Saddam, à charge pour lui de pacifier la cité insurgée que n'avaient pu réduire les chars Abrams.

La Maison-Blanche, persuadée que la transition se ferait harmonieusement entre triomphe militaire et construction démocratique, avait omis de prendre en compte l'évolution des rapports de forces réels à la base dans la communauté qu'elle privait, avec la destitution de Saddam, de sa place centrale sur l'échiquier politique irakien et de l'essentiel de ses prébendes. De plus, la démobilisation de l'armée, exclusivement tenue pour une survivance nocive de l'appareil répressif du régime déchu par l'administrateur Paul Bremer, eut pour conséquence — sans parler de la mise au chômage de quelque trois cent cinquante mille hommes de troupe qui iraient grossir la cohorte des mécontents — de priver de solde des dizaines de milliers d'officiers et sous-officiers. Ces élites militaires, sans plus rien à perdre et formées au combat comme aux usages des services secrets, devinrent disponibles pour toutes les violences et les manipulations — ils apportèrent d'ailleurs aux techniques de la guérilla urbaine un savoir-faire supérieur qui ne devait pas tarder à se manifester de manière éclatante dans la ville de Fallouja. Cela illustra les illusions stratégiques du commandement américain : le corps expéditionnaire présent sur le terrain n'est ni spécifiquement entraîné ni suffisamment nombreux pour s'engager victorieusement dans la contre-guérilla en pays arabe à une échelle de masse. La violence qui se déploie en milieu sunnite, même s'il est difficile de faire la part des Irakiens et des jihadistes étrangers venus faire le coup de feu contre les GI sur un champ de bataille qu'ils tiennent pour une nouvelle Somalie, est meurtrière et amplifiée par les télévisions. Entre le 1er mai 2003 et la fin de l'année, 249 militaires des États-Unis ont été tués ; le 19 août, le représentant spécial du secrétaire général de l'Onu, le diplomate brésilien Sergio Vieira de Mello, périt avec 23 autres personnes dans l'attentat au camion piégé qui vise le Canal Hotel, où sont regroupés les services des Nations unies — tandis qu'un attentat a ravagé l'ambassade de Jordanie le 7 août, que les sabotages coupent ce même mois l'oléoduc qui transporte le pétrole irakien au port turc de Ceyhan sur la Méditerranée, entravant la reconstruction et

manifestant très tôt que la guérilla est capable de prendre
en otage le principal enjeu politico-économique du pays, il
sera menacé de manière récurrente. Les mois d'octobre et
novembre (ce dernier le plus meurtrier de l'année 2003 avec
101 membres de la coalition tués, dont 19 Italiens) sont particulièrement difficiles : attentats suicides, voitures piégées
explosant contre des postes de la police auxiliaire entraînée
par les États-Unis pour tenter de restaurer un ordre autochtone, contre la Croix-Rouge, contre des casernements de
soldats étrangers. Manifestant un degré de professionnalisme et un accès aux armements lourds qu'on ne peut guère
imputer qu'aux officiers démobilisés et aux stocks qu'ils ont
mis de côté, des tirs de missile commencent d'abattre des
hélicoptères américains, menaçant désormais la suprématie
militaire elle-même de Washington. La guérilla sunnite
cherche le défaut de la cuirasse d'un Pentagone qui conçoit
la guerre moderne en substituant des armes intelligentes
aux troupes; elle piège au sol les soldats américains systématiquement pris pour cibles. Cette tactique n'est pas sans
évoquer celle du *jihad* afghan des années 1980, lorsque
les moujahidines, alors conseillés par la CIA, piégeaient
l'infanterie soviétique, attaquaient ses patrouilles, multipliant les morts dans ses rangs. Mais elle fait plus de ravages
chez l'adversaire, grâce à l'écho immédiat qu'en donne la
télévision. Le 26 octobre, l'Hôtel Al Rachid, où descend,
pour une tournée d'inspection, Paul Wolfowitz, incarnation
de la guerre de l'avenir par la maîtrise des technologies de
pointe et des armes intelligentes chère à son maître Albert
Wohlstetter, est attaqué par une salve de roquettes artisa-
nales lancées d'une batterie dissimulée dans une carriole
brinquebalante que tire un humble bourricot. Si le secrétaire adjoint à la Défense en réchappe, on ne saurait imaginer de symbole plus frappant pour exprimer les limites de la
stratégie américaine issue de la vision néoconservatrice,
confrontée aux réalités quotidiennes de l'occupation dans
un pays musulman du tiers-monde au début du XXIᵉ siècle.

Entre la collaboration calculée des Kurdes et l'explosion de violence sunnite, l'attitude chiite constitue le principal enjeu, et la plus grande inconnue, de l'invasion de l'Irak : le pari chiite est un quitte ou double — rien moins que l'aboutissement ou l'échec de la « guerre contre la terreur ». En misant sur la communauté chiite irakienne, Washington poursuit, comme on l'a vu, plusieurs buts : pondérer au profit des chiites, plus nombreux que les sunnites sur les rives du Golfe, la redistribution des revenus pétroliers — et également peser sur les équilibres internes au monde chiite en ramenant Téhéran dans le giron américain, ce qui fermerait la parenthèse ouverte en 1979 par la révolution khomeyniste. En soldant en barils cette nouvelle alliance géostratégique, les États-Unis escomptent la gratitude de populations brimées que leur intervention va émanciper : directement, en Irak de la trique du Baas ; par contrecoup, en Iran de la férule des mollahs. Mais il s'agit d'une complexe opération à double détente. Elle suppose qu'au sein du pouvoir iranien des forces, appuyées sur la société civile, soient capables d'infléchir le régime pour le détourner de ses penchants idéologiques panislamistes et anti-américains, et le faire revenir à une vision réaliste des rapports de forces mondiaux, ce qui permettra à Téhéran de retrouver son rôle de puissance majeure dans la région, perdu depuis les turbulences révolutionnaires de 1979. L'évolution du chiisme irakien est, dans cette perspective, une variable essentielle : soit la communauté bascule en majorité vers un modèle démocratique philo-américain et pro-occidental en général — et le pouvoir d'attraction irrésistible de ce phénomène fera sentir ses effets très vite en Iran ; soit, au contraire, le chaos irakien permet aux tenants de la ligne dure à Téhéran d'agiter l'épouvantail du désordre face à une société iranienne encore traumatisée par les violences de la révolution islamique, et surtout d'intervenir en position de force à l'ouest du Chott al 'Arab, à travers pasdarans, mollahs et autres agents d'influence infiltrés, pour y souffler le chaud et le froid face à une Amérique désemparée et fragilisée.

Les chiites irakiens et iraniens sont à la fois liés d'inextricable façon et profondément différents. Si le taux d'interpénétration du clergé, notamment au sommet de la hiérarchie des ayatollahs, est très élevé, les fidèles, en revanche, sont fortement déterminés, à l'époque contemporaine, par des allégeances à caractère national — comme l'a montré l'enrôlement dans chacune des armées, pendant la guerre entre 1980 et 1988, d'une jeunesse endoctrinée pour que l'Arabe tue le Persan et le Persan l'Arabe —, sans que la commune appartenance au chiisme constitue un empêchement dirimant. La grande saignée de cette guerre de huit ans a trempé le patriotisme de chacune des populations. C'est ce qu'expriment avec éloquence les fresques murales gigantesques exaltant les « martyrs » tombés au combat qui décorent les murs des villes d'Iran, même si le vocabulaire pictural emprunte pour l'essentiel au dolorisme chiite.

Dans les deux pays, la conversion au chiisme est un phénomène relativement récent : en Iran, elle a eu lieu pour l'essentiel au xve siècle, lorsque la dynastie safavide a adopté cette croyance comme idéologie d'État, en opposition à l'Empire ottoman sunnite — la population suivant ses princes, en une version orientale du principe *cujus regio, ejus religio*. Dans quelle mesure l'adhésion finale au chiisme en contrepoint d'un environnement sunnite fut-elle une manière de réaffirmer, sous le turban noir, l'identité persane ancienne, indo-européenne, face au monde sémitique, voire de retrouver la stricte hiérarchie du clergé zoroastrien ? La question fait débat chez les intellectuels iraniens, passionnément imbus, en règle générale, de la supériorité de leur culture par rapport aux Arabes « mangeurs de lézards » et autres Turcs ou Afghans mal dégrossis. En Irak, la conversion au chiisme est plus récente encore ; elle est advenue pour l'essentiel au xixe siècle, lorsque les tribus nomades arabes sunnites se sont sédentarisées, remettant en culture les terres fertiles de Mésopotamie que des siècles de pastoralisme avaient ravagées. La présence des princi-

pales villes-mausolées des imams du chiisme (Ali, mort en
661, est supposé reposer à Najaf, Hossein, tué en 680, à Kerbala) avec leurs systèmes de régulation des relations
sociales coiffés par un clergé pyramidal a fourni à ces nouveaux sédentaires un cadre propice. Cela s'est traduit par
un attachement au sol que l'on ne retrouve pas avec la
même intensité chez leurs compatriotes sunnites où prévaut
le fantasme d'une Oumma, une Communauté des Croyants
nomade, sans racines terriennes et projeté dans un panarabisme et un panislamisme conquérants.

La hiérarchie cléricale chiite, quant à elle, constitue
un corps très cosmopolite, dans lequel l'accès au grade
suprême, le *marja' al taqlid* ou « source d'imitation »,
n'intervient qu'au terme d'études très longues, sanctionnées
par l'ampleur de l'érudition, cette dernière valant à certains
doctes le surnom de *bahr al 'ulum* (littéralement : « océan
de savoirs » — l'expression est passée en patronyme d'une
famille de lettrés). Najaf est une sorte de Vatican du
chiisme, et Kerbala son Golgotha, le lieu où l'on commé-
more le calvaire de Hussein lors de la cérémonie de
'Achoura, au cours d'une manifestation gigantesque de
piété et d'allégeance des fidèles à la *marja'iyya*, la communauté des *marja'*, les grands ayatollahs infaillibles sources
d'imitation. Leur nombre se compte en général sur les
doigts d'une main et en leur sein émerge un *primus inter
pares*, dont les pouvoirs, au contraire du pape catholique,
sont bridés par la nécessité de négocier et rechercher le
consensus avec ses pairs. 'Achoura se double d'une seconde
cérémonie, plus imposante encore, Arba'in, quarante jours
plus tard. En 1977, la procession de l'Arba'in tourna à
l'émeute contre le Baas, la foule hurlant des slogans hostiles
à Saddam. Une répression sanglante rétablit l'ordre, les
« meneurs », des jeunes de Najaf sans affiliation politique,
furent exécutés ou moururent sous la torture — et la cérémonie fut interdite. Arba'in ne fut célébrée à nouveau qu'en
avril 2003, dans la foulée de l'offensive américaine, attirant
quelque trois millions de personnes, en une démonstration

de force remarquable du contrôle social exercé par le clergé chiite sur la masse des fidèles, et de l'impact du chiisme dans la région. Le pèlerinage à La Mecque, sous l'égide sunnite saoudienne, rassemblant environ deux millions de personnes, Kerbala s'érigea instantanément en contrepoids et en défi. Évoquant le phénomène avec l'un des membres de la famille royale saoudienne quelques jours plus tard, l'auteur s'entendit répondre que l'importance de celui-ci n'avait échappé à personne en Arabie : les représentants des 10 % de chiites du royaume avaient saisi l'occasion pour remettre au prince héritier Abdallah un placet réclamant l'égalité, et la fin des discriminations à leur encontre issues de l'intolérance wahhabite.

La puissance et l'indépendance de la hiérarchie cléricale chiite procèdent d'un pacte avec le prince : les clercs, en référence au « premier des martyrs », Hussein, symbole de la défaite du Bien en ce monde, prônent le renoncement aux combats d'un ici-bas tout de ténèbres et d'iniquité, et incitent les fidèles à rechercher plutôt la perfection spirituelle à même de leur ouvrir les portes du Paradis. Ils prêchent la patience — ou quiétisme — dans l'attente de la Fin des Temps annoncée par le retour du Messie (le *mahdi*) qui emplira l'univers de lumière et de justice. Le prince est médiocre, on ne fait pas la prière en son nom car il ne saurait incarner le souverain légitime, on ne prie pas non plus en congrégation le Vendredi pour cette raison, mais on lui prête une allégeance de façade (*taqiyya* ou *ketman*, « dissimulation ») sans chercher à le renverser. En contrepartie, le clergé taxe les fidèles d'un « quint » (*khums*, une double dîme) qui abonde jour après jour un vaste budget. Les mollahs gèrent leur immense fortune à travers fondations, œuvres pies et biens fonciers de mainmorte, assurant grâce aux revenus de ce trésor une foule de médiations et de régulations qui maintiennent l'ordre social dans l'intérêt bien compris du prince et d'eux-mêmes. Ce système a été déséquilibré à l'époque contemporaine de deux manières opposées en Irak et en Iran : le socialisme baassiste a tenté de démanteler l'empire des clercs en nationalisant les biens du clergé et en substituant un code civil laïque aux juridictions religieuses — et le khomeynisme a rompu avec le quiétisme et conquis pour le clergé lui-même le pouvoir politique.

En Irak, le coup d'État de juillet 1958 installe aux commandes une coterie d'officiers, dirigés par le général Qassem, lui-même issu d'un « couple mixte » (père sunnite et mère chiite). Qassem s'appuie notamment sur les communistes, qui recrutent l'essentiel de leurs troupes dans le petit peuple chiite des banlieues pauvres de Bagdad et du Sud. Quant au secrétaire général du parti c'est un *sayyed*, un descendant du Prophète, originaire de Najaf ; une bonne part des membres du comité central et des cadres sont aussi issus de la communauté. Le régime ne nourrit pas d'hostilité ethnique envers les chiites, mais il se heurte au clergé, gros propriétaire terrien, dès qu'il proclame la réforme agraire. Le grand ayatollah al Hakim, soucieux d'éviter un conflit frontal avec le régime, qui remet en cause les principes du pacte fondateur des relations entre le clergé et le prince, laisse son bureau faire savoir que la réforme agraire viole les lois de l'islam, comme le fait celle du code de la famille, qui accorde l'égalité des droits aux femmes. En revanche, il émet en personne une fatwa, un avis ayant force de loi aux yeux des fidèles, qui assimile l'adhésion au Parti communiste à de l'impiété (*kufr*) : la guerre idéologique fait rage, pour conquérir l'âme des chiites, entre le grand ayatollah et le *sayyed* qui dirige le Parti communiste. Les putschs de 1963, qui installent (brièvement) le Baas, puis l'officier nassérien Aref aux commandes de l'État, et l'ultime coup d'État qui conforte pour de bon le régime du Baas et de Saddam en 1968, marginalisent en revanche les chiites sur le plan ethnique. Peu ou pas représentés parmi les officiers factieux, ils voient à la fois leur classe marchande — qui avait bénéficié du départ forcé des juifs en 1948-1949 — laminée par les nationalisations à répétition, et le PC, qui représentait nombre d'entre eux, annihilé par une répression féroce. Najaf demeure un centre de formation des clercs pour le monde chiite transnational (Khomeyni y est exilé par le chah d'Iran entre 1963 et 1977, et y mûrit sa réflexion sur le gouvernement islamique à travers les conférences aux séminaristes), mais la politique de laïcisation, de confiscation de biens, de saisie de fonds réduit considérablement l'influence sociale de la hiérarchie religieuse sur ses ouailles.

C'est dans ce contexte que se développe un parti politique chiite islamiste, autonome envers la hiérarchie religieuse, qu'il tient pour sclérosée et inapte à résister aux épreuves. Constitué à la fin des années 1950, au moment de la chute de la monarchie, il a d'abord pour principal idéologue un clerc né vers 1930, issu d'une grande famille d'ayatollahs, mais trop jeune alors pour s'imposer à la hiérarchie : Baqir al Sadr. Fasciné par le type d'organisation du PC et préoccupé par l'attirance qu'il exerce sur la jeunesse chiite, le parti, qui se nomme Da'wa (« appel à l'islam »), emprunte aussi au modèle égyptien des Frères musulmans sunnites. Son but est de créer un État islamique totalitaire, dans lequel le parti sera le dépositaire du Souverain Bien exprimé par l'islam. Cet État adviendra grâce à un combat révolutionnaire visant à abattre le régime impie, après une phase de « conscientisation » et d'implantation dans les masses. Dans l'attente du retour du Messie infaillible, il fera régner la *chari'a*, la loi islamique, par la *chura* ou accord consensuel entre juristes religieux (les oulémas). Cet attelage hybride de marxisme révolutionnaire et de messianisme islamique entraîna d'abord le parti dans la confusion : violemment combattu par la hiérarchie religieuse (il émancipait ses membres de toute référence à un *marja'*), il subit également la répression du pouvoir. Baqir al Sadr fut contraint de s'en dissocier, et rentra en apparence dans le giron de sa famille cléricale. Mais il publia, en 1959 et 1961, deux livres à la facture moderne, loin du style ampoulé des oulémas : *Notre philosophie* et *Notre économie*. Empreints d'idéologie islamiste et teintés de socialisme, ils connurent — particulièrement le second — une immense faveur dans le monde arabo-musulman, y compris en milieu sunnite. *Notre économie* demeure, aujourd'hui encore, le livre de référence de tous les défenseurs du système bancaire islamique, leur caution sociale et religieuse.

La dualité au sein de la mouvance chiite religieuse, entre le pôle clérical et le pôle militant, s'est perpétuée jusqu'à nos jours — chacun des deux s'efforçant de gagner à sa cause tant la masse des fidèles que les réseaux de séminaristes et de clercs de rang inférieur, de collecteurs du quint, de sermonnaires, qui permettent la mobilisation populaire. À la mort du grand ayatollah Mohsin al Hakim, en juin 1970, sa charge passa à Abou Qassem al Khoï, puis, à la mort de celui-ci en 1992, à Ali Sistani. Tous deux d'origine iranienne, et de ce fait relativement détachés des enjeux de stricte politique irakienne, ils cultivent la rareté de leurs apparitions publiques (Sistani s'exprime en arabe avec un très fort accent persan). Ils appartiennent à la branche « quiétiste » du chiisme, et resteront en retrait par rapport à la révolution iranienne et à Khomeyni, qu'ils situent à un rang inférieur à eux-mêmes par le savoir et l'érudition. Face à eux, deux clercs de lignage irakien, cousins l'un de l'autre, Baqir al Sadr puis Sadiq al Sadr, ont incarné une aile militante et radicale qui a abouti à leur assassinat par les services secrets du régime de Saddam — le premier en avril 1980, le second en février 1999. Leur héritage a été repris par le fils de Sadiq al Sadr, Mouqtada, un jeune homme âgé tout au plus d'une trentaine d'années, qui a acquis soudain un renom exceptionnel en incarnant l'opposition chiite à l'occupation américaine dès avril 2003.

Cette branche militante a connu des vicissitudes, liées à la fois à la brutalité du régime de Saddam, mais aussi à l'ambiguïté des relations qu'elle a nouées avec Khomeyni et la République islamique d'Iran. Durant ses quatorze années d'exil à Najaf, Khomeyni avait très peu fréquenté ses collègues irakiens, mais la montée en puissance du soulèvement en Iran pendant l'année 1978 et la captation de celui-ci par le clergé radical ne pouvaient laisser indifférents

ceux qui, en Irak, nourrissaient le projet d'un État islamique. Baqir al Sadr reprit langue, à cette occasion, avec les
militants du parti Da'wa qui avaient survécu aux exécutions,
et fit allégeance à Khomeyni. Le grand ayatollah Khoï, lui,
se contenta d'un télégramme de félicitations à Khomeyni
dans lequel il lui donnait le titre de *hojjat al islam* — l'équivalent d'un maître de conférence par rapport à un professeur des universités. Des manifestations de soutien à
Khomeyni, organisées à Najaf autour du domicile d'al Sadr,
amenèrent le régime à l'arrêter une première fois en juin,
tandis que les réseaux du parti étaient violemment déman-
telés. Dans le même temps, d'une part Saddam se débarras-
sait de ses rivaux au sein du Baas et accédait au pouvoir
absolu, marquant cette étape par des purges sanglantes et
un nouveau tour de vis de la répression, d'autre part des
activistes islamistes lançaient une campagne de terreur et
tentaient d'assassiner des dirigeants. Le 4 avril 1980, al Sadr
fut enlevé avec sa sœur, Bint al Houda. Le 9, son corps sans
vie arriva au cimetière de Najaf pour y être inhumé. En septembre, Saddam déclenchait la guerre contre l'Iran de Khomeyni.

Les huit années de guerre, après l'assassinat de Baqir al
Sadr, ne furent guère propices à l'opposition chiite irakienne, désorganisée et mal à l'aise à cause de sa collusion
avec l'ennemi iranien, tandis que des centaines de milliers
de jeunes chiites étaient sous les drapeaux et mouraient
dans les tranchées. En 1982, des opposants exilés en Iran
créèrent l'Asrii (Assemblée suprême de la Révolution islamique en Irak), dont l'homme fort était Mohammed Baqir
al Hakim — un clerc issu d'une famille arabe prestigieuse
de Najaf — et le bras séculier l'« armée de Badr », une
milice de quelques milliers d'hommes recrutés parmi les prisonniers de guerre chiites irakiens, équipée et payée par
l'Iran, encadrée par les pasdarans. L'échec de l'Iran, le cessez-le-feu signé à contrecœur le 18 juillet 1988 par un Khomeyni déclarant qu'il « buvait le calice de poison », ne
renforcèrent pas la main des chiites irakiens islamistes qui

rêvaient leur pays comme la première conquête de la révolution islamique mondiale sous la guidée de l'imam de Téhéran. Désemparés, ceux-ci prirent même fait et cause pour Saddam lorsqu'il envahit le Koweït en août 1990, au nom de la lutte contre l'Amérique. Quand l'armée irakienne s'effondra sous les bombardements de la coalition internationale, dès la fin janvier 1991, ils furent incapables d'en tirer parti. La révolte qui s'empara du Sud chiite au début mars — encouragée mais non soutenue par les États-Unis — demeura une jacquerie sans chefs qu'illustrèrent des massacres de baassistes et d'officiels par les émeutiers. Ils furent vengés par les régiments prétoriens sunnites de la garde républicaine, qui noyèrent le soulèvement dans le sang. Dans la conscience chiite, la mémoire de ces événements est ambiguë : la haine pour Saddam atteignit au paroxysme, mais des sentiments pour le moins mêlés furent nourris à l'égard des États-Unis, qui — en laissant faire et en n'anéantissant pas les régiments fidèles à Saddam alors que les troupes du général Schwarzkopf, massées à proximité, pouvaient accomplir aisément pareille mission — sacrifièrent la révolte chiite sur l'autel des intérêts globaux de Washington dans la région.

Ainsi, en 1991, la présidence américaine, — en partie pour préserver intacte la coalition victorieuse contre l'Irak afin de faire levier sur le règlement de paix entre Israël et les Palestiniens, nous l'avons vu, en partie par crainte d'une déstabilisation de l'Irak vaincu et démembré qui créerait une vaste et imprévisible zone de turbulence chiite dans le Golfe sous l'égide d'un Iran qui n'avait pas encore jeté sa gourme révolutionnaire, — opta pour la « neutralisation » du pays vaincu, corseté par un strict régime d'embargo, mais toujours dirigé par Saddam Hussein. À l'époque, on jugea sa dictature préférable au saut dans l'inconnu. De plus, en limitant considérablement la production de pétrole d'un pays ruiné, incapable d'investir dans des infrastructures modernes d'exploration et production, on raréfiait l'offre, maintenant un prix soutenu du brut — au profit des pétromonarchies sunnites conservatrices alliées des États-Unis, comme le Koweït et l'Arabie saoudite. La gratitude de celles-ci ne tarda pas à se traduire par une foule de contrats faramineux, tandis que les compagnies pétrolières, notamment américaines, dans lesquelles le président Bush père avait fait sa fortune, en tiraient de substantiels profits. Mais toute médaille ayant son revers, la cherté de l'énergie inhiba la reprise économique et la création d'emplois aux États-Unis, et George H. Bush, le vainqueur du Koweït, fut vaincu dans les urnes par Bill Clinton.

En Irak même, ces considérations de géostratégie planétaire ne concernaient la population, et la masse chiite pauvre en particulier, que parce qu'elles aggravaient ses souffrances, au milieu d'un pays ravagé par la folie de son dictateur, et maintenu la tête sous l'eau par la communauté internationale. On ne se préoccupait guère alors de la « société civile » irakienne, moins encore de sa « démocratisation ». Et la critique morale de ce cynisme permit aux néoconservateurs de fourbir leur argumentaire, lorsqu'ils commencèrent à œuvrer, au milieu de la décennie, pour un changement de régime à Bagdad qui viserait Saddam au lieu de prendre en otage sa population. Sur le terrain en effet, la dépendance extrême de tout un chacun, pour les approvisionnements de sa vie quotidienne, envers les réseaux de débrouille, de corruption et de contrebande rapidement contrôlés par Saddam, sa famille et son clan, renforçait encore, paradoxalement, le pouvoir du despote. Et celui-ci, adaptant son discours de légitimation à ces temps de dénuement et de malheur où les secours de l'au-delà sont appréciés, concéda un espace considérable aux religieux de tout poil — comme on l'a observé précédemment dans le cas sunnite. Chez les chiites, où le grand ayatollah Ali Sistani succéda en 1992 à Khoï, ce persanophone quiétiste mit à profit toutes les ressources de l'appareil clérical pour se tenir éloigné d'un régime qui avait encore fait preuve, après le soulèvement du Sud en 1991, d'une sauvagerie inouïe envers ses ouailles, et auquel il n'était pas envisageable d'apporter la moindre once de légitimité. Mais l'épopée militante de Baqir al Sadr avait laissé des traces, et un de ses cousins, Sadiq al Sadr, reprit le flambeau de la mobilisation d'un petit peuple chiite dont l'explosion démographique, la migration en masse vers les HLM et les habitations précaires de « Saddamville », dans la banlieue de Bagdad, avaient accru la précarité. Son intense travail social, le développement d'associations de bienfaisance et de réseaux caritatifs, ressemblait à ce qu'avait mis en place parmi les chiites pauvres libanais un autre cousin éduqué à Najaf, Moussa al Sadr, fondateur du Mouvement des déshérités (*Harakat al Mahroumin*), dans un milieu comparable : explosion démographique, guerre civile, migration massive du Sud-Liban vers la Dahiyya, la banlieue pauvre de Beyrouth. De même que Moussa al Sadr était vu avec faveur par les tenants de l'ordre établi au Liban, car il encadrait de son évergétisme et canalisait dans la piété une population aux sentiments volatils, Sadiq al Sadr bénéficia dans un premier temps des encouragements de Saddam. Bien qu'il eût fait assassiner son cousin Baqir en 1980, le despote appréciait dans ce nouveau Sadr un ayatollah de race arabe, à même de faire pièce à l'Iranien Sistani. Face à la *hauza* (le « séminaire ») figée et silencieuse (*samita*) du grand ayatollah, qui cultivait le retrait du monde, Sadiq al Sadr lança une *hauza natiqa* (un « séminaire loquace »), qui s'insérait dans le monde au plus profond de ses problèmes sociaux et mobilisait tout un réseau de petits prédicateurs de quartier, de collecteurs du quint, et de mollahs de base issus de la jeune génération déshéritée, qui s'efforçaient d'alléger le fardeau de l'embargo. Sadr, sur le modèle de ce qu'avait fait Khomeyni en s'emparant du pouvoir en Iran, autorisa de nouveau les chiites d'Irak à prier en congrégation le Vendredi. Jusqu'alors, la tradition voulait que cette prière, qui s'effectue au nom du gouvernant musulman, fût suspendue tant que le Messie n'était pas revenu : elle ne pouvait en effet se réclamer d'un prince tenu pour intrinsèquement mauvais. Dans la République islamique, elle avait du sens car le pouvoir était désormais aux mains des religieux. Restaurée en Irak, elle confortait Saddam, ce qui, dans un premier temps, ravit le tyran. Mais elle permettait surtout d'organiser des rassemblements de masse — et les sermons prirent, avec les années, une tournure de plus en plus hostile au régime. La sanction ne tarda pas : à l'instar de son cousin Baqir, Sadiq al Sadr fut assassiné par les séides de Saddam, en février 1999, avec deux de ses fils. Il en restait un, Mouqtada, âgé d'un peu plus d'une vingtaine d'années, qui faisait son apprentissage clérical au moment du meurtre de son père. Il ne tarderait pas à construire un capital politique et religieux sur le martyre paternel : Sadiq al Sadr était idolâtré par la masse du petit peuple chiite qui brandissait à chaque occasion son portrait, lorsque l'invasion américaine, quatre ans plus tard, en renversant le despote, ouvrit un vide de pouvoir que le jeune clerc, héritier d'une lignée fameuse, s'efforcerait de combler.

Lorsque le régime de Saddam s'effondre, en avril 2003, le monde du chiisme irakien, qui fait l'objet de toutes les attentes dans les cercles du pouvoir à Washington, est ainsi clivé autour de plusieurs pôles. L'univers des exilés est lui-même éparpillé en une multitude de petits partis et de sectes que le gouvernement américain, qui finance l'INC (le Conseil national irakien), dirigé par l'homme d'affaires chiite Ahmad Chalabi, a du mal à départager. Le Pentagone et les néo-conservateurs sont de fervents soutiens de ce dernier, auquel s'oppose le Département d'État, plus sensible à l'Asrii de l'ayatollah Baqir al Hakim, basée à Téhéran, auquel la diplomatie américaine prête de plus forts appuis populaires. À ceux-ci s'ajoute une multitude de groupes nationalistes, marxistes, laïques ou religieux, qui, selon l'universitaire Faleh A. Jabar, « sauf l'objectif partagé d'éliminer le régime totalitaire du Baas, ont très peu en commun ». Les délégués chiites de la dernière conférence de l'INC avant l'attaque américaine, réunie à Londres en décembre 2002, « n'y figurent pas, note-t-il, comme un seul bloc, qui serait uni autour de perspectives idéologiques, sociales ou politiques ».

En réalité, le vide institutionnel sur le terrain, dans une société où le fléau du Baas a fauché toute vie associative, et où l'embargo a cassé le ressort de la société civile, est rempli, à la chute du régime, par deux forces principales, dont aucune ne figurait dans l'INC, et avec lesquelles l'administration provisoire américaine n'a pas su construire de relations. La première est la hiérocratie chiite coiffée par le grand ayatollah Sistani, à la tête de la *marja'iyya* (le corps des clercs, source infaillible d'autorité, rassemblés dans la *hawza*, c'est-à-dire le séminaire religieux, de Najaf). La seconde est le rassemblement que tisse très vite le jeune Mouqtada al Sadr en ravivant la mémoire et les réseaux de son père. L'émergence de ces deux forces, qui entrent rapidement en conflit, quelques mois à peine après la chute de Bagdad, structure la compétition pour le pouvoir au sein du monde chiite — l'épuisement éventuel de la seconde pourrait un jour libérer un espace alternatif qui permettra à des acteurs politiques non religieux d'occuper le terrain.

La puissance des réseaux contrôlés par le grand ayatollah Sistani se manifeste dès la progression de l'armée américaine lorsqu'elle atteint Najaf, sur la route de Bagdad. Le *marja'* suprême fait dire à ses ouailles de ne pas s'opposer aux troupes des États-Unis, mais en même temps interdit aux soldats de s'approcher de la *hawza*. Des images spectaculaires à la télévision montrent les GI faisant marche arrière, crosse en l'air, tandis qu'un mollah enturbanné, dépêché par le bureau de Sistani, transmet les instructions à leur officier, au milieu d'une foule tendue, sur laquelle l'emprise du mollah est visible. D'emblée, le contrôle de Najaf est le principal enjeu de pouvoir pour tous ceux qui, dans le camp chiite, luttent pour l'hégémonie sur la communauté à travers le contrôle de son instance religieuse. Le 10 avril, Abd el Majid al Khoï, le petit-fils du prédécesseur de Sistani, le grand ayatollah al Khoï, lui-même ayatollah et de retour de son exil londonien — qui représente la tendance la plus rationaliste, libérale et pro-occidentale dans le monde clérical —, est arraché par une foule en furie au mausolée de l'imam Ali, conduit ligoté au domicile voisin du jeune Mouqtada al Sadr (selon les accusations ultérieures), puis poignardé à mort avant que son cadavre soit traîné dans la rue. Cet acte symbolique et sacrilège marque à la fois l'irruption du courant dirigé par ce dernier dans le champ politico-religieux irakien, la violence des enjeux liés au pouvoir sacré, la détermination d'un protagoniste prêt à recourir à des sicaires pour s'imposer, ainsi que l'incapacité des forces américaines à protéger, avec Abd el Majid al Khoï, celui des ayatollahs qui était le plus réceptif à la démocratisation de l'Irak, telle qu'envisagée outre-Atlantique.

La marche vers la puissance de Mouqtada al Sadr passe par la conquête d'une base de pouvoir sociale, à partir de laquelle il puisse se lancer à l'assaut de la *hawza* de Najaf. Il trouve d'emblée celle-ci dans la vaste banlieue chiite de Bagdad, dont ses partisans imposent la nouvelle dénomination « Medinet al Sadr » (Villesadr, la « Sadr City » des journalistes), marquant ainsi la toponymie de l'Irak libéré d'un nom qui se réfère au père martyr, mais qui confère *ipso facto* au fils légitimité et visibilité. La substitution a lieu au moment où Bagdad est livrée au pillage et à l'anarchie, dans les jours qui suivent l'entrée des troupes américaines, sans que celles-ci interviennent pour rétablir l'ordre. En revanche, les imams des mosquées chiites de ce quartier pauvre, où résident nombre de pillards, collectent les objets volés afin de les rendre à leurs propriétaires — manifestant par là leur rôle dans la moralisation des rapports sociaux. Ce contrôle social est immédiatement prolongé par l'annexion des dispensaires et hôpitaux, où infirmières et femmes médecins sont contraintes de se voiler. Dans la foulée est levée l'« armée du Messie » (*jaish al mahdi*), une milice qui commence par s'occuper d'édilité (ramassage des ordures, circulation, « pourchas du Mal et commanderie du Bien » dans les zones qu'elle patrouille), avant de se transformer en bras armé du jeune dirigeant.

Mouqtada al Sadr a besoin de compenser par son activisme et la violence qu'il exerce sur ses adversaires son déficit d'érudition et sa jeunesse, un handicap difficile à surmonter dans le monde chiite, ainsi que son ignorance absolue du monde extérieur, qu'il voit à travers le prisme étroit de ses convictions. Son seul voyage à l'étranger s'est déroulé en Iran. De ce dernier pays rentre d'exil, le 10 mai, l'ayatollah Mohammed al Hakim, guide spirituel de l'Asrii, au bout de vingt-trois ans. D'emblée, il s'efforce de mettre en scène son retour à l'image de celui de Khomeyni à Téhéran le 1ᵉʳ février 1979, mais les foules sont bien moins nombreuses. Avec l'appui du Département d'État, en contact avec l'Asrii dès avant la chute de Saddam, il se pose en fédérateur du pôle chiite et en candidat à la direction d'un Irak islamique, où seraient reconnus les différents groupes ethnico-religieux qui composent la population, et mis en œuvre le pluripartisme. Il s'efforce de dépasser le clivage entre le quiétisme de Sistani et l'extrémisme de Sadr — ce dernier inquiète, par-delà le cercle de ses partisans, tant les classes moyennes chiites que les sunnites et les Kurdes. Les espoirs mis en Mohammed al Hakim sont étouffés dans l'œuf avec son assassinat, dès le 29 août, lorsque l'explosion d'une voiture piégée à Najaf fait plus de cent morts. Jihadistes sunnites et forces américaines s'en rejettent mutuellement la responsabilité ; et l'élection de son frère Abd el Aziz, le surlendemain, à la tête de l'Asrii ne compense pas pour cette organisation la perte de son dirigeant charismatique. La voie est dégagée pour l'activisme de Mouqtada al Sadr.

Celui-ci s'efforce simultanément de rogner l'influence de Sistani et de se donner une stature qui dépasse sa clientèle chiite en multipliant les signes destinés aux sunnites radicaux, en manifestant une exécration des Américains et de l'Occident en général. Mi-octobre 2003, il lance des détachements de son « armée du Messie » sur Najaf, tentant de s'emparer du mausolée de l'imam Ali et d'en déloger les fidèles de l'ayatollah Sistani. Ces derniers conservent le dessus, mais les objectifs sont ainsi clairement posés. En

janvier 2004, tandis que les téléprédicateurs et autres islamistes cathodiques des chaînes de télévision arabes
s'excitent contre la décision française de prohiber le port
d'insignes religieux à l'école, Sadr, en dépit d'une connaissance assez brumeuse de la France et du monde en général,
prend position avec violence contre Paris, s'efforçant
d'intervenir dans un débat censé dépasser les seuls enjeux
du chiisme. En mars 2004, tandis que la violence, imputable
pour l'essentiel aux militants radicaux du « triangle sunnite » Bagdad-Fallouja-Ramadi, atteint des proportions
inouïes, que la Constitution provisoire de l'Irak est adoptée
par le Conseil intérimaire de gouvernement malgré les réticences du grand ayatollah Sistani, l'assassinat par Israël du
cheikh Ahmad Yassine, guide du Hamas palestinien, donne
à Sadr l'occasion d'une manifestation de solidarité remar-
quée avec cette organisation. En prônant l'identification
entre le combat de Hamas contre Israël et celui de son
« armée du Messie » contre Washington, Mouqtada al Sadr,
qui, ce faisant, conforte l'assimilation entre Tsahal et l'US
Army suggérée à longueur de séquences par les images des
télévisions satellitaires arabes, s'efforce de dépasser l'antagonisme entre chiites et sunnites, adressant un signe politique à ces derniers. Ce mouvement s'amplifie avec la
concomitance du soulèvement sunnite de Fallouja, le 5 avril,
et des manifestations lancées le 4 par Sadr pour protester
contre son incrimination officielle dans l'assassinat d'Abdel
Majid al Khoï l'année précédente. L'émeute gagne les bastions chiites de Bassora et de Koufa, où le leader de
l'« armée du Messie » se retranche entouré de ses fidèles,
mettant au défi les forces américaines de se saisir de lui ou
de le tuer — au risque d'embraser la communauté et de placer dans une situation intenable Sistani et ceux des dirigeants chiites qui prônent la conciliation avec Washington.
En mai, l'armée américaine est contrainte d'admettre le fait
accompli d'enclaves autonomes qu'elle ne peut plus investir
(Fallouja, Koufa, et en partie Medinet al Sadr) tandis que
son crédit moral est atteint par la diffusion mondiale des

photographies de prisonniers irakiens nus humiliés par leurs geôlières.

Ce déshonneur sape le fondement éthique même dont se prévalaient les idéologues néoconservateurs qui poussaient à l'invasion de l'Irak, à savoir restaurer la démocratie et abolir les pratiques dégradantes dont Saddam était coutumier — même si les tortures à mort qu'il faisait pratiquer sont incommensurables avec les avanies subies par les prisonniers irakiens. Ces images choquantes, d'un type nouveau et saisissant, en occultent en partie d'autres, diffusées en même temps, mais devenues banales, de prisonniers humiliés — l'un d'entre eux est même abattu de sang-froid, victime du chantage exercé sur son gouvernement. Les terroristes de tout poil ont habitué les téléspectateurs aux images de captifs originaires de pays développés. En l'occurrence, il s'agit d'otages étrangers, japonais mais principalement européens, enlevés par des groupes qui, comme leurs pareils libanais des années 1980, multiplient les appellations comme autant de leurres : Brigades vertes, Combattants du jihad, etc.

Ce phénomène manifeste une double internationalisation du conflit, et attire les États-Unis dans un engrenage incontrôlable. Il montre l'irruption de jihadistes étrangers sur le sol de l'Irak, et projette les enjeux irakiens sur le reste de la planète — en Europe avant tout. La présence de jihadistes a été facilitée par la démobilisation de l'armée de Saddam, qui n'a plus assuré aucun contrôle aux frontières pendant l'année suivant la chute de Bagdad. Elle est attestée par de nombreuses arrestations d'Arabes sunnites venus des pays voisins, et également par les cérémonies en l'honneur des « martyrs » du *jihad* tombés en Irak dans les mosquées saoudiennes, koweïtiennes, syriennes, etc. On ne dispose à ce jour que de témoignages fragmentaires qui contraignent à la prudence pour évaluer l'ampleur du problème. Deux épîtres portant la signature de Ben Laden ont circulé pour inciter ses « Frères musulmans d'Irak » à mener un *jihad* de chaque instant contre la « razzia des croisés et des juifs » sur l'ancienne capitale de l'islam, encourager les jeunes moujahidines des pays voisins et du Yémen à partir combattre. Le texte déclare apostat justiciable de la peine de mort tout Irakien musulman qui collaborerait avec l'occupant américain, ou voudrait instaurer la démocratie, « religion de l'impiété et de la *jahiliyya* [barbarie anti-islamique] ». Dans un mémorandum attribué au mystérieux jihadiste jordano-palestinien Ahmad al Khalayleh, surnommé Abou Mous'ab al Zarqawi, et qu'interceptent les forces kurdes en janvier 2004, ce dernier expose sa vision d'un Irak qui est désormais le cœur du *jihad* mondial, « au plus profond de la terre des Arabes, à un jet de pierre de la terre des deux lieux saints [l'Arabie] et d'Al Aqsa [Jérusalem]. Nous savons, poursuit-il, de par la religion d'Allah, que la véritable bataille décisive entre l'impiété et l'islam a lieu sur cette terre du Levant [Sham : la Syrie au sens large]. » Or cette bataille est engagée par les impies avec l'aide d'alliés locaux, agents des juifs et des Américains, les Kurdes en premier lieu, chez qui l'islam s'est éteint, et surtout les chiites — qualifiés du surnom méprisant de *rafida* (hérétiques). Ceux-ci, avec l'aide de « leurs amis les juifs », ont le projet d'établir « un État hérétique [*daoula rafd*, c'est-à-dire chiite] qui s'étendrait de l'Iran au Liban en passant par l'Irak et la Syrie et finirait par les royaumes en carton du Golfe ». Il s'agirait de prendre l'islam (sunnite) à revers, comme cela s'est produit, selon l'auteur du manifeste, lorsque les chiites ont attaqué Bagdad tandis que les Ottomans assiégeaient Vienne en 1683, contraignant le sultan à rapatrier son armée et l'empêchant de « s'emparer de cette citadelle, ce qui aurait permis de répandre l'islam par le sabre glorieux et le *jihad* aux quatre coins de l'Europe ». Longues citations d'Ibn Taïmiyya à l'appui, le texte exalte la résistance du « triangle sunnite » où brillent des jihadistes étrangers, alors que le sunnisme irakien est dominé, selon lui, par des confréries qui ont intoxiqué le peuple pour lui faire oublier le *jihad*, et des Frères musulmans qui, « à leur habitude, font du commerce avec le sang des martyrs » et posent aux représentants des sunnites. Revendiquant — à la date du communiqué — vingt-cinq opérations suicides, il désigne quatre cibles, les Américains (« un gibier facile »), les Kurdes, les policiers, soldats et agents, et surtout les chiites, « bien plus dangereux que les Américains ». Il est difficile d'attester l'authenticité du document, mais, s'il est avéré et suivi d'effets, il contribue à ruiner l'argumentaire voulant que l'élimination de Saddam conduise automatiquement à l'éradication des jihadistes d'Al Qa'ida et assimilés. Abou Mous'ab al Zarqawi serait l'homme masqué qui égorgea personnellement l'otage américain Nicholas Berg en mai 2004.La persistance du terrorisme, déjouant les calculs de la « guerre contre la terreur », contraignit Washington à avancer de quarante-huit heures la dévolutiuon des pouvoirs au Gouvernement provisoire irakien : elle eut lieu le 28 juin, tandis que Paul Bremer quittait Bagdad discrètement. Choisis par les États-Unis et l'envoyé spécial de l'ONU Lakhdar Brahimi (l'organisation autrefois diabolisée reprenait du service), les nouveaux responsables du pays, coiffés par le président Ghazi al Yaour, un sunnite issu de la tribu des Shammar (à laquelle appartient le prince héritier saoudien), et le Premier ministre Iyad Allawi, un chiite, ancien baassiste ayant fait défection aux États-Unis, sont en peine de rétablir l'ordre. Le 30 juin, M. Allawi restaure la peine de mort — juste avant que Saddam et onze hauts gradés du régime déchu ne soient réunis par leurs geôliers américains à un tribunal irakien *ad hoc*.

Plus préoccupante pour les États-Unis, comme pour l'Europe, est la prise en otage de ressortissants occidentaux et par conséquent de leurs gouvernements, sur lesquels s'exerce un chantage macabre. Après l'attentat du 11 mars 2004 à Madrid, qui avait manifesté la capacité du terrorisme à frapper directement une capitale européenne — et à intervenir dans le processus politique démocratique en pesant sur le résultat d'une élection —, l'assassinat d'un otage italien, et les exigences des ravisseurs de ses compagnons d'infortune que la population italienne descende dans la rue pour demander le retrait des troupes envoyées en Irak, est l'un des signes que la « guerre contre la terreur » ne s'est pas achevée avec la chute de Bagdad. L'impéritie de la politique américaine en Irak permet désormais aux adeptes du *jihad* et à leurs compagnons de route d'ouvrir, comme on va le voir, un nouveau front à revers : le champ de bataille européen.

CHAPITRE 6

La bataille d'Europe

L'attentat du 11 mars 2004 à Madrid manifeste de manière indubitable que l'Europe constitue pour la nébuleuse terroriste une ligne de front nouvelle. Lors de l'attaque contre les États-Unis en septembre 2001, le vieux continent avait fait pour l'essentiel fonction de sanctuaire où les artificiers d'Al Qa'ida mirent la dernière main aux préparatifs de l'opération pensée dans les montagnes afghanes. Après Madrid, l'Europe est devenue un champ de bataille où se joue pour une grande part l'avenir, par-delà le destin des musulmans européens en particulier, de l'islam du nouveau siècle dans sa globalité.

C'est à Hambourg que Mohammed Atta l'Égyptien, son colocataire Ramzi Ben al Shibh le Yéménite, et d'autres comploteurs originaires d'Afrique du Nord ou du Moyen-Orient furent mis en contact par l'intermédiaire de mosquées aux imams fascinés par le *jihad* en Afghanistan en général et par Ben Laden en particulier. Mohammed Atta, étudiant à l'université de technologie, y animait une association d'étudiants musulmans. La « cellule de Hambourg » d'Al Qa'ida a constitué la « base » opérationnelle principale du 11 septembre 2001. Le système judiciaire allemand — dont les exigences extrêmement strictes de preuve protègent les inculpés (par précaution contre un retour du passé totalitaire nazi) — ainsi que la médiocre connaissance des enjeux et des réseaux moyen-orientaux arabes qu'ont les services de sécurité — focalisés sur les questions turque et kurde en raison des origines de l'immigration musulmane outre-Rhin — ont été mis à profit par les jihadistes pour mener avec une certaine quiétude leurs activités. Ils leur ont fait privilégier l'Allemagne comme lieu d'implantation dans les années précédant les attentats aux États-Unis. Depuis lors, les personnes inculpées en lien avec ceux-ci ont bénéficié d'acquittement ou de révision de leur procès.

En Espagne, à Tarragone notamment, se sont tenues, en juillet 2001, les réunions de coordination financière et opérationnelle qui ont procédé aux ultimes réglages des attentats. La péninsule Ibérique servit de lieu de transit vers l'Angleterre et le Canada aux militants islamistes algériens du GIA (Groupes islamiques armés) et de l'AIS (Armée islamique du salut) pendant la guerre civile des années 1990, et elle abrite une importante immigration marocaine, pour partie illégale — avec laquelle elle se trouve en relation directe à travers le détroit de Gibraltar traversé nuitamment par des *pateras*, des chaloupes remplies de clandestins qui tentent leur chance vers l'Europe. Cela a établi les réseaux, les planques, les contacts destinés à en faire un carrefour important pour les jihadistes. Emprisonné depuis novembre 2001, le Syrien naturalisé espagnol Abou Dahdah, qui exerçait paisiblement son métier de fripier dans la péninsule durant les années 1990, a abondamment voyagé dans le monde entier, et est soupçonné d'être au contact de la plupart des ténors de la mouvance. Autre Syrien naturalisé espagnol (par mariage, comme son compatriote Abou Dahdah), Abou Mous'ad al Souri est l'une des figures de proue du « Londonistan ». C'est dans ce havre par excellence de l'extrémisme islamiste mondial depuis la décennie 1980 que fut fabriquée la fausse lettre d'accréditation des deux Tunisiens de Belgique, pseudo-journalistes envoyés auprès du commandant Ahmed Shah Massoud pour l'assassiner, le 9 septembre 2001. De nombreux militants, notamment d'origine maghrébine, ont été arrêtés outre-Quiévrain — où le GIA algérien avait implanté, dans les années 1990, plusieurs cellules à l'abri des investigations des services français. Et après le 11 septembre, les opérations de police menées pour démanteler les filières d'Al Qa'ida ont conduit à de nombreuses arrestations en France, en Italie, aux Pays-Bas, etc. Le ressortissant français d'origine marocaine Zacarias Moussaoui a été incarcéré aux États-Unis. Parmi les prisonniers de Guantanamo, on compte des dizaines de ressortissants européens, des jeunes originaires de familles immigrées des pays musulmans du Maghreb, du Moyen-Orient et de Turquie, du sous-continent indien, capturés pour la plupart en Afghanistan par l'armée américaine dans les zones de combat à l'automne 2001, et maintenus au secret sans se voir inculper ni bénéficier d'une quelconque assistance juridique.

Enfin, plusieurs jeunes Européens convertis à l'islam ont fait l'objet de procédures judiciaires, le plus célèbre étant le Britannique Richard Reid, connu sous son surnom de « *shoe bomber* » depuis qu'il fut maîtrisé alors qu'il tentait de faire exploser ses chaussures piégées à bord d'un avion entre la France et les États-Unis au mois de décembre 2001. Ces arrestations et inculpations ont attiré l'attention sur une donnée jusqu'alors peu prise en compte : la conversion à l'islam de quantités croissantes de jeunes de milieu populaire. Ils sont estimés à une cinquantaine de milliers pour la France. Même si les militants jihadistes ne représentent qu'une petite minorité parmi eux, ce phénomène se produit à un moment où, dans la lutte entre les réseaux terroristes et les services de sécurité, les convertis sont particulièrement recherchés des premiers — car ils éveillent peu la suspicion des seconds lorsqu'ils ne font pas étalage de leur nouvelle foi.

Dès avant l'existence d'Al Qa'ida, les États européens furent confrontés au phénomène du terrorisme islamiste sur leur sol. La France a été victime de deux vagues successives pendant les décennies 1980 et 1990, originaires respectivement des milieux chiites libanais liés à l'Iran khomeyniste, puis des relais locaux du GIA. Mais il n'y avait eu qu'une interaction minime entre ce terrorisme de source étrangère et le milieu islamiste, alors assez réduit, ayant pignon sur rue dans l'Hexagone. Paris a adopté voilà un quart de siècle une attitude de lutte sans compromis en refusant systématiquement l'asile politique aux dirigeants de l'islamisme radical arabe international. L'objectif en est d'empêcher leur prosélytisme envers des personnes issues de la population musulmane en France — d'origine arabe pour la plupart, et la plus nombreuse d'Europe —, d'éviter que le malaise social des milieux défavorisés auxquels celle-ci appartient pour l'essentiel ne s'exprime dans des catégories religieuses d'importation qui aboutiraient à la violence et au terrorisme. En contrepartie, le modèle politique français s'efforce de promouvoir, avec des succès variables à ce jour, une logique d'intégration individuelle favorisant la mobilité sociale ascendante des populations concernées au même titre que pour les autres citoyens de la République. Cette logique se refuse à identifier au préalable des individus par une appartenance communautaire affectée d'un marqueur religieux et elle donne à l'islam les mêmes droits et devoirs qu'aux autres cultes, garantissant son libre exercice sous réserve du respect de l'ordre public, sans que l'État ne le reconnaisse ni le salarie.

Le Royaume-Uni a adopté une politique diamétralement opposée : le « Londonistan » des dernières décennies du xxe siècle est devenu le refuge de tout ce que la planète compte d'idéologues radicaux de l'islamisme mondial arabe pourchassés à domicile. Ceux-ci bénéficient d'un asile politique généreux tant qu'ils ne mettent pas en œuvre sur le sol britannique des idées dont l'expression, même extrême, est libre. Les classes défavorisées d'origine musulmane y provenant pour l'essentiel du sous-continent indien, culturellement éloigné par la langue comme par les liens familiaux des idéologues arabes du Moyen-Orient ou d'Afrique du Nord, Scotland Yard ne craignait guère l'effet de contagion préoccupant si fort la place Beauvau. De fait, malgré le suivisme de Londres par rapport à Washington dans la conduite de la « guerre contre la terreur » au Moyen-Orient, le territoire britannique avait été immunisé contre toute attaque — jusqu'à ce que des indices préoccupants conduisent le gouvernement de Sa Majesté à envisager un bouleversement radical de sa politique. Après les attentats d'Istanbul en novembre 2003, survenus durant la visite à Londres de George W. Bush, et où étaient visés pour la première fois par le terrorisme islamiste banques et consulat britanniques, la découverte en mars 2004 dans la banlieue de Londres de stocks de nitrate de potassium prêts à servir d'explosif et l'arrestation de plusieurs jeunes Anglais d'origine pakistanaise ont remis en cause nombre de certitudes. La pulvérisation de la mouvance terroriste — illustrée par les attentats de Casablanca et de Madrid, perpétrés par quelques fanatiques peu sophistiqués exaltés par l'exemple de Ben Laden, mais sans attaches organisationnelles ni formation dans les camps pakistanais ou afghans pour la plupart — a déclenché l'alarme. Pareils électrons libres sont indifférents à mettre en péril le statut de réfugié des idéologues jihadistes, n'y voient aucune restriction à leur action. Cela invalide l'équation sécuritaire sur laquelle est basée l'existence du « Londonistan ».

Dans le même temps, la doctrine du multiculturalisme britannique qui prône le développement culturel séparé de groupes ethniques ou religieux d'origine étrangère, et valorise leurs différences et leurs marqueurs spécifiques tout en recourant à des leaders communautaires chargés de faire respecter l'ordre public en organisant la paix sociale à partir des mosquées, temples et autres lieux de culte, commence d'être battue en brèche. Pour la première fois, le 3 avril 2004, le président de la Commission pour l'égalité raciale du Royaume-Uni, un organisme qui avait fait du multiculturalisme sa pierre de touche, s'en prend à cette « vache sacrée » en déclarant à la presse que l'expression « n'a plus d'utilité et signifie ce qu'il ne faut pas. [...] Le multiculturalisme suggère la séparation. [...] Ce dont nous devrions parler, c'est comment en arriver à une société intégrée, dans laquelle les gens sont égaux devant la loi, où il y a des valeurs communes : la démocratie plutôt que la violence, l'usage commun de la langue anglaise, et l'hommage à la culture des îles Britanniques ». L'opinion réagit mal quand, lors de manifestations organisées pour soutenir les jeunes citoyens britanniques d'origine pakistanaise incarcérés en mars 2004 en lien avec la découverte des matières explosives, des coreligionnaires barbus et vêtus du *shalwar-qamiss* traditionnel, également sujets de Sa Gracieuse Majesté, brûlent en plein Londres l'Union Jack au cri de « *Allah Akbar* » devant les photographes. Resitué dans l'ensemble européen, ce phénomène fait suite dans le temps à l'agitation déclenchée, dès l'hiver 2003-2004, par divers milieux islamistes et autres téléprédicateurs sur les chaînes arabes par satellite contre la nouvelle législation française prohibant le port de signes religieux dans les établissements scolaires (le voile islamique en particulier, mais non exclusivement). Dans l'Hexagone, c'est en brandissant le drapeau tricolore que défilent à quatre reprises, entre le 21 décembre 2003 et le 14 février 2004, des cortèges de barbus et de voilées, ces dernières drapées symboliquement, en un grand déploiement de bleu-blanc-rouge, dans les droits que leur confère la citoyenneté française pour mieux défendre, au cri de « Liberté Égalité Fraternité », le port du voile à l'école. L'appartenance à un État européen fait ainsi l'objet d'une utilisation politique opposée, dans la mouvance islamiste de chaque côté de la Manche, en fonction de l'opportunité : le drapeau national est brûlé ici, brandi là. Mais cela pose de manière comparable des questions de fond sur le pacte citoyen, sur la signification de l'intégration ou du multiculturalisme, sur leur réussite ou leur échec, au regard de la présence musulmane en Europe.

La survenue du terrorisme lié à Al Qa'ida en plein Madrid en mars 2004, tandis que la mouvance islamiste européenne s'emploie à rendre spectaculaires et à exacerber les facteurs de crise dans le processus d'intégration culturelle des jeunes d'origine musulmane, fait du vieux continent un

champ de bataille multidimensionnel, dont acteurs politiques et religieux mélangent à plaisir les registres en fonction des intérêts particuliers qu'ils souhaitent faire prévaloir.
L'Europe est otage d'un vaste chantage, entre un communiqué imputé à Zawahiri menaçant la France ennemie de
l'islam parce qu'elle interdit aux musulmanes de porter le
voile à l'école, et un autre attribué à Ben Laden proposant, le
15 avril 2004 et pour une durée de trois mois, une trêve
(*hudna*) à « [nos] voisins du nord de la Méditerranée » si les
États engagés en Irak aux côtés des États-Unis en retirent
leurs troupes — « suite aux signes positifs montrés par les
événements récents et les sondages d'opinion qui indiquent
que la plupart des peuples d'Europe veulent la paix ». Se
référant ainsi probablement à la décision du nouveau gouvernement socialiste espagnol, élu dans la foulée des attentats du 11 mars, de retirer son armée d'Irak, le communiqué
propose un *solh*. Ce terme, qui signifie « pacte », désigne,
dans la géopolitique islamique traditionnelle, le statut de
cette partie de la « terre d'impiété » (*dar el koufr*) avec
laquelle les musulmans ont passé un traité (*dar el solh*) et qui
n'est pas objet de *jihad*.

La veille de la diffusion du communiqué, un otage italien, enlevé avec trois de ses compatriotes en Irak, tous
quatre exhibés au regard du monde grâce à des images
vidéo diffusées sur les chaînes arabes par satellite, fut exécuté par des ravisseurs se réclamant d'une « phalange verte
de Muhammad ». Ceux-ci avaient fait parvenir, au moment
de l'enlèvement, un premier message exigeant des excuses
officielles et publiques du président du Conseil Berlusconi
pour ses outrages aux musulmans et à l'islam, un calendrier
précis du retrait des troupes italiennes d'Irak ainsi que la
libération de tous les imams et prédicateurs de mosquée
arrêtés en Italie. Sans réponse de Rome, les ravisseurs,
après avoir assassiné un premier otage, diffusent le 26 avril
un second message accompagnant une vidéo des trois survivants ; il s'adresse désormais à la population de la péninsule,
et promet la libération de ces derniers si, dans les cinq jours,

de grandes manifestations (à l'occasion du 1ᵉʳ mai) dans la capitale italienne contraignent le gouvernement à retirer les troupes. Quelles que soient l'authenticité du communiqué de Ben Laden et l'identité des ravisseurs, ce sont l'opinion publique et les populations européennes qui sont directement impliquées, désormais, dans le conflit, par une nébuleuse terroriste informée précisément de la vie politique du vieux continent et déterminée à peser sur son fonctionnement démocratique au moment qu'elle choisit — en Italie lors de la Fête du travail, en Espagne avant les élections législatives.

Cette volonté d'impliquer la population de l'Europe se retrouve en effet à la racine de l'attentat de Madrid le 11 mars 2004. Celui-ci mêle intimement et délibérément les enjeux du terrorisme mondial à ceux de la présence sur le sol européen de militants islamistes issus de la population d'origine marocaine — d'où proviennent la plupart des inculpés, comme des activistes tués par la police espagnole. Nombre d'entre eux ont un profil d'immigrés menant une vie ordinaire, voire, pour certains, assez bien insérés socialement : ils passent sans transition ni séjour en Afghanistan du statut d'épicier, de réparateur de téléphones portables voire d'agent immobilier à celui d'activiste déclenchant un *jihad* de terreur — cornaqués par quelques militants chevronnés fondus dans le paysage social espagnol. En ce sens, le 11 mars 2004 constitue un signal d'alarme pour le système sécuritaire tant français que britannique. Il prend en défaut la logique de Paris : l'interdiction de séjour aux idéologues islamistes radicaux, en Espagne très peu nombreux et menant une existence discrète, ne suffit pas pour prémunir contre le basculement dans la violence certains individus fragiles issus des populations européennes d'origine musulmane lorsqu'ils se trouvent au contact d'un recruteur jihadiste. Il remet en cause plus profondément la stratégie de Londres : l'asile accordé massivement à ces mêmes idéologues dans le « Londonistan » ne peut guère apporter d'assurance quant au comportement de sympathisants de base transformés presque soudainement en terroristes par émulation du charismatique Ben Laden. Fin mai 2004, le Royaume-Uni tire les leçons de cette impasse et amorce un changement de stratégie. La figure la plus médiatique du « Londonistan », Abou Hamza al Masri, imam salafiste-jihadiste égyptien manchot et borgne du fait de la blessure qu'il a reçue en Afghanistan — surnommé « Capitaine Crochet » par la presse d'outre-Manche —, est arrêté à la demande d'un juge américain, dans l'attente d'une extradition éventuelle vers les États-Unis — elle-même suspendue à l'aboutissement d'une procédure de déchéance de sa naturalisation britannique, engagée par le gouvernement de Sa Majesté.

Entre ces deux extrêmes français et anglais du spectre des politiques publiques européennes, tant dans le domaine de l'antiterrorisme visant les activistes jihadistes que dans celui du débat entre intégration et multiculturalisme concernant les populations immigrées en provenance du *dar al islam*, évoluent Allemagne, Espagne, Italie, Pays-Bas, Belgique ou pays scandinaves. Dans l'ensemble de l'Europe occidentale vivent plus d'une dizaine de millions de personnes venues des pays musulmans. Leurs enfants, pour la plupart, sont nés sur le vieux continent, ont été instruits dans ses écoles, éduqués en ses langues, acculturés à ses mœurs et aux usages sociaux de ses classes populaires. La bataille d'Europe, en ce qui les concerne, se mène entre deux pôles opposés — au milieu desquels la masse de ces jeunes fraie sa voie en fonction de déterminants individuels multiples.

La vision la plus positive et optimiste fait de l'immense majorité d'entre eux les porteurs par excellence d'une modernité acquise dans cette part de l'Occident dont ils sont les nouveaux citoyens. Ils deviennent, par l'exemple, le levain potentiel de cette modernité dans les pays d'islam d'où ils sont issus et dont développement et progrès sont entravés par une lecture rigoriste de la religion, qui sert alternativement de rempart idéologique ultime à des régimes autoritaires discrédités et d'exutoire à la rage sociale. Dans cette configuration, face à la faillite morale et économique du modèle politico-social des États un demi-siècle après les indépendances, les jeunes musulmans d'Europe sont et seront les vecteurs internationaux d'un projet démocratique dont ils incarnent le succès — les paradigmes d'une réussite qui fond en un creuset original l'inné arabe ou musulman et l'acquis européen, pour participer de plain-pied à la civilisation universelle dans ses dimensions les plus dynamiques et créatives. La première génération des enfants d'immigrés, notamment au Royaume-Uni, en France et en Allemagne, commence à compter nombre de ces lauréats des universités, de certaines grandes écoles, brillants sujets d'une Europe dont ils sont l'un des éléments constitutifs, aptes s'ils le désirent à construire ponts et passerelles avec une Afrique du Nord, un Moyen-Orient, un Pakistan d'où ils sont originaires et qu'ils peuvent contribuer à tirer du marasme.

À l'autre extrême du spectre, on trouve des jeunes qui, violemment opposés à pareille perspective, exacerbent une rupture à fondement islamique rigide avec l'environnement européen, refusent une acculturation qu'ils soupçonnent d'adultérer leur identité. Quelques-uns traduiront cette sécession volontaire par le passage à la violence, exprimeront le ressentiment social en haine religieuse. D'autres, plus nombreux, se contenteront d'une scission par la pensée et aboutiront à une vie repliée sur des communautés closes, voire aspireront à émigrer de la terre des *kuffar,* les infidèles, les « mécréants », vers le *dar el islam,* le domaine des croyants. Ces deux attitudes participent d'un même courant qui occupe le pôle extrême du rejet de la civilisation européenne, le salafisme — dont les principaux prédicateurs contemporains ont été formés, on l'a vu, en milieu saoudien.

Les adeptes de la première attitude salafiste, inconditionnels d'un *jihad* tous azimuts, vouent aux gémonies les régimes « impies » d'Occident mais aussi la famille « apostate » régnant à Riyad. Ils ont quitté quelque temps les banlieues de Lyon, Paris, Roubaix ou Birmingham pour s'aguerrir dans les camps du Pakistan, de Bosnie, voire de Tchétchénie ou de Géorgie, et guettent le moment propice pour hâter l'islamisation de l'Europe comme y incitent les proclamations de Ben Laden ou les raisonnements de Zawahiri. En attendant, ils projettent cassettes vidéo ou DVD du *jihad* armé auprès de jeunes sympathisants admiratifs envers ces vétérans jihadistes partis jadis en enfants glabres du quartier, pour s'en revenir anciens combattants barbus chargés de gloire et assurés d'une place de choix au paradis. Et ils transcendent chômage, malaise identitaire voire toxicomanie en s'en allant guerroyer contre les infidèles sur l'une des lignes de front entre *dar el koufr* et *dar el islam*.

La seconde tendance de la mouvance salafiste, quant à elle, est explicitement non violente et piétiste. Les zélotes du *jihad* l'affublent du surnom méprisant de « cheikhiste », car ses adeptes se règlent strictement sur les injonctions de cheikhs saoudiens, qui ne manifestent pas d'hostilité envers le pouvoir dans ce pays. Les numéros de téléphone de ces derniers en Arabie figurent sur des sites en ligne salafistes qui se veulent strictement apolitiques : il suffit de les composer pour solliciter séance tenante un avis juridique, une fatwa qui règle *sine die* et à l'identique la conduite du musulman dévot en tout coin de la terre. Opposés à toute violence — contrairement à la première tendance, qu'ils combattent sans relâche, versets coraniques, citations du Prophète et excommunications à l'appui —, ces salafistes-là prônent toutefois un islam de rupture culturelle complète avec l'environnement « impie » d'Europe. Quand un imam salafiste « cheikhiste » prend le contrôle de la salle de prière d'une cité de banlieue, il n'est pas rare que des problèmes de voile et de cantine scolaire apparaissent dans la foulée au collège ou au lycée voisins — conséquence de l'application des injonctions rigoristes du nouveau prédicateur, renforcées par la pression sociale qu'exercent sur les filles du quartier les jeunes zélotes qu'il aura galvanisés.

À titre d'exemple du fonctionnement mental de cette mouvance dans son application à l'Europe, voici une question parmi d'autres adressée à l'un des principaux cheikhs salafistes de Médine, en Arabie saoudite, Rabi' al Madkhali, et la réponse de celui-ci sur un site Internet français animé par cette mouvance (quotidien_madkhali_sounnah.free.fr) :

« Question — Est-il permis de prendre la pilule contraceptive dans le cas suivant : nous résidons dans un pays de mécréance et nous ne pourrons faire la *hijra* [émigration vers un pays d'islam] que d'ici cinq années tout au plus, et nous ne voulons pas avoir d'enfants ici de peur qu'ils aient une mauvaise éducation ?

Réponse — Je dis à ceux qui utilisent ces pilules contraceptives de peur des conséquences énoncées [...] : Qu'ils retournent donc dans un pays d'islam et qu'ils ne restent pas dans un pays de mécréance car ils y sont exposés à de nombreuses tentations [“*fitna*”], et plus grave encore, beaucoup d'entre eux tendent vers l'apostasie. Et leurs enfants sont exposés à la christianisation opérée par le biais des écoles [...]. Le conseil que je leur donne, c'est qu'au lieu de remédier à ce problème avec des moyens non légiférés [*sic*], ou légiférés [*id.*] en cas de nécessité, qu'ils retournent vers une terre d'islam et qu'ils patientent s'ils sont confrontés à la pauvreté dans leur pays. Certes, Allah leur promet la prospérité, comme cela est affirmé par la Parole Divine (traduction relative et approchée) : “Et quiconque émigre dans le sentier d'Allah trouvera sur cette terre maints refuges et abondances” *S4V100* [c'est-à-dire *Coran*, sourate 4, verset 100]. »

Qu'un ou une croyante s'adresse ainsi à un cheikh est usuel dans la tradition islamique ancienne. Mais l'échange se voit transformé grâce à l'usage d'Internet et au truchement de traducteurs appropriés — ici dans un français maladroit mais dont le niveau de langue témoigne que l'auteur est passé par un cursus universitaire moyen ; quant à la citation coranique, elle est traduite de manière approximative, nous dit-on, car, en islam rigoriste, l'arabe est la langue inimitable dans laquelle Allah a révélé le Coran (les autres idiomes, humains trop humains, ayant un statut dévalorisé par rapport à celle-ci). Abolissant temps et espace, cette question et sa réponse connectent directement, en ce début du XXIe siècle, une situation précise rencontrée en Europe, « pays de mécréance [*sic*] » (traduction salafiste de l'arabe *dar al koufr*), avec un avis juridique donné depuis La Mecque. La fatwa est formulée selon le canon salafiste le plus rigoriste en fonction des seules injonctions du texte sacré de l'islam, tandis que le contexte social européen est déprécié, voire diabolisé d'emblée au regard de cette norme. D'autres questions sur le même site intègrent spontanément les usages du wahhabisme saoudien quand la demanderesse musulmane vivant en Europe interroge le cheikh pour savoir s'il est « permis à la femme musulmane de conduire dans un pays de mécréance », et, revenant sur la question des enfants, s'il est licite de les envoyer à l'école maternelle qui les pervertit. (« Nos enfants y apprennent le chant, la danse, l'art plastique et bien d'autres choses qu'Allah n'agrée pas. ») Dans la négative, la demanderesse peut-elle « les envoyer deux jours par semaine dans des mosquées dirigées par des groupes déviés [*sic*] comme les Frères musulmans ou autres, afin que [ses] enfants y apprennent uniquement le Coran ou la langue arabe » ? Le « savant musulman » cheikh Rabi' al Madkhali répondra infailliblement, depuis l'Arabie.

On note ici la reproduction à l'identique sur le sol européen des conflits qui opposent, en Arabie même, les salafistes « cheikhistes » directement en phase avec le pouvoir, ces « oulémas du palais » (*'ulama al balat*) dont Rabi' al Madkhali est l'incarnation par excellence, aux militants islamistes à ambition explicitement politique. Les Frères musulmans « déviés » visés par la question en ligne sont représentés entre autres, sur le vieux continent, par les diverses sections nationales de la Fédération des organisations islamiques en Europe (FOIE), basée au Royaume-Uni, dont la branche française est l'Union des organisations islamiques de France (UOIF), principale composante du Conseil français du culte musulman (CFCM) depuis la création de celui-ci en hiver 2002 sous les auspices du ministère de l'Intérieur français. À l'inverse des salafistes, qui prônent une sorte d'apartheid volontaire ou d'enfermement des fidèles dans une espèce de ghetto mental pour éviter d'être « pervertis » par l'environnement européen « mécréant », les associations issues de la mouvance idéologique des Frères musulmans ont, en 1989, fait le choix d'une implantation dans l'espace public.

Depuis cette année-là, où s'effondre, avec le mur de Berlin, l'alternative communiste à la société libérale européenne et où s'ouvre un grand vide favorable à la socialisation des classes populaires qui s'étaient identifiées au marxisme et à ses succédanés, les Frères musulmans et leurs héritiers, prompts à saisir l'opportunité qui se présente, considèrent l'Europe non plus comme « terre d'impiété » (ou de « mécréance ») mais comme « terre d'islam ». Ils ont, par là, entériné le fait juridique qui a permis l'accès à la citoyenneté européenne de la plupart des enfants, nés sur le vieux continent et bénéficiaires du *jus soli*, issus de parents immigrés des pays musulmans. Ils s'engouffrent dans la brèche ouverte par l'écroulement du communisme, et commencent à se faire les champions de la socialisation — au nom d'une identité communautaire islamique exacerbée — de cette jeunesse pauvre, qui arrive désormais à l'âge adulte et se voit confrontée au marché de l'emploi dans des conditions souvent mauvaises. Pareille transformation des perceptions de l'environnement légal, social et politique s'est traduite, en cette année 1989, par le changement de nom de l'UOIF, devenue Union des organisations islamiques *de* France et non plus *en* France. Elle s'est manifestée avec l'exigence — entérinée par l'instance de droit musulman *ad hoc* liée à la FOIE, le Conseil européen de la fatwa, que guide depuis le Qatar le cheikh Qardhawi, membre éminent des Frères musulmans — d'appliquer la *chari'a* à titre personnel aux musulmans sédentarisés sur le sol européen, puisque celui-ci est désormais considéré comme terre d'islam. Les théologiens du mouvement nomment cet impératif la « *chari'a* de minorité ». La traduction la plus immédiate et visible de cette revendication a été, dès l'affaire du collège de Creil, dans la banlieue parisienne, à l'automne 1989, la lutte pour le port du voile dans les établissements scolaires, au nom des injonctions de la *chari'a*, qui en fait, dans l'interprétation de ces associations, une prescription islamique impérieuse.

Quinze ans plus tard, au moment où l'hypothèque du terrorisme inspiré par la figure charismatique d'Oussama Ben Laden et mis en œuvre par ses affidés et ses émules pèse sur l'Europe, l'islamisme organisationnel et associatif du vieux continent est divisé en une série de groupes et de factions luttant pour l'hégémonie. Chacun nuance le rapport entre identité islamique et environnement européen — et porte un regard différent sur les agissements imputés à la nébuleuse d'Al Qa'ida, depuis la fascination, marginale mais présente, jusqu'au rejet total, en passant par le déni de son existence réelle — ces deux attitudes se mêlant fréquemment. Le cheikh Qardhawi, lors d'une rencontre avec l'auteur en octobre 2001 au Qatar, n'avait pas de mots assez durs pour stigmatiser les responsables des attentats du 11 septembre 2001 : ils risquaient selon lui, en attirant l'opprobre sur l'islam dans son ensemble en Occident, de remettre en cause les succès du prosélytisme, la progression des conversions, le renforcement du communautarisme religieux dont pouvaient se targuer, depuis 1989, les mouvements islamiques qui avaient fait prévaloir la prédication sur le *jihad*, grâce à l'implantation sur le terrain et l'investissement sur l'Internet. Cette lecture de l'impact du terrorisme sur l'islamisme dans sa terre de mission occidentale, qui s'inscrit dans la logique des Frères musulmans, diffère de celle des salafistes qui, comme on l'a vu, n'ont pas effectué la « révolution culturelle » de 1989 chère aux Frères et à leurs émules, la transmutation de l'Europe de *dar al koufr* (« terre d'impiété ») en *dar al islam* (« terre d'islam »).

Les deux branches du salafisme (jihadiste d'un côté, piétiste de l'autre) persistent en effet à qualifier l'Europe de « terre de mécréance » (selon leur traduction particulière de l'arabe *dar al koufr*). Or cette notion se divise, dans la topique islamique traditionnelle, en deux sous-ensembles : le *dar al harb* (« terre de guerre »), où le *jihad* est licite — telle est la vision des jihadistes —, et le *dar al solh* (« terre de pacte »), où les musulmans ne passent pas à la violence contre les mécréants et autres impies — c'est la conception des

« cheikhistes ». Le communiqué du 15 avril 2004 attribué à Ben Laden a proposé de concéder à l'Europe — que la nébuleuse Al Qa'ida avait incluse, par les attentats sur son sol, notamment celui du 11 mars 2004, dans le *dar al harb* — un traité qui lui permette de bénéficier de cette sorte de « clause de la nation mécréante la plus favorisée » que constitue le *dar al solh*, à condition que les États européens pactisent avec l'islamisme radical et, se soumettant au diktat, retirent le cas échéant leurs troupes d'Irak.

Si tous les salafistes prônent le rejet mental et moral de la société européenne ambiante, les deux tendances se livrent l'une contre l'autre, par sites Internet interposés notamment, une lutte sans merci. Les piétistes ou « cheikhistes » consacrent leurs efforts à détourner d'un *jihad* incontrôlable les jeunes qu'ils ont attirés dans leur mouvance, et qu'ils maintiennent également éloignés des Frères musulmans « déviés ». Ils anathématisent à longueur de sermons et de sites en ligne les « sectes égarées » des Frères musulmans et les jihadistes qu'ils mêlent dans l'exécration, les affligeant de sobriquets infamants. L'internaute curieux découvrira (par la simple activation du terme « salafi » sur un moteur de recherche) une pléthore de sites en arabe mais aussi et surtout en toutes langues européennes qui le feront entrer dans un univers au jargon ahurissant de prime abord. Le contraste est saisissant entre la langue européenne « branchée » utilisée et l'intensité d'une polémique fondée sur d'obscures références religieuses à tel scoliaste médiéval dont l'œuvre est rédigée en un arabe abscons. Le paradoxe touche à son paroxysme dans les forums et autres *chats* qui privilégient un idiome hybride où les usages linguistiques de la « novlangue » d'Internet (*2* pour « to » en anglais ; *C* pour « c'est » en français, etc.) se mêlent à une profusion de formules propitiatoires islamiques (*alhamdulillah*, « Allah soit loué » ; *istaghfirullah*, « Allah me garde », etc.), voire au typon en caractères arabes, au milieu d'un texte en français ou en anglais, qu'affectent les dévots après toute mention du Prophète (*Sala Allah 'aleihi wa sallam*, « Salut et bénédiction d'Allah sur lui »). Sur les sites salafistes « cheikhistes », les disciples des frères Sayyid et Mohammed Qotb, idéologues radicaux égyptiens des Frères musulmans, se voient ridiculisés comme *qotbiyyin*, ou « qotbistes » ; les admirateurs du téléprédicateur d'Al Jazeera Qardhawi sont stigmatisés, les sectateurs du Syrien réfugié à Londres Sorour flétris d'un *sorooriyyin khawarij al 'asr*, « sorouristes » hérétiques du temps présent ; d'autres moins connus s'y voient tout uniment traînés dans la fange numérique. Les jihadistes ne sont pas en reste, qui accablent d'injures leurs rivaux « cheikhistes », « faux salafistes » fustigés comme sectateurs de l'*Irja'*, cette hérésie de l'islam qui permet, selon les imprécations du cheikh saoudien Safar al Hawali, auteur d'une thèse sur le sujet, de se limiter à prêcher la foi et les bonnes mœurs dans leur acception la plus rigoriste sans toutefois demander de comptes au pouvoir. Tout cela paraît complètement coupé de la réalité sociale et culturelle des banlieues de l'islam européennes. C'est pourtant dans cet étrange langage que s'expriment certaines des tensions qui les traversent.

La violence verbale de la polémique pointe en fait la porosité entre les deux branches, quiétiste et violente, du salafisme, entre lesquelles les passages sont aisés. L'endoctrinement intense subi par les ouailles, qui annihile leurs capacités de réflexion personnelle, en fait une proie assez facile pour un prêcheur jihadiste roué capable d'exploiter le caractère labile de ce milieu où foisonnent les personnalités fragiles issues du quart-monde, passées fréquemment par la délinquance ou la toxicomanie. Les itinéraires de basculement dans le *jihad* de jeunes nés en Europe et incarcérés par la suite font souvent apparaître une première étape de lavage de cerveau par un imam salafiste piétiste, avant que prenne le relais un sergent recruteur jihadiste qui propose d'étancher la soif d'absolu du nouvel adepte par un activisme plus roboratif que le prêchi-prêcha des cagots. Mais ce basculement n'est ni systématique ni inéluctable — et l'intensité de la polémique menée contre les jihadistes par les salafistes piétistes manifeste la farouche volonté de ces derniers de demeurer les seuls pasteurs de leur troupeau.

Hostiles à la participation à la vie associative comme institutionnelle en « terre de mécréance », les salafistes s'investissent dans un bornage territorial des zones où se déploie la réislamisation qu'ils contrôlent. Comparables par là à certains sectateurs du judaïsme ultra-orthodoxe, ou *hassidim*, que l'on peut croiser dans le quartier de Mea Shearim à Jérusalem (voire à Brooklyn), ils font prévaloir la logique de préservation de l'identité grâce à l'enfermement dans un ghetto territorial reconnaissable par des marqueurs visibles. On y veille notamment à ce que les femmes musulmanes sortent strictement voilées d'un *niqab* noir qui masque le visage, tandis que les hommes, barbus, moustache rasée, calotte sur la tête, portent un accoutrement qui, par la silhouette qu'il évoque, les fait surnommer « cloche » dans le parler des banlieues populaires : un vaste anorak ou un blouson fermé est passé par-dessus une djellaba blanche qui s'arrête à mi-mollet, en application littérale du dire du Prophète : « La partie de l'habit qui se trouve au-dessous des chevilles est vouée à l'enfer » (recueil de Boukhari, 5787). Pour les plus « branchés » des « salafs », cette prescription religieuse permet de mettre en valeur, en dégageant bien le mollet, le dernier modèle de Nike dont ils sont chaussés : ils marient ainsi le consumérisme populaire à la plus stricte orthopraxie. On peut en observer un exemple saisissant dans l'un des bastions du salafisme français, sur la dalle des cités HLM d'Argenteuil, dans la banlieue nord de Paris, où l'on a parfois un peu de mal à se rappeler qu'on se trouve dans l'Hexagone tant est prégnant, à l'œil nu, l'ordre moral d'un rigorisme islamique que l'on ne constate généralement pas à ce niveau dans les sociétés musulmanes du sud ou de l'est de la Méditerranée. Là les salafistes de toute persuasion repliés sur leurs camps retranchés fuient la société, qui participe selon eux d'une mécréance contre laquelle ils doivent s'immuniser.

De fait, il n'est pas sans danger pour les salafistes de s'exposer aux feux de la rampe, à la curiosité des médias ou aux caméras de télévision, tant leur discours, même dans le cas des « cheikhistes » non violents, suscite, lorsqu'il devient public, un scandale qui peut attirer la foudre sur leur tête. En témoignent les mésaventures de l'imam Bouziane, prédicateur salafiste algérien installé dans la banlieue lyonnaise, dont l'entretien avec un magazine local, puis les déclarations subséquentes à la télévision, se sont vu sanctionnées par une expulsion du territoire français — ultérieurement cassée par le tribunal administratif, qui a permis à l'imam de revenir exercer son apostolat inchangé. Installé en France depuis 1979, revendiquant au nom du Coran une bigamie qui lui a permis d'engendrer sur le sol français seize enfants avec deux femmes, il a exprimé très clairement les différences entre salafistes et Frères musulmans (*Lyon Mag*, n° 138, avril 2004) :

> « Eux, ils ont des objectifs et une stratégie très politiques, ce qui les pousse à faire des concessions pour se faire accepter en Occident. Alors que nous, les salafistes, notre objectif est uniquement religieux. Exemple : on s'interdit de manifester dans la rue [...]. D'ailleurs les salafistes n'ont pas manifesté contre la loi qui interdit le port du voile à l'école, alors que les Frères musulmans ont participé à ces manifestations. »

À la question du journaliste qui lui demande s'il souhaite « que la France devienne un pays islamiste », il répond avec candeur, s'inscrivant dans la logique de dévalorisation de la « terre de mécréance » exposée plus haut :

> « Oui, car les gens seraient plus heureux en se rapprochant d'Allah. D'ailleurs Allah punit les sociétés qui s'enfoncent dans le péché, avec des tremblements de terre, des maladies comme le sida... Et je suis très heureux quand je vois des Français se convertir à l'islam, car je sais qu'ils sont sur le droit chemin. »

Il complète l'exposé du positionnement du groupe auquel il appartient en se différenciant explicitement des jihadistes — il observe toutefois la clause de précaution des barbus de tout poil qui maintient le doute sur l'identité des responsables des attentats imputés à Al Qa'ida — et finit en se présentant comme un garant de l'ordre social :

« Je ne peux pas condamner Ben Laden tant qu'il n'y a pas de preuves que c'est vraiment lui qui a organisé les attentats à New York et Madrid. Mais si on me prouvait que c'est lui, je le condamnerais, car ces attentats vont à l'encontre du but qu'ils poursuivent. [...] Ceux qui organisent des attentats ne sont jamais des salafistes ! Moi j'ai implanté le salafisme dans l'agglomération lyonnaise. [...] Tout le monde me connaît ici [...]. Et la DST sait très bien que je n'ai jamais poussé des musulmans à organiser des attentats. C'est d'ailleurs pour ça que certains jeunes militants ne m'aiment pas [...]. Je condamne fermement le terrorisme dans mes prêches, mais il se peut que certains n'entendent pas mes recommandations. Surtout s'ils sont manipulés. Et ça, malheureusement, je ne peux rien faire contre. »

Ces propos, qui expriment avec beaucoup de netteté le mode d'insertion du salafisme « cheikhiste » dans l'environnement européen et le différencient précisément de ses frères ennemis jihadistes comme des Frères musulmans, n'auraient pas valu de problèmes à M. Bouziane avec la police ni même l'opprobre de l'opinion, s'il n'avait exposé, avec une franchise constante, d'ordinaire réservée aux sermons à la mosquée ou aux sites Internet anonymes, la norme salafiste sur la manière de traiter les femmes en des termes qui ne peuvent être reproduits en raison d'une procédure pénale en cours à l'encontre du magazine et de l'imam.

Répétés froidement et explicités gestes à l'appui devant les caméras de télévision, puis diffusés à une heure de grande écoute, ces derniers propos — que son auteur a, depuis son retour en France, nuancés dans le cadre de la procédure judiciaire — ont suscité une émotion considérable, parce qu'ils étaient pour la première fois exprimés sans fard en public. D'ordinaire, la pratique salafiste décourage la curiosité extérieure, et fait prévaloir, dans une logique communautariste fermée, la norme islamique rigoriste sur la loi des hommes, sans défier celle-ci ouvertement en le clamant. L'instruction établira si, et jusqu'où, l'imam a

été « piégé » pour, — selon le chœur des organisations islamiques et de leurs relais médiatiques, ainsi que l'avocat de
l'intéressé, donner une mauvaise image de l'islam qui
conforte l'« islamophobie » —, ou si ce dernier s'est senti
suffisamment assuré pour s'afficher sans complexes, notamment face aux Frères musulmans, et conquérir sur ceux-ci
des parts du champ religieux et du marché de la prédication.
Expulsé vers l'Algérie selon la procédure d'urgence absolue, gagnant son recours administratif contre l'arrêté
d'expulsion, il revenait triomphalement quelques semaines
plus tard en France, nimbé d'une aura et d'un prestige
d'autant plus grands parmi la jeunesse musulmane lyonnaise et au-delà qu'il avait démontré, par sa personne
même, que la loi française, au nom de laquelle il avait été
chassé, était faillible — il renforçait ainsi la dépréciation de
ladite loi au regard de la *chari'a*. Comme le note en réaction
à cette affaire l'internaute « fedlomi » (vingt-six ans), sur le
forum d'oumma.com, le principal site en ligne de l'islam
français : « Les lois faites par les hommes sont faites pour
eux et donc sont injustes. Seule la loi coranique est bonne
car impartiale. » (Ce site est resté par la suite muet quelque
temps, suite à une attaque électronique imputée par les
intéressés à des hackers « sionistes ».)

L'émergence du salafisme dans l'islam européen est un
phénomène relativement récent. Au milieu des années
1980, lorsque je menais les enquêtes qui aboutiraient au
livre *Les banlieues de l'islam* (paru en 1987), cette tendance
n'y avait aucune visibilité. Les fonctions de socialisation et
d'encadrement ultra-rigoriste au nom de l'islam étaient
exercées principalement par le Tabligh, un mouvement de
retour à une foi rigide, né dans l'Inde des années 1920, où la
minorité musulmane se trouvait diluée dans la masse hin-
douiste, au risque, selon certains religieux, d'y adultérer son
identité. Le Tabligh — dont le nom signifie « propagation
(de la foi islamique) » — prône une orthopraxie très
contraignante (s'habiller à la manière du Prophète, dormir

comme il dormait, couché à même le sol sur le flanc droit, etc.), qui ressemble à celle des salafistes. Tous deux expriment une volonté de rupture au quotidien avec la société « impie » ambiante. Le Tabligh a aussi une capacité impressionnante d'endoctrinement des adeptes. Certains, passés par son intermédiaire au premier stade de leur retour à l'islam ou de leur conversion, et qui l'ont abandonné par la suite — comme le chanteur Abdel Malek, du groupe de rappeurs islamique strasbourgeois NAP —, le dénoncent rétrospectivement comme « abêtissant ». Le Tabligh organise des « sorties » d'adeptes destinés à prêcher dans les quartiers défavorisés, à ramener une population fragilisée dans le « droit chemin », et enferme ensuite celle-ci dans un véritable carcan mental. Les « sorties » les plus longues, lorsque l'adepte est jugé assez mûr, le conduisent au Pakistan. Là, ceux qui veulent approfondir leur foi passent dans les medressas du mouvement déobandi — celles-là mêmes d'où sont issus les Talibans.

Mais le Tabligh, qui a connu son heure de gloire en Europe entre le milieu des années 1970 et 1989, lorsqu'il ciblait surtout des populations marginalisées (ouvriers immigrés dépossédés de tout accès culturel aux sociétés européennes, jeunes « paumés » et autres), n'a pas su prendre le virage de l'arrivée à l'âge adulte, à partir de 1989, de jeunes d'origine musulmane éduqués en Europe, et désireux d'un encadrement plus intellectuel — ce que le mouvement abhorre. Il s'est trouvé incapable de répondre à leur demande, trop sophistiquée pour ce mouvement, et n'occupe plus le devant de la scène. Il reste toutefois présent dans des milieux sociaux frustes, et l'une de ses branches est représentée au Conseil français du culte musulman. La part de marché du Tabligh a été largement entamée par deux concurrents, qui se sont en quelque sorte partagé ses activités (endoctrinement d'un côté, œuvres caritatives de l'autre) : les salafistes et la nébuleuse UOIF. Les salafistes sont arrivés en France — où ils sont mieux implantés que dans le reste de l'Europe — au moment de l'émergence du Front islamique du salut (Fis) en Algérie (1989) et de la guerre civile sub-séquente (1992-1997). La France comptant une population d'origine algérienne évaluée à quelque deux millions de per-sonnes, une partie de celle-ci s'est identifiée au parti isla-miste du « bled », majoritaire aux élections de 1990 et 1991. Les Frères musulmans, mal implantés en Algérie, y étaient représentés par Mahfoudh Nahnah, qui est demeuré à l'exté-rieur du Fis. Or, le salafisme avait une grande influence au sein du Fis, son principal ténor étant le jeune prédicateur populiste Ali Belhadj. Le salafisme algérien s'était traduit en un mouvement politique, tout en prêchant des comporte-ments rigoristes, un retour aux textes fondamentaux de l'islam à travers leur lecture wahhabite — grâce à l'influence, notamment, d'un cheikh algérien installé à La Mecque, Abou Bakr al Jazaïri.

En France, où la traduction du salafisme du Fis en action politique était impossible, ce courant, pénétrant l'Hexagone sur impulsion algérienne, a revêtu un aspect principalement religieux doublé d'une exigence de rupture au quotidien avec les mœurs et les usages de la « mé-créance » française. En Algérie, l'influence des grands oulé-mas salafistes « cheikhistes » saoudiens, le mufti Ibn Baz, le cheikh Ibn Otheimin et leur collègue libanais Nasr al Din Albani (aujourd'hui décédés), a été déterminante pour convaincre nombre de salafistes partis au maquis durant la guerre civile de cesser le combat en 1997. Sollicités en ce sens par le pouvoir algérien en phase avec Riyad, ils ont émis des fatwas, disponibles en ligne puis recueillies par la suite en volume, destinées à ramener dans le droit chemin salafiste non politique ceux qui avaient basculé dans le *jihad* armé. Leur influence s'est propagée sur le territoire français à travers la diaspora algérienne, et elle a su, par sa focalisa-tion sur les textes sacrés et leurs interprétations rigoristes, répondre mieux aux demandes d'une jeune génération édu-quée que la propagande délibérément inculte du Tabligh. Cet effacement du Tabligh a aussi joué au profit de la hol-ding qui a su en capter le réseau de succursales sur le terrain social et y investir son propre réseau caritatif, l'UOIF. Pour l'anecdote, le chef du bureau des cultes du ministère de l'Intérieur français, en 1987, après avoir lu *Les banlieues de l'islam*, m'avait fait savoir que je surestimais le potentiel de cette organisation — alors encore dans l'enfance — et lui accordais une place excessive dans l'analyse du champ islamique émergent. En 2002, ce même ministère ferait de l'UOIF le prisme privilégié à travers lequel penser l'islam français — inversant sa politique d'autrefois, sans nécessairement faire preuve d'un meilleur discernement en passant d'un extrême à l'autre.

En opposition aux salafistes, le cartel de groupes qu'inspire l'idéologie des Frères musulmans cherche, en dépit de divergences dans le mode d'approche, à collaborer aux institutions et au tissu associatif régulièrement constitué. Tous prônent ainsi l'élargissement graduel de l'espace de l'islam dans la cité européenne par la pleine participation à sa vie politique, sociale, culturelle, etc. Cela se traduit par un investissement dynamique et conquérant dans chaque domaine accessible. Le maillage du terrain, en particulier dans les quartiers défavorisés, par des réseaux caritatifs, où les « travailleurs sociaux » barbus (parfois rémunérés par l'argent public) ramènent dans le « droit chemin » ceux qui ont perdu leurs repères, constitue le fondement du phénomène. Au Moyen-Orient et en Afrique du Nord, pareille activité a été le point de départ du recrutement d'une base sociale dans la jeunesse urbaine pauvre par les mouvements et partis islamistes. Cette activité, menée sans fanfare mais avec succès, est relayée, depuis le tournant du siècle, sur les campus de grandes universités françaises de banlieue, qui accueillent de manière peu ou pas sélective tous les bacheliers, par le développement de la section estudiantine de l'UOIF, Étudiants musulmans de France (EMF). Cette organisation propose des services sociaux à des étudiants issus pour la plupart de familles maghrébines modestes, qui maîtrisent mal les codes culturels, sont de ce fait en peine d'identifier les filières performantes qui les propulseraient sur le marché du travail, et vivent avec acuité la « misère en milieu étudiant » — pour reprendre le titre prémonitoire d'un pamphlet rédigé au milieu des années 1960 par un membre de l'Internationale situationniste. EMF apparaît ainsi à la fois comme un syndicat accompagnant une demande sociale urgente et une instance de resocialisation qui transforme l'étudiant d'origine musulmane défavorisé et généralement indifférent à la politisation de la religion en un militant doté d'une conscience politico-religieuse nouvelle qui fait de lui un « Jeune Musulman ». Cette stratégie a connu un certain succès, avec l'élection, pour la première fois, de délégués EMF aux conseils des œuvres estudiantines en 2003 — dans un climat d'abstention massive des étudiants qui ne se reconnaissent plus dans les syndicats traditionnels dominés par la gauche ou l'extrême gauche. Là encore, le phénomène rappelle celui des universités égyptiennes ou algériennes dans les années 1970 et 1980, où les associations estudiantines universitaires proches des Frères musulmans avaient investi les campus grâce à un intense travail caritatif, à la distribution de bourses et de subventions — récompensant ainsi notamment les étudiantes qui décidaient de se voiler —, et à toute une panoplie de services sociaux.

À côté de ces activités, qui labourent en profondeur le terrain social mais ne font pas l'objet d'une publicité excessive, d'autres champs d'action sont mis en valeur à travers les médias, lorsqu'une situation conflictuelle permet d'élargir des alliances autour d'une mise en scène de la « victimisation » des musulmans : les affaires de voile à l'école, les manifestations de rue qui s'y réfèrent sont inspirées par une recherche de visibilité maximale. Se joignent alors aux organisations islamiques divers défenseurs des droits de l'homme, groupes antiracistes, écologistes, prêtres, enseignants, altermondialistes variés, trotskistes et parfois aussi groupuscules fascisants, les uns et les autres recherchant leur profit politique dans ce mariage de la carpe laïque et du lapin islamiste. Chez les héritiers et les émules des Frères

musulmans, chaque groupe ou organisation évalue dif-
féremment les risques d'adultération de l'identité — voire
de cooptation par le pouvoir dans le cas du CFCM — que
comportent des activités impliquant pareilles « concessions », pour parler comme l'imam Bouziane de Vénissieux,
les mesure à l'aune des bienfaits escomptés des alliances
passées avec divers représentants de l'État, de partis et de
mouvements politiques, religieux ou sociaux non musulmans, de l'extrême gauche à l'extrême droite.

Cette stratégie et les dilemmes qu'elle engendre rappellent le positionnement communiste en Europe de l'Ouest
au xxᵉ siècle et les débats internes qu'il suscitait. Les PC lou-
voyaient, en fonction de la conjoncture, entre deux options.
D'un côté, la participation intense à la vie institutionnelle et
politique — qui atteignit son sommet avec le Front populaire ou l'Union de la gauche en France, le « compromis historique » en Italie. De l'autre, une ligne « classe contre
classe » privilégiant le renforcement du parti en opposition à
l'ensemble de l'environnement politique et la rupture idéologique avec la « bourgeoisie » — cette dernière catégorie
exerçant la même fonction de contraste identitaire pour les
communistes que les « mécréants » pour les islamistes. En
position de force, les Partis communistes européens
annexaient à leur cause, grâce à un chantage sentimental
qui les dépeignait comme les champions incontestables de
la souffrance du peuple, une pléthore de « compagnons de
route », de « démocrates sincères » — moins charitablement
dénommés, dans l'intimité des réunions de cellule, les « cré-
tins utiles ». En position de faiblesse, les communistes se
voyaient contraints à des compromis idéologiques par leur
compagnonnage avec ces démocrates non communistes qui
leur imposèrent l'abandon graduel de la dictature du prolétariat et l'acceptation de la démocratie — cette voie menant
in fine, comme on sait, au déclin et à la dissolution ultimes
du communisme ouest-européen.

La mouvance islamiste a su aussi rassembler autour
d'elle des « compagnons de route » utiles — parfois les

mêmes individus, du reste, que captivait le PC autrefois et qui ont effectué un transfert vers les militants barbus. D'autant plus aisément que certains islamistes se font aujourd'hui les champions des classes populaires, désormais sociologiquement musulmanes, à les en croire, et donc porteuses par excellence de la souffrance rédemptrice d'une humanité aux couleurs de l'Oumma. Comme dans le cas des PC européens du siècle écoulé, l'interaction avec les « compagnons de route » peut avoir des effets opposés. Les prêtres, enseignants, sociologues et autres représentants du milieu associatif laïque qui participent aux divers congrès des organisations européennes inspirées par l'idéologie des Frères musulmans ont fourni à ces dernières le label démocratique originellement destiné à rassurer les autorités policières et désamorcer la méfiance des journalistes. Ils ont garanti, par leur présence, la dissociation entre les islamistes du nord de la Méditerranée et leurs frères de la rive sud, dont le slogan favori est l'instauration de la *daula islamiyya* (l'État islamique) sur les ruines de la mécréance — une perspective qui joue la même fonction pour les militants que l'avènement de la « dictature du prolétariat » sur les décombres de l'État bourgeois chez les communistes d'antan. Pareil slogan, dans le contexte européen, fait figure d'épouvantail, rend malaisé le dialogue avec les chrétiens et les laïques « utiles », qu'il effraie. Déjà, face au communisme d'Occident, certains se demandaient si l'évolution du vocabulaire se limitait à un artifice rhétorique conjoncturel, ou touchait à une transformation structurelle de l'idéologie. C'est aussi un enjeu important pour les héritiers des Frères musulmans d'aujourd'hui en Europe et en Amérique — comme pour ceux qui parient tant sur eux que contre eux. Il détermine l'évolution de la mouvance et sa perception *ad intra* comme *ad extra*, par les militants, sympathisants et futures recrues autant que par les institutions et l'opinion publique occidentales. Dans ce combat, mené à partir d'une base ethnico-religieuse minoritaire destinée à une expansion considérable — ne serait-ce que pour des raisons démographiques —, le rôle des alliés appartenant à la société globale est essentiel et ambigu. Il est au croisement de la « démocratisation » potentielle de l'idéologie islamiste dans le contexte européen, voire de son exportation ultérieure comme telle vers le monde musulman, ou au contraire de sa radicalisation par la conquête de bastions au sein des sociétés européennes, où il relayerait les tendances les plus intransigeantes venues d'outre-Méditerranée.

Mais la galaxie issue de l'idéologie des Frères a une base sociale plus diverse que le mouvement communiste. On trouve en son sein une petite bourgeoisie intellectuelle barbue qui aspire d'abord à être reconnue et entérinée par les appareils d'État européens comme intermédiaire social, gestionnaire de la communauté dont elle se proclame le porte-parole en même temps qu'elle en définit les contours sur une base religieuse. C'est le cas au Royaume-Uni de la UK Islamic Mission, fondée par des disciples du Pakistanais Mawdoudi, qui s'efforce de capter les fonctions d'interface et fournit à l'État britannique des services divers (formation à l'islam des policiers, etc.). En France, c'est ce à quoi vise l'UOIF, qui construit sa visibilité médiatique, sociale et politique en rassemblant des dizaines de milliers de personnes à son congrès annuel du Bourget, « fête de l'Oumma » qui aurait, *mutatis mutandis*, supplanté la Fête de l'Huma d'antan.

Comme tout mouvement qui tente de capitaliser politiquement l'encadrement de sa base populaire, l'UOIF doit résoudre la contradiction entre les aspirations de celle-ci et les contraintes tactiques de dirigeants tentés par une politique gestionnaire. Outre le groupe des Marocains de Bordeaux qui contrôlent l'organisation depuis le milieu des années 1990, toujours sanglés dans des costumes-cravate de couleur sombre adaptés à leurs interlocuteurs dans l'appareil d'État, l'UOIF compte des figures populistes, qui affectionnent le tee-shirt ou la chemise à col ouvert (mais jamais la djellaba, qui marque l'appartenance salafiste) et sont davantage en phase avec les aspirations spontanées des militants et des sympathisants. Dilemmes et tensions se reflètent avec beaucoup d'acuité dans un petit livre largement diffusé, rédigé par l'un des dirigeants les plus populaires de l'organisation, invité régulier des plateaux de télévision. Intitulé *Na'al bou la France?!*, il a pour auteur M. Farid Abdelkrim.

« *Na'al bou* » est une expression dialectale, très usitée en Afrique du Nord, attirant la malédiction sur le père de quelqu'un, et donc sur lui-même et son lignage. Dans l'usage oral, l'aphérèse du mot *bou* (de l'arabe *abou*, « père ») en est venue à désigner toute relation à un objet — ainsi du terme *bou lihya* (littéralement « père d'une barbe »), qui désigne le « barbu » et, par synecdoque, le militant islamiste ou salafiste. Le titre peut se traduire : « Maudite soit la France » ou « Maudit soit le Français ». La violence triviale de l'imprécation a été l'objet de polémiques, notamment de la part de M. Dalil Boubakeur, recteur de l'Institut musulman de la mosquée de Paris (en rivalité avec l'UOIF) et président du Conseil français du culte musulman, qui a dénoncé là un brûlot au caractère antinational. Rédigé dans un style oral qui veut coller au parler populaire des jeunes d'origine maghrébine, *Na'al bou la France?!* est un texte brutal qui a pour ambition de dire son fait à un pays stigmatisé en premier lieu pour l'exploitation coloniale infligée à la génération des parents. La couverture est illustrée d'une photographie en surimpression de l'auteur et de son père devant un baraquement. L'ouvrage est dédié « À nos mères, à nos pères ». Ni la légitimité du sang versé par les musulmans d'Afrique du Nord combattant sous l'uniforme français pendant les deux guerres mondiales, ni celle de la sueur des travailleurs immigrés reconstruisant la France (et l'Europe) après 1945 pour un salaire de misère et des conditions de vie déplorables n'ont fait de leurs enfants, dans le regard des Français ou des Européens, des concitoyens à part entière. Face à ce déni de reconnaissance, selon l'apostrophe de l'auteur : « Ô douce France ! Tu t'étonnes que tes enfants soient aussi nombreux à communier dans un cinglant *na'al bou* la France et à maudire de la sorte tes Pères ? » Comment être surpris du ressentiment des jeunes envers ceux qu'ils désignent du nom infamant d'« impies » et autres « gouères » (de l'arabe dialectal maghrébin *gaouri* — même sens) ? L'expression de cette rage sociale — que le livre illustre de nombreuses anecdotes où les Français « de souche » (les « fromages ») apparaissent sous un jour odieux ou ridicule tandis que leurs institutions sont systématiquement dévalorisées — ne doit pourtant pas conduire, selon l'auteur, à une violence autodestructrice. Au lieu de s'en tenir à l'anathème, il faut reconstruire son identité sur une base politico-religieuse propre à sublimer la perte des repères culturels et sociaux, comme le précise un chapitre intitulé « Jeune et Musulman ! » : :

> « Avant d'aller plus loin, on va commencer par mettre un terme à toutes les appellations destinées *za'ma* [« soi-disant » en dialecte maghrébin] à désigner les jeunes "issus de l'immigration". Que tu sois blanc, bronzé ou noir, tu dois refuser les offenses et les familiarités qui te classent *de facto* dans la catégorie des "on ne sait pas qui tu es ". [...] Tu n'es pas un Maghrébin ni un Arabe. Tu es encore moins un beur ou la seconde génération de quoi que ce soit. Tu n'es pas non plus un jeune de banlieue. Non tu n'es rien de tout cela. Tu n'es ni islamiste, ni fondamentaliste, ni intégriste [...]. Oui, en France tu es chez toi. Et que tu appliques les préceptes de l'islam ou que tu sois dans la vivance [*sic* ; l'auteur désigne par ce néologisme les non-pratiquants], si tu ne renies pas la foi qui habite ton cœur, tu es Musulman. Tu es donc : un jeune Musulman. Le respect commence ici ! Par le regard que tu portes sur toi et sur celui que tu veux être. Alors tu sauras exiger le respect des autres. Pour ma part, dans les pages qui vont suivre et pour toujours, tu as été, es et restera [*sic*] un jeune Musulman. [*Verbatim*] »

On a dans ces lignes l'essentiel de la stratégie de captation d'une base sociale jeune et populaire par l'UOIF — M. Abdelkrim était, en 2002, au moment où est paru *Na'al bou la France ? !*, président de Jeunes Musulmans de France (JMF, la section de jeunesse de l'organisation). Face aux modes multiples d'identité auxquels s'essaient les jeunes socialisés en France, il n'y a qu'une vérité, même pour ceux qui n'en sont pas conscients : l'appartenance à l'islam. Toutes les alternatives sont déconsidérées, ne sont que du *za'ma*, du faux-semblant : seul l'islam permet le *respect* de soi et le respect par les autres — terme très employé aussi dans le milieu black des États-Unis. S'affirmer à travers l'affichage de l'islam est la condition nécessaire pour participer à la vie politique à part entière.

Cet islam obligatoire — sauf à se renier — s'inscrit dans une filiation précise : celle des Frères musulmans. Dans les éléments biographiques qu'il fournit, l'auteur se présente comme un rescapé de la déviance « embrouilles, rixes, came, braquages, cambriolages et tout le toutim », venu à la conscience à l'occasion d'une bavure policière qui cause la mort d'un de ses amis et le ramène à la mosquée. Il devient un militant associatif de plus en plus religieux — en même temps qu'il reprend des études qui le conduiront à un diplôme de sociologie (on trouve la trace de cette formation dans la citation ci-dessus), et surtout à découvrir, à travers la fréquentation d'une branche locale de l'UOIF, la langue arabe et « un homme, puis sa pensée : Hassan al Banna ! Et quel homme ! Je lui dois, du peu que j'en sais, ma façon de voir le monde, de pratiquer l'islam et de me rendre utile. »

Cet itinéraire paradigmatique, qui n'est pas sans rappeler la démarche de Malcolm X, et vise ici à faire des jeunes des musulmans conscients, puis à réduire l'islam à la pensée des Frères musulmans, participe à sa manière de la lutte pour l'hégémonie sur le champ islamique européen que livrent ces derniers à leurs rivaux, aux salafistes et autres jihadistes. Dans ce registre, *Na'al bou la France ?!* vise les salafistes lorsqu'il ridiculise « une poignée d'illuminés [occupés] à chevaucher scrupuleusement la lettre de l'islam et à en piétiner tout autant l'esprit », et utilise le principe de précaution usuel dans la mouvance islamiste par rapport au 11 septembre. À le lire, « aucune preuve tangible n'a permis de désigner le véritable auteur des attentats », « seul le matraquage médiatique a désigné Oussama Ben Laden comme en étant l'ignoble auteur », et l'ouvrage de référence sur la question est *L'effroyable imposture* de Thierry Meyssan, qui nie qu'un avion détourné se soit écrasé sur le Pentagone.

Forts de la base sociale que Farid Abdelkrim et ses collègues prédicateurs ou conférenciers drainent, et que les travailleurs sociaux liés à la mouvance assemblent à travers leurs associations caritatives, l'UOIF et les autres groupes qui se réclament de l'activisme islamique en Europe ainsi que les salafistes ont, paradoxalement, beaucoup bénéficié de l'effet du 11 septembre. Les quelques mois où Al Qa'ida n'a pas revendiqué les attentats ont été mis à profit pour se réfugier dans la dénégation de toute responsabilité imputable à quelque forme que ce soit de l'islam et pour incriminer la presse (comme dans l'exemple ci-dessus) tout en fournissant des réponses à un ample malaise chez des jeunes qui se trouvaient soudain dans le besoin urgent d'une définition de l'islam qui leur permettrait d'exprimer qu'ils n'avaient rien à voir avec des crimes et des massacres commis en son nom. Au lieu d'aboutir à une mise à distance de la mouvance islamiste, les suites du 11 septembre ont renforcé les responsables et les organisations qui, au sein de celle-ci, dénonçaient avec d'autant plus de force le carnage qu'ils en disculpaient par avance tout activiste se réclamant d'un islam bien compris — ils en rejetaient la responsabilité sur des forces obscures, parfois sur le Mossad ou la CIA, et quelquefois sur une secte égarée (les salafistes « cheikhistes » n'hésitant pas, dans leur polémique avec les Frères musulmans, à faire porter le soupçon sur eux). L'affluence au congrès du Bourget de l'UOIF, qui stagnait à la fin des années 1990, repart à la hausse. Le port du voile dans les établissements scolaires s'accroît en termes de visibilité. Or l'offre d'explicitation de l'islam présente sur le marché se répartit pour l'essentiel entre les héritiers des Frères musulmans, qui privilégient une stratégie visible, et les salafistes, qui préfèrent une parénèse plus discrète. Ils captent cette demande diffuse et multiforme, au détriment des courants mystiques plus intellectuels — leur confidentialité ou le niveau d'exigence attendu des adeptes décourageant le tout-venant —, aux dépens aussi des institutions islamiques perçues comme liées aux États européens (telle la Mosquée de Paris en France).

Cette répartition de l'offre religieuse islamique européenne apparaît assez clairement lorsque l'on observe le phénomène des convertis à l'islam. Dans de nombreux cas, l'échec de l'intégration sociale par le biais des structures usuelles qui l'assuraient dans les sociétés européennes (mouvements de jeunesse, réseaux associatifs laïque ou chrétien, militantisme politique) a ouvert la voie. Certains y sont venus après un premier passage au sein de bandes dans les quartiers défavorisés, où, fréquemment, les Rebeus, comme se dénomment en verlan les jeunes d'origine arabe, sont prédominants en termes démographiques. Quand ces derniers commencent de se laisser pousser la barbe et de fréquenter la mosquée, ils entraînent avec eux Céfrans (Français de souche), Tos (Portugais), voire Renois (Noirs) antillais ou d'Afrique, qui ne veulent pas se retrouver marginalisés au moment où bascule dans le salafisme la *subculture* populaire de la cité, où le port de prénoms chrétiens est ridiculisé et l'ensemble de la culture européenne déprécié. D'autres ont été ramenés dans le droit chemin par des réseaux islamistes après avoir sombré dans la toxicomanie ou la délinquance, que cette rédemption se soit produite en prison, dans un itinéraire à la Malcolm X, ou dans les HLM où certaines *jama'at*, à l'instar du Tabligh, se sont spécialisées dans la récupération des brebis égarées. Mais on compte aussi des étudiants idéalistes, intellectuellement solides, séduits par le prosélytisme de mouvements désormais actifs sur le campus des grandes universités de banlieue.

L'univers des convertis est infiniment divers. Sans parler de ceux qui sont venus à leur nouvelle religion par mariage, sur pression de la future belle-famille, et qui, dûment comptabilisés par les mosquées, se considèrent peu ou pas affectés par cette formalité, on compte la génération des intellectuels et des artistes attirés par le soufisme, qui font prévaloir l'appartenance confrérique sur l'Oumma, se sentent peu concernés par les enjeux musulmans en général. Si certains pratiquent une ascèse rigoriste, d'autres ne dédaignent pas le vin que chante la poésie mystique médiévale arabe ou persane, s'affranchissant ainsi des croyances du vulgaire. Il est malaisé de savoir quelle est leur proportion parmi les cinquante mille « Français de souche » d'ores et déjà revendiqués par les organisations islamiques, mais ces derniers n'illustrent guère l'« islamisme social » qui constitue la principale nouveauté des dernières décennies. Une tendance récente illustre la volonté de certains convertis de minimiser l'effet de rupture manifesté lorsqu'ils ont embrassé l'islam : alors que jusqu'au milieu des années 1990 on affichait presque systématiquement un second prénom musulman, recherchant autant que possible une traduction du prénom chrétien ou un effet d'assonance (Vincent-Mansour, Régis-Abdel Malek, ou Roger-Raja', etc.), la mode, hors des milieux salafistes, est aujourd'hui de plus en plus à l'usage public exclusif du prénom original. On peut le constater sur les sites en ligne se référant à l'islam sous toutes ses formes, où les convertis intellectuels jouent un rôle important : y prennent la parole en tant que musulmans des internautes qui signent d'un prénom et d'un patronyme européens. Peut-être faut-il attribuer cette évolution au souci de se différencier des radicaux qui ont, au contraire, entériné la rupture avec la société en basculant dans le *jihad* et les activités annexes destinés à subvertir l'ordre méprisé de la « terre de mécréance » au nom de l'engagement islamiste, voire à prêter la main au terrorisme. L'itinéraire de certains convertis passés par le soutien au GIA, l'entraînement dans les camps d'Afghanistan ou de Bosnie, ou, comme ce fut le cas du « gang de Roubaix », qui s'illustra dans les années 1990, la fusion du jihadisme et du grand banditisme, est aujourd'hui un facteur d'exaltation pour certains, mais aussi un souci pour la plupart de ceux qui tiennent à dissiper le soupçon que fait peser sur la masse des convertis tranquilles la dérive d'une minorité.

Dans le cas français, la perception par les autorités de cette montée en puissance polymorphe d'une mouvance islamiste organisée a fait l'objet, dans la suite du 11 septembre, d'une stratégie à double détente. L'urgence de la menace terroriste a conduit à encourager l'émergence d'une institutionnalisation de la représentation religieuse des musulmans dans l'Hexagone : il fallait disposer d'interlocuteurs qui, en contrepartie de leur reconnaissance par le ministère de l'Intérieur (chargé des cultes), exerceraient une sorte de police communautaire. L'UOIF, jusqu'alors tenue à distance du fait de sa filiation doctrinale avec les Frères musulmans, a été choisie pour jouer les premiers rôles, car elle semblait mieux à même que la Mosquée de Paris — interlocuteur traditionnel du pouvoir politique, et particulièrement de la droite, mais en décalage par rapport à la jeunesse des banlieues — d'effectuer un contrôle social que les circonstances rendaient impérieux.

Mais dans le même temps, le ministre de l'Intérieur qui a donné à ce dossier l'impulsion décisive, M. Sarkozy, a pris une option qui, en le conduisant à privilégier une organisation à la démarche communautaire et politico-religieuse, sans adresser un quelconque message d'un niveau équivalent à la majorité de la population d'origine musulmane de l'Hexagone, engagée dans un processus d'intégration individuelle passant par une privatisation de la religion, a suscité interrogations et critiques. Soudain, l'État paraissait « lâcher » ceux de ses citoyens de confession musulmane qui avaient fait le choix de la laïcité et tourné le dos à l'option communautaire, à l'affirmation politique de soi à travers l'exacerbation de l'identité religieuse. Alors que la représentation nationale française ne compte toujours ni député ni sénateur issus de ces populations où se détachent pourtant, dans la deuxième génération des enfants d'immigrés du Maghreb, nombre de quadragénaires ou quinquagénaires qui ont « joué le jeu » et conquis notabilité et préeminence sociale, économique ou culturelle, la fonction d'intermédiation est confiée par excellence à une instance religieuse — et, en son sein, à une organisation particulière héritière de la doctrine des Frères musulmans. Du fait de l'absence de représentation politique, cette dernière ne peut que déborder sa fonction sociale et cultuelle et occuper un terrain politique et institutionnel vide. Les critiques de cette stratégie, qu'elles viennent des milieux laïques ou des rivaux de l'UOIF dans le champ religieux, y ont également soupçonné une logique électoraliste misant sur le contrôle et la livraison d'un « vote musulman » à structure communautaire et religieuse au bénéfice de tel politicien, selon la pratique du caïdat de l'Algérie coloniale. Au Royaume-Uni voisin, où le système politique a entériné une vision communautaire explicite des « relations raciales », selon l'expression britannique, le Parlement de Westminster compte plusieurs députés (et *lords*) d'origine indo-pakistanaise et de confession musulmane qui jouent un rôle de médiateurs entre leurs coreligionnaires et l'État. L'effet du « vote musulman » y est relativisé par la diversité sociale et politique des élus, anciens syndicalistes chez les travaillistes, « *brown yuppies* » chez les conservateurs.

C'est en l'absence de pareille représentation politique institutionnelle des populations concernées qu'a été créé, en décembre 2002, et au terme d'un cheminement complexe, le Conseil français du culte musulman. Ses représentants ont été élus sur la base de « circonscriptions » où chaque mosquée disposait d'un nombre de voix pondéré par sa surface au sol — un arrangement inédit de la pratique électorale qui favorisait l'UOIF, seule organisation ayant maillé, à travers un *franchising* de nombreuses associations locales, le tissu des quinze cents salles de prière musulmanes de l'Hexagone. Pour maintenir une sorte d'équilibre au sein du Conseil, l'État veilla à ce que M. Boubakeur, le recteur de l'Institut musulman de la Mosquée de Paris, l'institution la plus ancienne, où Alger exerce une forte influence, mais dont la liste n'avait obtenu qu'un résultat très en deçà de ses ambitions, fût désigné président du CFCM — l'homme fort étant le vice-président, M. Fouad Alaoui, secrétaire général de l'UOIF. En revanche, un courant fut totalement exclu du Conseil : les adeptes et les disciples de M. Tariq Ramadan, prédicateur vedette de la jeunesse musulmane. Son porte-parole dénonça en termes très durs la « boue » du CFCM, ironisant sur le caractère « arrangé » d'élections qui lui paraissaient comparables à celles du « bled », dénonçant l'empressement de l'UOIF à servir, tels les caïds de l'époque coloniale, tant de pourvoyeur de suffrages électoraux que d'agent de contrôle social au service des ambitions politiques du ministre de l'Intérieur en contrepartie de facilités pour asseoir son hégémonie sur le réseau associatif de l'islam de France. « Le Conseil français du culte musulman et ses représentations locales, écrit Tariq Ramadan, sont à une partie de la droite, et à Sarkozy en particulier, ce que SOS Racisme et Ni Putes Ni Soumises sont au Parti socialiste et aux amis de Julien Dray en particulier... : des chasses gardées, outils de la nouvelle pêche aux voix, instruments d'une assez grossière politique de récupération. »

Face à la lourde manœuvre d'approche de l'État par l'UOIF, Tariq Ramadan déploie une stratégie opposée et légère, qui lui interdit d'investir son énergie dans une machine à contrôler des votes. Figure charismatique qui a construit son aura par l'éloquence et la séduction, en sus de la légitimité héritée que lui vaut sa qualité de petit-fils de Hassan al Banna (le fondateur des Frères musulmans), ce citoyen helvétique (son père avait fui en Suisse la répression nassérienne) a été classé par le magazine américain *Time* parmi les cent personnes les plus influentes du monde en 2004. Il aiguise la curiosité d'une presse qui, ne sachant s'il est ange ou démon, demeure dans un état de fascination hébétée à son endroit et conforte son statut, pour le meilleur et pour le pire, de phénomène médiatique international. Dépourvu de bureaucratie — au contraire de l'UOIF, qui compense le moindre charisme de ses dirigeants par un investissement serré du terrain associatif —,

Tariq Ramadan, en termes weberiens, incarne la figure du Prophète, face aux « gestionnaires des biens du salut » qui contrôlent le CFCM. Il a choisi des alliances à l'extrême gauche de l'échiquier politique, labourant les terres laissées en friche par des rivaux que choie une certaine droite — comme le manifesta la visite de M. Sarkozy, alors ministre de l'Intérieur, au Congrès de l'UOIF à Pâques 2003. Après avoir successivement séduit (et parfois abandonné) une partie de l'Église catholique, les enseignants laïques de la Ligue de l'enseignement, et la rédaction tiers-mondiste du *Monde diplomatique*, le petit-fils de Hassan al Banna a parachevé cette année-là sa marche triomphale et cathodique en vedette d'un autre congrès : lors du Forum social européen, qui s'est tenu à la mi-novembre 2003 dans le nord de Paris, il a éclipsé dans la couverture de l'événement les militants altermondialistes issus de l'extrême gauche qui constituaient la cheville ouvrière de la manifestation. Le prédicateur charismatique est parvenu à pareille apothéose grâce à un fructueux petit scandale qui lui a permis, en polémiquant avec des intellectuels français en vue qu'il a roulés dans la farine, d'être propulsé à leur niveau de notoriété par la presse écrite et audiovisuelle, de faire la une du *Monde* comme du *New York Times* — et d'apparaître en d'innombrables *talk-shows* où il déploya à plein le registre de son charme pour envoûter téléspectatrices et téléspectateurs de tous âges, toutes origines et toutes confessions. Le ministère de l'Intérieur, qui ne l'a pas convié au CFCM, ayant fermé la porte institutionnelle de l'islam de France à M. Ramadan, ce dernier l'a investi en entrant par la fenêtre des médias, raflant au passage la mise à l'extrême gauche et acquérant un statut de martyr aux yeux de ses jeunes disciples et d'un nombre croissant de sympathisants — dans une extraordinaire opération *win-win*, pour utiliser le jargon du marketing.

Le scandale est arrivé autour de la question d'Israël et de l'occupation américaine de l'Irak — ce qui réintroduisait les enjeux internationaux liés aux bouleversements du

Moyen-Orient à l'intérieur d'une polémique propre à un pays européen. Le 3 octobre 2003, le principal site islamique en ligne français, oumma.com, publie un article de Tariq Ramadan intitulé « Critique des (nouveaux) intellectuels communautaires » introduit par un chapeau précisant que ce texte a été refusé par deux grands quotidiens français, détail qui nimbe aussitôt son auteur de l'auréole de la persécution aux yeux des internautes familiers de ce site. Mettant en cause « des intellectuels juifs français [qui], jusqu'alors considérés comme des penseurs universalistes, ont commencé, sur le plan national comme international, à développer des analyses de plus en plus orientées par un souci communautaire », à propos du conflit israélo-palestinien et de la guerre en Irak comme de la « judéophobie » en banlieue, il incrimine d'emblée le philosophe Pierre-André Taguieff (qui n'est pas juif mais se retrouve mis en cause pour le nom qu'il porte), puis dresse une liste d'accusés où comparaissent successivement Alain Finkielkraut, Alexandre Adler, Bernard Kouchner, André Glucksmann et Bernard-Henri Lévy. Cette provocation soigneusement calculée, qui évoqua à certains les « listes » de journalistes identifiables par un patronyme israélite que livrait à la huée de foules militantes un leader français d'extrême droite, déclencha une bronca dans le microcosme de la presse parisienne. Elle contraignit M. Ramadan à une curieuse palinodie où il montrait le coin de l'oreille (« Je savais que M. Taguieff n'était pas juif [...] on me l'avait dit et *je l'avais vérifié* » [nous soulignons]) — mais il bénéficia d'un effet de notoriété exceptionnel. L'habileté de la provocation, qui obligea ceux qu'il visait à réagir sur la forme inacceptable du propos (l'effet de liste), interdisant ainsi d'aborder le fond du débat, conforta une partie de l'opinion dans le sentiment que toute mise en cause, en France et en Europe, de la politique d'Israël au Moyen-Orient, toute réflexion sur la place de l'État hébreu dans les déterminants de la politique américaine, étaient occultées car flétries a priori du stigmate d'antisémitisme par les groupes d'intérêt pro-israéliens.

Or, pareille réflexion — comme ce livre s'est efforcé de le montrer — est parfaitement légitime, la sécurité d'Israël, avec celle des approvisionnements pétroliers, constituant l'un des deux piliers indissociables de la politique menée par les États-Unis au Moyen-Orient. Sans intégrer ce facteur dans l'analyse, on se condamne à ne rien comprendre à la « guerre contre la terreur ». La confusion savamment entretenue entre la forme et le fond dans l'article « par qui le scandale arriva » permit à ceux qui soutenaient son auteur de mettre en exergue la dissimulation délibérée du débat de fond dans la presse ; ils déplorèrent une bénigne maladresse formelle dans l'expression de leur héros, peccadille gonflée par ses ennemis en un péché cardinal. Ce faisant, Tariq Ramadan marquait un autre point : alors qu'est fréquemment portée contre la mouvance islamiste l'accusation de « communautarisme », il retournait celle-ci contre les « intellectuels juifs français », occupant quant à lui la posture « universelle » délaissée, à l'en croire, par ces derniers, réduits désormais à des laudateurs sourds et aveugles de l'Israël de M. Sharon. Dépossédant les « intellectuels juifs » de leur universalisme, il le leur arrache et s'en revêt, selon un processus mimétique. En participant au Forum social mondial, il troque son costume, trop étroit au regard de ses ambitions et de son talent, de porte-parole des Jeunes Musulmans, pour endosser l'habit de l'intellectuel universel, capable de tenir, selon la formule par laquelle Edward Shils définit la fonction de celui-ci, « un discours sur les valeurs centrales de la société ». Lors de son intervention au Forum — comme dans un article de la revue *Pouvoirs* paru précédemment, où abondent les références à Susan Sontag au détriment de citations du Coran — il faisait de l'islam non pas un préalable, mais un aboutissement, fût-il implicite.

Cette posture est du reste reflétée par le vêtement soigneusement étudié de M. Ramadan : loin de la tenue djellaba-blouson-baskets des salafistes comme du sombre costume-cravate des dirigeants de l'UOIF, il adopte la chemise blanche à col Mao légèrement ouvert, un habit qui se distingue à la fois de la dissonance extravagante des premiers et du conformisme excessif des seconds, tout en respectant la prohibition du port de la cravate — considérée dans la mouvance islamiste la plus exaltée comme un symbole détestable de la croix chrétienne. Vêtu à la semblance des hauts fonctionnaires iraniens après la révolution islamique (qui brassait également verbosité tiers-mondiste et verve religieuse, mais selon un dosage plus corsé), il se singularise toutefois par son look d'ensemble, qui s'inscrit dans un système de significations différent. Quand les pasdarans et autres « gardiens de la Révolution » affectent un aspect crasseux censé rappeler leur qualité de représentants des « déshérités », que manifeste la barbe simplement rognée ombrant leur visage d'une apparence hostile aux mécréants, Tariq Ramadan cultive un filet de barbe pieusement taillé qui mêle référence islamique et sobre élégance. La chemise se situe, elle, au croisement de plusieurs registres signifiants : l'acteur de la révolution (iranienne ou chinoise) mais également l'intellectuel médiatique hôte obligé des débats télévisés. Son parangon, Bernard-Henri Lévy, a « inventé », dès les années 1980, le port de la chemise blanche ouverte, jouant d'une gamme de séduction sur laquelle Tariq Ramadan se livre à une variation d'autant plus fidèle qu'il a pour stratégie de souffler à BHL sa place cathodique d'intellectuel universaliste, après l'avoir refoulé dans les ténèbres du communautarisme juif.

Pareille posture enchante la plupart des altermondialistes « utiles » pour l'heure au parcours météorique d'un Tariq Ramadan qui complète avec de jeunes barbus et voilées de milieu populaire les salles de meeting clairsemées où dominaient les gauchistes vieillissants de classe moyenne. Elle déconcerte certains Jeunes Musulmans, qui n'arrivent plus à le suivre — comme l'écrit le 15 janvier 2004 l'internaute « manyielle » sur forum_islami.com :

« Assalamu alaikuom [*sic*]. Depuis bien longtemps Tariq Ramadan tient un double discours. Aux Muslims, il nous dit certaines choses et aux kouffars [mécréants] il dit ce qu'ils veulent entendre. Mais le pb [problème] aujourd'hui, c'est que les kouffars sont conscients de ce dédoublement de personnalité et de discours chez Tariq Ramadan. Il a été stigmatisé depuis ces propos antisémites et on croirait que maintenant il veut réparer son erreur ! wa Allah o alam. Assalamu alikom wa RahmatuLah wa barakatuh [et Allah est le plus savant — Salut, miséricorde et bénédiction d'Allah sur vous]. » [La transcription des oraisons arabes est approximative et réglée sur une prononciation dialectale.]

Cette remarque a suscité un ample débat le jour même. L'internaute « anass91 », avec d'autres, défend le prédicateur, qu'il appelle par ses initiales, invitant ses coreligionnaires à serrer les rangs face aux attaques :

« Salam a'likoum, je crois que vous ne lisez pas le "marianne" (ca rien a voir a T.R) vous verréz comment ils insutes notre prophéte [typon en arabe « Salut et bénédiction d'Allah sur lui »] bien aimé dans un livre intitulé : le..... d'ALLAH (j'ose pas mettre le titre car c'est une honte pour la Oumma) [l'allusion vise *Le sexe d'Allah*, rédigé par une journaliste de l'hebdomadaire *Marianne* et paru en janvier 2004] et c'est la probléme on n'est meme pas solidaire entre nous on préféré se bouffé entre nous et regardé ce qu'on ose écrire sur l'islam, HONTE À NOUS !, qu'ALLAH nous guide... »

Dans un autre registre langagier, après divers messages défendant ou attaquant Tariq Ramadan — qui montrent qu'il ne fait pas l'unanimité, par-delà cet échantillon d'internautes, parmi les Jeunes Musulmans —, une contribution savante, le même jour sur ce même forum, signée « Anas A. L. », débat de l'attitude de celui-ci en le comparant favorablement au Prophète, qui biaisait avec les impies lorsqu'il se trouvait en situation de faiblesse. L'auteur de l'intervention apprécie également Tariq Ramadan en le jaugeant au regard de la norme établie par le jurisconsulte intransigeant Ibn Taïmiyya (1263-1328) — référence par excellence de l'islam wahhabite, des salafistes et des Frères musulmans —, avant de conclure :

« Une autre chose avec TR c'est que son discours est très subtil [...] il ne dit pas aux kouffars que ce que ceux-ci veulent entendre, il a recours à la tawriya [dissimulation, double sens]. Un exemple de sa subtilité : il ne propose pas pour la France le communautarisme, mais le multiculturalisme : ce sont deux mots qui ne figurent pas dans le Coran et la Sunna, et ce qui compte c'est [...] les objectifs qu'il essaie de trouver pour que les musulmans vivant en France puissent pratiquer le maximum qui leur est demandé en tant que minorité musulmane dans un pays non musulman... Ce qu'on attend des frères et des sœurs c'est qu'ils ne s'arrêtent pas au seul constat du fait qu'il a dit ne pas vouloir le communautarisme, mais qu'ils considèrent aussi le reste de son discours et le contenu de celui-ci ! »

Les échanges sur le forum de ce site en ligne font suite à un article de Tariq Ramadan du 11 février 2004 publié par un grand quotidien et repris, le 14 février, sur oumma.com qui appelait à une manifestation pour le droit de porter le voile à l'école en France. Dans ce texte, le prédicateur genevois se réclame de l'universalisme des valeurs, demandant « à tous les citoyens sans exception de se lever et de dire, ensemble, très haut et très fort, qu'il n'y a pas de citoyenneté minoritaire en France, que ces questions concernent tout le monde de la même façon, et que, somme toute, c'est la classe politique elle-même qui est en train d'alimenter le communautarisme qu'elle dit vouloir combattre. Les droits sont les droits et les revendiquer est un droit ! ».

Dans ce texte, la revendication pour le port du voile à l'école est présentée non pas comme une requête communautaire — elle s'attirerait le seul soutien de groupes islamistes limités en nombre — mais comme une exigence universelle : elle permet de rassembler, dans l'appel à la manifestation, l'altermondialiste José Bové comme l'écologiste Noël Mamère, par ailleurs champion du mariage homosexuel (l'un et l'autre s'abstiendront toutefois de défiler, invoquant des engagements préalables). M. Ramadan, en une tentative de retournement des valeurs du même acabit que sa dénonciation des « intellectuels juifs français », accuse de communautarisme l'État français et ses institutions, les dépouille de l'universalisme dont se targuait la république, pour tenter de récupérer celui-ci à son profit, enrégimentant au passage les auteurs de référence de la laïcité et du socialisme : « Voltaire au premier chef, mais également, plus près de nous, Jaurès, doivent se retourner dans leur tombe, ébranlés par la trahison, deux fois meurtris par l'enfermement d'esprit de celles et de ceux qui ne savent plus les lire... On utilise leurs mots vidés de leurs idéaux. » Pourtant, comme c'est le cas pour l'UOIF contrainte à concilier les demandes antagoniques d'une base travaillée par des prédicateurs populistes avec la volonté de ses dirigeants d'être cooptés par certains politiciens français, Tariq Ramadan doit assumer des dissonances internes croissantes, qui risquent, s'il n'y prend garde, de précipiter son parcours, après l'apogée, vers la nuit sidérale où tendent les étoiles filantes. C'est dans l'accroissement incessant de son territoire qu'il cherche à fuir les contradictions de son positionnement. Genève, la France, la vieille Europe même sont désormais un espace trop étroit. Le monde est sa nouvelle frontière — le nouveau monde que domine l'Amérique. Ayant travaillé son anglais dans les années 1990 à l'Islamic Foundation de Leicester, le *think-tank* islamiste britannique animé par les disciples du Pakistanais Mawdoudi, il fait donner grand écho en 2004 à l'annonce de son recrutement comme professeur invité par l'université catholique Notre-Dame, aux États-Unis, celle-ci lui conférant en apparence la reconnaissance académique qu'il n'obtenait pas sur le vieux continent. Cette caution universitaire doit lui permettre d'étayer son statut fragile, en l'absence d'une bureaucratie hiérarchisée et structurée, à l'inverse de l'UOIF. Contraint pour l'heure à une perpétuelle projection vers l'avant, il procède à la manière d'un funambule : accusé d'un côté, par une partie de sa base communautaire, de « trahison » par rapport à sa filiation islamiste, il sème un doute croissant de l'autre côté, chez des téléspectateurs appartenant à sa cible universaliste. Ceux-ci l'entendent par exemple, à une heure de grande écoute, face au ministre de l'Intérieur Sarkozy, refuser de condamner explicitement la lapidation des femmes — réduit qu'il se trouve à demander un « moratoire » sur cette question, pour ne pas se mettre en porte à faux avec une partie de sa base, qui l'accuserait alors de contrevenir aux textes sacrés de l'islam dans leur interprétation rigoriste.

Par-delà la question du port du voile à l'école française,

l'égalité entre hommes et femmes est l'un des principaux thèmes de cette « bataille d'Europe » qui a trait au destin des populations d'origine musulmane sédentarisées sur le vieux continent. Pour les organisations et les prédicateurs islamistes issus de la filiation des Frères musulmans, toutes tendances et stratégies confondues, comme pour les salafistes, la licéité du port du voile à l'école est un impératif car il marque la perpétuation d'un contrôle communautaire sur leurs ouailles, la rupture mentale avec les valeurs d'un environnement soupçonné d'adultération de l'islam. Ce discours défensif n'est formulé en termes aussi explicites que par les salafistes, pour lesquels l'Europe est « terre de mécréance », et qui sont obsédés par les risques de « christianisation » et autres déviances qui menacent leur progéniture, tels le chant, la danse, la mixité, les activités sportives, voire les enseignements de biologie, qui contreviennent à la Révélation divine, etc. La vision qu'ont les salafistes des femmes est rétive à toute égalité juridique. C'est ce que démontrent leurs déclarations favorables à la réclusion de celles-ci, et leur prédilection pour la violence à leur encontre censée les ramener dans le droit chemin — il n'est pas licite, en revanche, que les femmes battent les hommes qui dévient de la juste voie. Pour les héritiers des Frères musulmans qui tiennent, depuis 1989, l'Europe pour une part du *dar el islam* où appliquer la « *chari'a* de minorité » aux populations désignées par eux comme musulmanes, la défense du port du voile à l'école est déclinée en public à l'aide d'un argumentaire universaliste, et non communautaire — de manière à rassembler de larges bases de soutien en dehors de la communauté, on l'a vu. Cela permet également d'éviter d'aborder la question de l'égalité juridique entre les sexes, qui contrevient à la *chari'a*, une position peu propice à rassembler écologistes, altermondialistes et gauchistes « utiles », fussent-ils des défenseurs de l'« authenticité ».

En effet, la revendication du port du voile à l'école se coule aujourd'hui principalement, à destination des médias et du grand public, dans le flux multiculturaliste, présenté par ses adeptes comme le summum d'une modernité qui rejette dans les ténèbres de l'obsolescence et du ridicule la laïcité, assimilée au jacobinisme liberticide congénital d'une France en déclin. Face à cela, l'internaute voilée qui interroge depuis Aubervilliers son cheikh salafiste favori à La Mecque pour savoir si elle peut utiliser la pilule contraceptive en « terre de mécréance » est censée incarner les valeurs du nouvel individualisme mondialisé, personnifier une démocratie universelle où Internet sublimerait la prégnance communautaire. Cette vision enchanteresse, à laquelle font écho les jeunes filles voilées et drapées de tricolore qui scandaient, dans les manifestations en faveur du voile à l'école publique française, entre décembre 2003 et février 2004 : « Ni père ni mari, le voile c'est moi qui l'ai choisi », se heurte à des témoignages en sens inverse. Ils font état de la pression sociale exercée par le réseau associatif islamiste ou salafiste dans les « cités » pour que les femmes se voilent, et par l'exhortation des prédicateurs à mettre en œuvre la « *chari'a* de minorité ». Ils rappellent que tel autre cheikh salafiste proclame dans les médias qu'il est licite au regard de l'islam de battre sa femme fort, que même un prédicateur charismatique qui se veut universaliste et ultramoderne ne peut condamner tout de go la lapidation — de peur de contrevenir à des injonctions sacrées et de se départir de sa capacité de *tawria* (« dissimulation »), et qu'il bute ainsi sur la question de l'égalité juridique entre hommes et femmes. Ils notent l'ambiance lourde des établissements scolaires des quartiers défavorisés quand s'y manifeste l'exacerbation des identités communautaires, quelle qu'en soit l'origine, religieuse ou ethnique, musulmane, juive ou chrétienne, africaine, arabe, asiatique ou gauloise. Ils relèvent la progression des manifestations de haine entre jeunes d'origine musulmane et d'origine juive, qui atteignent leur paroxysme, dans les cours de récréation, lorsque Al Jazeera, capté sur la parabole, a diffusé la veille au soir des images de répression israélienne contre des Palestiniens, montré des chars et des bulldozers détruisant

des maisons, des funérailles de victimes ordinaires ou de
« martyrs » qui ont perpétré des attentats suicides. Ils
s'inquiètent lorsque l'administration en est réduite à trans-
férer des élèves d'une confession particulière répartis dans
divers collèges vers un même établissement, pour éviter les
persécutions qu'encourent ceux qui demeurent isolés.

Pareilles préoccupations ont conduit le président français à rassembler, entre juillet et décembre 2003, une
commission de réflexion sur l'application du principe de laïcité, plus connue comme « commission Stasi », d'après le
nom de son président. Celle-ci avait pour objet de redéfinir
le pacte laïque, un siècle après les lois de séparation de
l'Église et de l'État en 1905 dans une France alors à prédo-
minance rurale et dénuée d'immigration étrangère significative. Ces lois, votées à une époque où la laïcité se définissait
comme une rupture par rapport à une Église catholique
prégnante dans tous les domaines de l'organisation sociale,
et porteuse d'une vision du monde procédant des bulles
pontificales plus que du débat démocratique, ne correspondent plus guère, en l'état, aux défis du présent. Cent ans
plus tard, tandis que la France, comme toutes les nations
de l'Europe occidentale, connaît d'importantes mutations
démographiques dues à l'immigration de millions de personnes originaires d'outre-Méditerranée ou du sous-continent indien pour la plupart, la laïcité prend une tout autre
signification. L'objet n'en est plus de défendre la liberté de
conscience face à une Église dominante — elle a perdu sa
superbe et ses pouvoirs de contrainte —, mais de conjoindre
des populations d'origines diverses en établissant les règles
du vivre ensemble qui garantissent à chacun l'expression de
cette même liberté de conscience. Or celle-ci est mise en
cause par la prégnance d'identités communautaires closes
qui la brident ou dressent les unes contre les autres, sur une
base ethnique, raciale ou confessionnelle, les différentes
composantes de la société pluraliste nouvelle de l'Europe.
Comme le Vatican du début du xxe siècle faisait peser sur
les âmes de ses ouailles en pays catholiques le poids de

l'index et de l'anathème, le salafisme ou l'islamisme d'un
côté, le communautarisme juif hassidique d'un autre, certains mouvements charismatiques ou évangélistes chrétiens
enfin, ainsi que diverses sectes hybrides, s'emploient aujour-
d'hui à enfermer leur troupeau dans un enclos où l'endoctrinement sape les fondements minimaux de la liberté de
conscience individuelle et citoyenne.

Pareil défi se heurte d'emblée à deux problèmes, que
mêlent dans la confusion volontaire les organisations à visée
communautariste et les politiciens qui souhaitent les utiliser
pour assurer l'ordre de la société au moindre coût tout en
escomptant recevoir en retour des paquets de suffrages
électoraux.

Le premier problème touche à la question sociale. S'il
est excessif de prétendre, comme le font les islamistes, que
dans l'Europe du XXIe siècle les classes défavorisées sont
« musulmanes », il n'en reste pas moins que ceux et celles
qui sont issus des populations immigrées d'origine musulmane appartiennent pour leur immense majorité — et ce fut
le cas pour toutes les vagues migratoires de l'histoire — aux
groupes les plus démunis. Leur mobilité sociale ascendante
se heurte à de multiples obstacles, qui ne se réduisent pas à
la xénophobie ou au racisme (moins encore à l'« islamophobie », un terme mystificateur inventé par la mouvance
islamiste pour interdire toute critique à son endroit), mais
où ces attitudes discriminatoires ont leur part.

Le second problème touche à la question religieuse.
Le messianisme communiste ou socialiste, qui a assuré la
dialectique de l'intégration des classes défavorisées européennes dans le débat politique tout au long du XXe siècle,
l'a institutionnalisée à travers la participation aux élections,
voire l'accès au gouvernement, est désormais frappé d'une
obsolescence dont l'effondrement du mur de Berlin a
confirmé le caractère irrémédiable. Il n'existe plus, dans
l'espace politique européen, de parti ou d'organisation auxquels puissent s'identifier ceux qui s'estiment injustement
mal classés dans la hiérarchie sociale. L'extrême droite par-

vient, de temps à autre, de Vienne à Amsterdam et de Rome à Paris, à capter ce vote de mécontentement ; mais il se construit sur un réflexe xénophobe, et ne concerne, pour l'essentiel, que la population défavorisée européenne « indigène », au détriment de ceux qui sont de souche immigrée (même si certains parmi ces derniers commencent à voir dans l'idéologie d'extrême droite un mode d'inclusion et de revendication sociales, parallèle en cela au communautarisme).

Sans doute serait-il illusoire d'imaginer que la jeunesse défavorisée originaire des rives est et sud de la Méditerranée peut tout de go et en masse s'insérer harmonieusement dans la société européenne. Celle-ci constitue un ensemble différencié et conflictuel, dans lequel des groupes sociaux se combattent, tressent des alliances, pour améliorer leur situation respective, conquérir du pouvoir ou des parts de marché, etc. L'histoire récente de l'immigration, comme celle des classes populaires, manifeste assez que leur mobilité sociale ascendante est le résultat d'une lutte, et qu'elle est passée par des phases de remise en cause radicale des fondements de l'ordre social. Il n'est donc pas surprenant que cette dimension conflictuelle se manifeste aujourd'hui à sa manière, dans un registre que s'efforcent de contrôler les acteurs religieux islamiques, pour qui la captation du mécontentement populaire représente un marché porteur. Mais il est illusoire de croire que ceux-ci sont, par nécessité, les uniques représentants d'une population réduite par leur biais à sa seule dimension religieuse, contrainte à se définir — selon les mots de Farid Abdelkrim dans son *Na'al bou la France ? !* — exclusivement à travers le prisme du Jeune Musulman, dont l'avènement à la conscience s'exprime sous la forme du militantisme islamiste. Cette définition de soi, qui passe par le processus de transformation sociale, est au cœur de la bataille d'Europe : c'est un enjeu culturel.

CONCLUSION

Par-delà le jihad et la fitna

L'histoire des sociétés musulmanes, au long de ses quatorze siècles, a été travaillée par une tension intense entre deux pôles opposés, qui commandaient le flux et le reflux de la civilisation née de l'islam : le *jihad* et la *fitna*.

Le premier de ces termes, désormais passé dans l'usage, est connoté positivement au sein de la culture islamique traditionnelle. Il désigne l'effort requis de chaque croyant afin d'étendre le domaine et d'approfondir l'emprise de la norme religieuse, pour réguler tant les passions individuelles que l'organisation sociale, voire l'ordre du monde — pour soumettre l'humanité rétive aux lois intangibles du Coran. Lorsque cet effort est poussé au paroxysme, il s'exprime dans la guerre sainte, de conquête ou de défense. Il inspire aussi, de façon moins ostensible, le prosélytisme quotidien qui veut rendre les musulmans « meilleurs croyants » et pratique envers le reste des hommes une intense activité de conversion. Il est le moteur de la propagation de la foi, qui s'effectue « par l'épée et le Livre saint », selon l'expression consacrée.

Le second terme, *fitna*, moins connu hors des langues d'islam, a au contraire une connotation entièrement négative : il signifie la sédition, la guerre au cœur de l'islam, force centrifuge porteuse du démantèlement de la communauté, de son implosion et de sa ruine — là où le *jihad*, en revanche, sublime les tensions internes, les projette hors de soi. C'est une menace permanente sur la pérennité de la société musulmane, qui taraude la conscience des oulémas, les docteurs de la Loi, et les incite à la précaution et la prudence.

C'est pourquoi, dans la conception classique, le *jihad* exacerbé en lutte armée ne peut être proclamé que par les oulémas légalement habilités, qui pèsent soigneusement les risques à prendre. Cela vaut bien sûr lorsque est mobilisée l'Oumma, la Communauté des Croyants, pour la défendre contre les menées des « infidèles », de l'« ennemi lointain » ou passer à l'offensive contre ceux-ci. Mais la question se pose avec d'autant plus d'acuité quand le *jihad* se déploie à l'intérieur du domaine de l'islam, du *dar al islam,* face à l'« ennemi proche », le prince perverti soupçonné de contrevenir à la loi issue des textes sacrés, la *chari'a.* Épée de Damoclès suspendue au-dessus de la tête des gouvernants, le *jihad* risque toutefois, s'il est déclenché mal à propos, de bouleverser de fond en comble l'ordre social et d'ouvrir la voie à la sédition, la *fitna,* l'anarchie, le chaos.

Le 11 septembre 2001 a été, selon ses instigateurs, l'expression par excellence d'un *jihad* touchant en son tréfonds l'ennemi occidental impie, le coup d'envoi d'une ultime guerre séculaire qui s'achèvera nécessairement par le *fath,* la « conquête » de l'Europe puis de l'Amérique, la soumission finale de l'Occident à l'islam — l'accomplissement du *jihad* qui au long des siècles rogna puis détruisit Byzance, emportant graduellement son empire et achevant la ruine de sa civilisation. Dans l'attente de cet avenir radieux évoqué par des fatwas en ligne aux accents messianiques, le premier objet de cette guerre sainte est d'atteindre par ricochet l'« ennemi proche », les mauvais gouvernants des pays d'islam protégés par l'Occident, qui contrôle le monde. Mais, au-delà du cercle de Ben Laden et de Zawahiri, de leurs séides et admirateurs, force est de constater que le *ghazou,* la « razzia », l'action de commando de « l'avant-garde bénie de l'Oumma » sur les tours jumelles et le Pentagone, passé les premiers moments d'enthousiasme pour le coup porté à l'Amérique « arrogante », n'est plus guère perçu comme un *jihad* prometteur, même par la majorité des islamistes ou des salafistes, sans parler de la plupart des musulmans de la planète. Tout au contraire, le massacre des innocents perpétré le 11 septembre a inauguré l'ère de la *fitna*, du désordre et de la dévastation au sein de la maison de l'islam. Non seulement le régime des Talibans et celui de Saddam Hussein ont été détruits par l'armée américaine, dont les troupes campent de Bagdad à Kaboul, mais la guerre qui devait emporter l'Occident infidèle, « brûler ses mains », comme le proclamait Ayman al Zawahiri, en renversant la tendance au déclin des mouvements islamistes incapables de s'emparer du pouvoir dans les années 1990, a surtout amené pour l'heure la ruine et la destruction au Moyen-Orient. Les oulémas de l'islam contemporain ont perdu le contrôle du déclenchement du *jihad*, n'ont plus les moyens d'avertir les fidèles contre l'avènement de la *fitna* : ils ont été dépassés par des militants activistes qui se rient de leur cautèle, ignorent délibérément l'histoire longue des sociétés musulmanes, mais maîtrisent les technologies postmodernes, surfent sur l'Internet et pilotent des avions — tout en se nourrissant d'une vision salafiste de l'univers totalement bornée. Pareil clivage à l'intérieur de la conscience au monde conditionne les individus qui subliment cette tension dans la quête du martyre : convaincus d'enclencher un cataclysme salvateur pour la Communauté des Croyants, ils perpètrent l'« opération-martyre » sans voir que la violence par laquelle ils quittent volontairement la vie laisse derrière eux le chaos de la *fitna*.

Or la situation en Palestine a atteint un degré de dégradation jamais vu depuis la *nakba*, la « catastrophe » ou défaite de 1948. Tandis que s'essouffle la capacité de Hamas et du Jihad Islamique à renouveler à l'infini des attentats suicides qui n'entament pas la détermination israélienne, Ariel Sharon, conforté par l'effet épouvantail de Ben Laden et consorts, poursuit une politique de répression implacable

qui, outre la liquidation des dirigeants et des activistes islamistes, a ravagé en profondeur la société palestinienne,
détruit ses structures politiques et son tissu économique. En
conséquence, la judéophobie s'est répandue comme jamais
dans le monde musulman, et s'exprime jusque dans les banlieues européennes.

L'Irak occupé par les États-Unis et leurs alliés au
terme d'une « guerre contre la terreur » dont le 11 septembre a fourni le prétexte est déstabilisé en profondeur.
Même après la dévolution du pouvoir *de jure* à un gouvernement autochtone le 28 juin 2004, de lourdes hypothèques
pèsent sur son avenir comme État unifié. Par-delà la guérilla contre les armées d'occupation, la violence et les attentats font, presque chaque jour, leur moisson de morts et de
blessés parmi les Irakiens, Arabes et Kurdes, sunnites et
chiites, tandis que le pays s'enfonce dans le chaos de la *fitna*.
Les sites jihadistes voient fleurir, depuis 2003, des proclamations qui font de ce pays le nouveau terrain d'un *jihad*
tous azimuts, où les épigones de Ben Laden appellent au
massacre des soldats étrangers, des chiites, des Kurdes, et
des « collaborateurs », enjoignent de voiler les femmes et
d'appliquer strictement la *chari'a.*

L'Arabie saoudite, d'où sont issus Ben Laden lui-
même et la plupart des pirates de l'air du 11 septembre, est
aux prises, notamment depuis les attentats de mai 2003,
avec une montée des activités de terroristes qui, prenant en
otage, égorgeant, tuant dans des explosions des étrangers
expatriés indispensables au fonctionnement de la pétromonarchie, remettent en cause les équilibres fondamentaux du
royaume ainsi que son insertion dans l'économie mondiale
comme principal pourvoyeur de pétrole de la planète. La
déstabilisation de ce pays ne saurait se poursuivre sans
conséquences dramatiques. Le monde musulman lui-même
ne le supporterait pas, car elle hypothéquerait la sécurité
des lieux saints et le pèlerinage à La Mecque. Ce serait alors
le point culminant de la *fitna,* annonciatrice de la dévastation du centre symbolique de l'islam et de la Communauté

des Croyants — la *qibla* vers laquelle converge la prière de tous les musulmans du monde. Les grandes puissances consommatrices de pétrole, qui ne peuvent se passer des huit à dix millions de barils produits quotidiennement par le royaume, n'auraient plus d'autre choix que d'assurer avec leurs propres armées la sécurité de la zone pétrolière du Hasa, dans la province orientale de l'Arabie. Pareil projet — vieille marotte des néoconservateurs — est dans les cartons à Washington et ailleurs. Il est exhumé d'autant plus volontiers que la sécurité des expatriés est en péril, comme en ont témoigné l'égorgement d'étrangers par des jihadistes à Khobar le 29 mai 2004 et l'enlèvement puis la décapitation d'un ressortissant américain à Riyad quinze jours plus tard — des images atroces ont immédiatement circulé sur l'Internet — selon le mode opératoire favori des adeptes d'un *jihad* qui ont désormais annexé la galaxie numérique au *dar al harb*, en ont fait la nouvelle frontière de la guerre sainte.

La survenue du 11 septembre a libéré des forces de mort qui restent prises, trois ans après les faits, dans un inextricable cercle vicieux, une dialectique infernale du *jihad* et de la *fitna*. Ben Laden et ses affidés ont, en provoquant les États-Unis à réagir massivement, accru la détestation dont pâtissent désormais les Américains dans le monde musulman, même si l'opinion arabe, qui a dans le passé donné plusieurs exemples de son caractère versatile et sentimental, peut changer — mais ce changement risque de prendre du temps. Encore faudrait-il que cette opinion publique pût s'identifier à un projet positif de Washington pour la région. Cela aurait dû être, dans l'esprit des néoconservateurs et de ceux qu'ils influencent à la Maison-Blanche, la démocratisation du « grand Moyen-Orient », panacée contre la corruption et l'autoritarisme des élites dirigeantes, et contre le terrorisme qui se déploie en réaction au despotisme et au désespoir. Or ceux qui tiennent le discours de cette démocratisation-là sont associés, dans la représentation populaire, au tropisme de la Maison-Blanche du président Bush en faveur de M. Sharon. De plus, la fibre morale qui sous-tend le projet démocratique a été corrodée par la diffusion des images de détenus irakiens de la prison d'Abou Ghraib victimes de sévices à caractère pornographique infligés par leurs gardiens américains. En conséquence, aujourd'hui, le terme « démocratie », suivi du qualificatif « occidentale », est connoté négativement dans un large spectre de la classe moyenne éduquée, qui pourtant constituait le bénéficiaire potentiel par excellence de la démocratisation. Le substantif arabe *damakrata*, qui désigne le « processus de démocratisation » ou encore le « fait de démocratiser », est désormais fréquemment entendu de manière péjorative, renvoyant à un changement imposé par l'étranger — que souligne chez le locuteur arabophone le caractère hybride du terme, mêlant, en un effet peu valorisant, une racine allogène (*dimokratia*) à un schème grammatical arabe. Cette situation ravit les régimes autoritaires de la région, dont les dirigeants vont de conférence en conférence répétant qu'ils sont favorables aux réformes, mais que celles-ci ne sauraient être prescrites de l'extérieur, en contravention avec les traditions et la culture de chaque peuple — ce qui conforte les pouvoirs en place et leur permet de se faire à bon compte les champions d'un nationalisme ressuscité face à l'impérialisme étranger, et de renvoyer toute réforme effective aux calendes grecques. L'impéritie des dirigeants américains n'aurait pu aboutir à une impasse plus complète. Par-delà le désordre auquel ont mené les armes, qui ne laisse pas entrevoir de victoire rapide pour les États-Unis — moins encore de succès durable pour les adeptes du *jihad* —, le fait le plus saillant, au lendemain du 11 septembre et de l'enchaînement de ses conséquences, est la panne de projet social et politique mobilisateur qui affecte désormais le Moyen-Orient.

C'est hors de celui-ci sans doute que se cherchent les voies du futur. Dans cette quête de l'Andalousie perdue que ressasse la culture musulmane contemporaine réside l'une des issues au blocage mental et à la réification des pas-

sions auxquels ont contribué Oussama Ben Laden et George
W. Bush. On l'a vu au long des pages de ce livre, la
reconquête de l'Andalousie est l'un des objectifs des jihadistes, et elle constitue l'une des justifications sous-jacentes
de l'attentat de Madrid en mars 2004. Il ne s'agit pas, bien
évidemment, de cette conception de l'Andalousie-là, perçue
comme un bastion avancé du *jihad* sur la terre d'Europe,
mais de l'espace de sens de l'Andalousie où, sur le sol européen, l'efflorescence et l'hybridation culturelles ont produit
des avancées remarquables de la civilisation universelle. La
bataille est d'ores et déjà engagée pour définir et structurer
l'islam contemporain d'Europe. Cette Andalousie d'aujour-
d'hui est en gestation dans les banlieues européennes peu-
plées de jeunes originaires des pays musulmans du sud et de
l'est de la Méditerranée. Mais elle constitue, par rapport à
l'Espagne médiévale, où l'impact intellectuel provenait de
l'Orient musulman, et où le pouvoir politique était aux mains
de souverains islamiques, une Andalousie inversée. La créativité intellectuelle et l'innovation émanent plus que jamais,
en ce début du troisième millénaire, d'un Occident dans la
sphère culturelle duquel se sont intégrées les élites d'Asie
Pacifique — alors que le monde arabe est plongé dans une
stagnation que détaillent les rapports du Programme des
Nations unies pour le développement.

À Westminster, au Parlement européen, au Bundestag,
dans les conseils régionaux et municipaux, le système politique démocratique issu de la culture européenne commence
à intégrer dans son sein des acteurs nés dans la tradition
musulmane, pour la première fois dans l'histoire, leur donnant l'occasion d'expérimenter et d'incarner une pratique
démocratique qui est interdite, ou largement restreinte et
vidée de sa signification, dans presque tous les pays d'islam
majoritaire. Pareille participation politique s'appuie sur la
richesse du tissu associatif, dans lequel beaucoup de ces
acteurs se sont d'abord investis, et également sur l'émergence d'une génération prometteuse d'entrepreneurs, de
cadres, de professionnels divers, d'agents de la fonction

publique. Cette pratique suppose qu'ait été mise en œuvre, au fur et à mesure que se sédentarise l'islam d'Europe, une séparation de la mosquée et de l'État qui libère les forces d'aggiornamento aujourd'hui menacées dans les pays musulmans par les effets pervers du 11 septembre et de l'intervention américaine subséquente. Pareil bouleversement des conditions objectives dans lesquelles se crée et se constitue l'islam européen doit être propice, à moyen terme, à l'émergence d'une nouvelle génération de penseurs musulmans à vocation universelle, libérés du carcan de l'autoritarisme et de la corruption, émancipés de la flagornerie envers le prince comme de la rage d'une rébellion qui prône *jihad*, excommunication et violence. Ce dépassement du *jihad* et de la *fitna* n'est du goût ni des activistes radicaux, ni des salafistes, ni des islamistes — même si ces derniers sont exposés, dès lors qu'ils descendent dans l'arène politique européenne, à une corrosion de leurs principes. Ainsi, la bataille qui se joue pour le devenir de l'islam d'Europe est cruciale, et son importance n'a pas échappé à ceux qui veulent édifier sur le vieux continent une citadelle intérieure figée dans ses articles de foi en pleine « terre de mécréance ». Face à cela, il n'est d'autre choix que d'œuvrer pour la pleine participation démocratique de la jeunesse d'origine musulmane à la vie citoyenne, à travers les instruments, notamment éducatifs et culturels, qui favorisent l'ascension sociale et accompagnent l'émergence des nouvelles élites issues de ces populations. Il leur reviendra d'incarner par excellence, par-delà les chimères du *jihad* et de la *fitna*, et au-delà des frontières de l'Europe, le nouveau visage d'un monde musulman réconcilié avec la modernité.

APPENDICES

CHRONOLOGIE

PROLOGUE : LA FAILLITE DE LA PAIX D'OSLO

14 mai 1948	Proclamation de l'État d'Israël.
5-10 juin 1967	Guerre des Six Jours : occupation par Israël de la Cisjordanie, de la bande de Gaza, de Jérusalem-Est, du Sinaï égyptien et du Golan syrien.
Septembre 1970	« Septembre noir » : écrasement de l'OLP par l'armée jordanienne. Installation de la direction de la résistance palestinienne au Liban.
Octobre 1973	Quatrième guerre israélo-arabe ou guerre du Kippour (du Ramadan).
1ᵉʳ février 1979	Proclamation par l'imam Khomeyni de la République islamique d'Iran.
26 mars 1979	Signature des accords de Camp David entre l'Égypte, Israël et les États-Unis.
20 novembre 1979	Prise d'assaut de la Grande Mosquée de La Mecque (Arabie saoudite) par des salafistes extrémistes.
27 décembre 1979	Invasion de l'Afghanistan par l'Union soviétique.
22 septembre 1980	Déclenchement par Saddam Hussein de la première « guerre du Golfe » contre l'Iran.
6 octobre 1981	Assassinat du président égyptien Anouar el-Sadate.

6 juin 1982	Opération israélienne Paix en Galilée visant à chasser l'OLP du Liban.
14-18 septembre 1982	Massacre des réfugiés palestiniens des camps de Sabra et Chatila.
23 octobre 1983	À Beyrouth, double attentat suicide contre les *marines* américains (241 morts) et les soldats français (58 morts) de la Force multinationale d'interposition.
4 novembre 1983	Attentat suicide contre le QG israélien à Tyr (Liban).
9 décembre 1987	Début de la première Intifada, dite « révolte des pierres », dans les territoires occupés par Israël.
2 août 1990	Invasion du Koweït par l'Irak et début de la guerre du Golfe.
Octobre décembre 1991	Conférence de Madrid entre Israël, la Syrie, la Jordanie et les représentants palestiniens, sous l'égide des États-Unis et de l'URSS.
23 juin 1992	Élection d'Yitzhak Rabin au poste de Premier ministre d'Israël.
9-10 septembre 1993	Reconnaissance mutuelle d'Israël et de l'OLP.
13 septembre 1993	Aboutissement des pourparlers d'Oslo : signature par Yasser Arafat et Yitzhak Rabin à la Maison-Blanche d'une déclaration de principes sur les arrangements intérimaires d'autonomie.
25 février 1994	Assassinat par le colon juif extrémiste Baruch Goldstein de 29 Palestiniens en prière à la mosquée d'Hébron (Cisjordanie).
4 mai 1994	Signature du premier « accord intérimaire » dit de Gaza-Jéricho.
Avril 1995	Arrestation de 170 membres ou sympathisants de Hamas.
28 septembre 1995	Signature entre Arafat et Rabin à Washington d'un second « accord intérimaire » israélo-palestinien sur la Cisjordanie et la bande de Gaza (accord de Taba ou Oslo II).

4 novembre 1995	Assassinat d'Yitzhak Rabin par l'étudiant juif religieux d'extrême droite Yigal Amir, partisan du Grand Israël.
Avril 1996	Opération militaire israélienne dite Raisins de la colère à Cana (Sud-Liban).
29 mai 1996	Victoire de Beniamin Netanyahou et du Likoud aux élections législatives en Israël.
23 octobre 1998	Signature du mémorandum de Wye River.
17 mai 1999	Victoire du travailliste Ehoud Barak aux élections législatives en Israël.
23-24 mai 2000	Retrait de l'armée israélienne du Sud-Liban.
28 septembre 2000	« Promenade » d'Ariel Sharon à Jérusalem-Est, sur l'esplanade des Mosquées. Début du soulèvement dans les territoires palestiniens.
29 septembre 2000	Déclenchement de la seconde Intifada dite d'Al Aqsa, par Arafat et le Tanzim de l'OLP.
9 décembre 2000	Démission d'Ehoud Barak du poste de Premier ministre d'Israël.
19-23 décembre 2000	Sous la coupe de Bill Clinton, reprise des négociations de paix sur la question du statut de Jérusalem, la continuité territoriale et le droit au retour des réfugiés palestiniens.
20 janvier 2001	George W. Bush, quarante-troisième président des États-Unis, entre en fonctions.
6 février 2001	Élection d'Ariel Sharon, candidat du Likoud, au poste de Premier ministre en Israël.
Mai 2001	Vague d'attentats suicides perpétrés par Hamas et le Jihad Islamique.
11 septembre 2001	Attentats aux États-Unis.
2 octobre 2001	George W. Bush se déclare favorable à la création d'un État palestinien.
Janvier 2002	Hamas promet de déclencher une « guerre totale » sur tous les fronts contre Israël.
18 février 2002	Plan de paix du prince héritier saoudien Abdallah proposant un retrait d'Israël de tous les territoires occupés en échange de la paix avec ses voisins arabes.

20-21 février 2002	Intensification des bombardements et des raids israéliens. Destruction du quartier général de Yasser Arafat.
29 mars **21 avril 2002**	Opération Rempart et occupation par l'armée israélienne de plusieurs villes autonomes de Cisjordanie, dont Jénine.
20 mai 2002	Projet de construction par Israël d'une clôture défensive le long des 350 kilomètres de la « ligne verte ».
28 janvier 2003	Réélection d'Ariel Sharon au poste de Premier ministre d'Israël.
29 avril 2003	Investiture par l'Autorité palestinienne de Mahmoud Abbas, dit Abou Mazen, au poste de Premier ministre.
1er mai 2003	Présentation par le Quartet (États-Unis, Union européenne, Onu, Russie) de sa « feuille de route » aux Israéliens et aux Palestiniens.
4 juin 2003	Sommet tripartite entre États-Unis, Israël et Palestiniens à Aqaba (Jordanie).
6 septembre 2003	Démission de Mahmoud Abbas, remplacé par Ahmed Qoreï.
12 octobre 2003	Présentation du « pacte de Genève », dénoncé par le gouvernement d'Ariel Sharon.
4-7 décembre 2003	Échec au Caire des négociations interpalestiniennes pour une trêve des attentats.
29 janvier 2004	Échange de prisonniers entre Israël et le Hezballah libanais.
22 mars 2004	Assassinat du leader palestinien Cheikh Yassine, fondateur du mouvement Hamas, lors d'un raid israélien ciblé.
17 avril 2004	Assassinat à Gaza d'Abdelaziz Al-Rantissi, nouveau chef de Hamas.
2 mai 2004	Rejet par le Likoud du plan unilatéral israélien de retrait de Gaza.

6 juin 2004   Condamnation à perpétuité de Marwan Barghouti, chef du Fatah en Cisjordanie, tandis que le gouvernement israélien approuve le plan unilatéral de retrait de Gaza.

CHAPITRE 1 : LA RÉVOLUTION NÉOCONSERVATRICE

1937   Arrivée du philosophe Leo Strauss aux États-Unis.

1940   Irving Kristol diplômé du City College de New York.

1943   Création à Washington de l'American Enterprise Institute for Public Policy Research (AEI).

1949-1962   Albert Wohlstetter travaille à la Rand Corporation.

1953   Projet Solarium à l'initiative du président Eisenhower.

1965   Irving Kristol fonde la revue *The Public Interest*.

1968   « Printemps de Prague ».

1968-1980   Prégnance de la « contre-culture » sur les campus universitaires américains.

1973   Décès de Leo Strauss.

1975   Chute de Saigon aux mains du FLN prosoviétique.

1978   Élection de Jean-Paul II.

Décembre 1979-
15 février 1989   Invasion soviétique de l'Afghanistan, contrée par un *jihad* soutenu par les États-Unis.

1981-1988   Présidence de Ronald Reagan : les néoconservateurs dans les cercles du pouvoir.

8 juin 1982   Création du National Endowment for Democracy et du *Journal of Democracy*.

1985-1987   Opération Iran-*contras*.

5 novembre 1987   Publication de l'ouvrage d'Allan Bloom *The Closing of the American Mind* (« L'âme désarmée : essai sur le déclin de la culture générale »).

Novembre 1988	George Bush père élu président des États-Unis.
9 novembre 1989	Chute du mur de Berlin et fin de l'ère bipolaire.
2 août 1990	Invasion du Koweït par l'Irak de Saddam Hussein.
7 août 1990	Le roi Fahd d'Arabie saoudite fait appel à la coalition internationale dirigée par les États-Unis.
17 janvier 1991	Déclenchement de l'opération Tempête du désert contre l'Irak.
8 décembre 1991	Implosion de l'URSS, désignée comme l'« Empire du Mal ».
1992	Paul Wolfowitz, directeur du conseil de planification du ministère de la Défense, rédige le *Defense Planning Guidance Paper*, qui établit les priorités stratégiques des États-Unis après la guerre froide.
3 novembre 1992	Défaite de George H. Bush aux élections présidentielles face au démocrate Bill Clinton.
Été 1993	Samuel Huntington publie dans la revue *Foreign Affairs* « The Clash of Civilizations and the Remaking of World Order ».
9 janvier 1995	Parution du livre d'Irving Kristol *Neo-conservatism : The Autobiography of an Idea*.
17 septembre 1995	Lancement de l'hebdomadaire néoconservateur *The Weekly Standard*.
Mars 1996	Norman Podhoretz publie dans *Commentary* « Le néoconservatisme : oraison funèbre ».
8 juillet 1996	*A Clean Break : A New Strategy for Securing the Realm*, rapport signé par plusieurs néoconservateurs qui prône l'abandon de la paix d'Oslo et l'élimination de Saddam Hussein.
Janvier 1997	Décès d'Albert Wohlstetter.
3 juin 1997	Création du Project for a New American Century (PNAC), principal levier politique du mouvement néoconservateur.
26 janvier 1998	Lettre ouverte du PNAC à Bill Clinton, prônant l'attaque de l'Irak.

Janvier 2001	Entrée en fonctions de George W. Bush, quarante-troisième président des États-Unis : les néoconservateurs Paul Wolfowitz, secrétaire adjoint à la Défense, Richard Perle, président du conseil de planification de la Défense, John Bolton et de nombreux autres occupent d'importantes fonctions officielles.
11 septembre 2001	Attentats aux États-Unis : la vision du monde néoconservatrice s'impose à la Maison-Blanche.

CHAPITRE 2 : FRAPPER L'ENNEMI LOINTAIN

Mars 1928	Hassan al Banna fonde en Égypte l'organisation des Frères musulmans.
19 juin 1951	Naissance d'Ayman al Zawahiri au Caire.
29 août 1966	Pendaison de Sayyid Qotb.
Septembre 1974	Tentative de coup de force inaboutie contre Sadate.
20 novembre 1979	Prise d'assaut de la Grande Mosquée de La Mecque (Arabie saoudite).
1980	Séjour initial de Zawahiri à Peshawar (Pakistan).
Octobre 1981	Zawahiri suspecté et arrêté dans l'affaire de l'assassinat d'Anouar el-Sadate.
1985-1986	Départ de Zawahiri pour Djedda (Arabie saoudite) puis Peshawar et rencontre avec Ben Laden.
15 février 1989	Retrait soviétique d'Afghanistan.
30 juin 1989	Coup d'État et prise du pouvoir au Soudan par l'islamiste Hassan al Tourabi.
24 novembre 1989	Assassinat à Peshawar du jihadiste palestinien Abdallah Azzam.
1992	Ben Laden et Zawahiri se réfugient au Soudan.
1992-1993	Attaque des soldats américains de l'opération *Restore Hope* en Somalie par des jihadistes d'Afghanistan.

26 février 1993	Attentat à l'explosif contre le World Trade Center.
14 décembre 1995	Accords de Dayton et fin de la guerre civile en ex-Yougoslavie.
1996	Les *jihad* locaux (Égypte, Bosnie, Algérie) tournent à l'échec.
15 mai 1996	Ben Laden et Zawahiri quittent le Soudan pour Kandahar (Afghanistan).
23 août 1996	Ben Laden publie sa « Déclaration de *jihad* contre les Américains occupant la terre des deux lieux saints »
26 septembre 1996	Prise de Kaboul par les Talibans.
25 juin 1996	Explosion meurtrière à Khobar (Arabie saoudite) : 19 soldats américains tués.
Octobre 1997	Massacres en Algérie imputés au GIA, et délitement de celui-ci.
17 novembre 1997	Attentat islamiste à Louqsor. Plus de 60 morts. Abandon de la lutte armée par les islamistes radicaux égyptiens.
23 février 1998	Proclamation par Ben Laden, Zawahiri et autres d'un Front islamique international contre les juifs et les croisés.
7 août 1998	Attentats contre les ambassades des États-Unis de Nairobi (Kenya) et de Dar es-Salaam (Tanzanie).
12 octobre 2000	Attentat contre le destroyer *USS Cole* dans le port d'Aden (Yémen) : 17 morts et 42 blessés.
9 septembre 2001	Assassinat par deux faux journalistes mandatés par un mouvement du commandant Massoud au Panshir.
11 septembre 2001	Attentats aux États-Unis.
7 octobre 2001	Apparition de Zawahiri sur Al Jazeera aux côtés d'Oussama Ben Laden. Coup d'envoi de la « guerre contre la terreur » en Afghanistan.
Décembre 2001	Publication dans *Al-Sharq al-Awsat* d'extraits du livre de Zawahiri *Cavaliers sous la bannière du Prophète*.
23 octobre 2002	Prise d'otages par un commando tchétchène dans un théâtre de Moscou.

CHAPITRE 3 : TRAQUE ET RÉSILIENCE D'AL QA'IDA

7 octobre 2001	Annonce des premiers raids aériens contre les camps de terroristes en Afghanistan.
21 octobre 2001	Entretien d'Oussama Ben Laden avec le journaliste d'Al Jazeera Taysir Aluni.
6 novembre 2001	Déclaration du président George W. Bush devant l'Otan : « Nous ne marquerons pas de pause tant que les groupes terroristes globalisés n'auront pas été trouvés, arrêtés et défaits. »
21 décembre 2001	Diffusion par Al Jazeera de l'enregistrement vidéo qui montre Ben Laden s'entretenant avec l'ancien jihadiste saoudien Khaled al Harbi.
23 décembre 2001	Arrestation du Britannique Richard Reid après une tentative d'attentat à la chaussure piégée sur un vol Paris-Miami.
11 avril 2002	Explosion devant la synagogue de la Ghriba, sur l'île de Djerba (Tunisie) : 19 morts.
16 avril 2002	Première revendication des attentats du 11 septembre 2001 dans le testament enregistré du Saoudien Ahmed al Haznawi al Ghamdi.
7 mai 2002	Attentat contre un autobus français de la Direction des constructions navales (DCN) à Karachi (Pakistan) : 14 morts et plus de 20 blessés.
Septembre 2002	Arrestation à Karachi de Ramzi Ben al Shibh. Abu Zubayda, responsable opérationnel, a précédemment été arrêté.
6 octobre 2002	Attaque terroriste contre le pétrolier français *Limburg* au large du Yémen.
12 octobre 2002	Attentat à la voiture piégée sur l'île de Bali : environ 190 morts.
28 novembre 2002	Double attentat à Mombasa (Kenya) contre des touristes israéliens : 15 morts.
1er mars 2003	Arrestation au Pakistan de Khalid Cheikh Mohammed, organisateur pour Al Qa'ida des attentats du 11 septembre 2001.

22 mars 2003	Assassinat de *marines* à Falayka (Koweït).
12 mai 2003	Attentats suicides à Riyad : 35 morts, plus de 200 blessés.
16 mai 2003	Série d'attentats simultanés à Casablanca (Maroc) : 41 morts et une centaine de blessés.
8 novembre 2003	Attentat à la voiture piégée dans une résidence à Riyad : 17 morts, 120 blessés.
15 novembre 2003	Attentats contre deux synagogues d'Istanbul : 17 morts et 215 blessés.
20 novembre 2003	Nouveaux attentats, à Istanbul, contre le consulat britannique et le siège de la banque HSBC.
Janvier 2004	Dans un enregistrement diffusé, Ben Laden menace les pétromonarchies du Golfe.
7 mars 2004	Opération Tempête en montagne contre les Talibans en Afghanistan.
11 mars 2004	Attentats suicides à Madrid par l'explosion de plusieurs bombes dans des trains de banlieue : 191 morts et 1 400 blessés.
7 avril 2004	En Allemagne, report du procès de Mounir al Motassadeq, soupçonné d'avoir aidé à commettre les attentats du 11 septembre 2001.
15 avril 2004	Ben Laden propose une « trêve » à certains pays européens, dans un enregistrement diffusé par les chaînes arabes Al Arabiya et Al Jazeera.
26 avril 2004	Attentat chimique déjoué en Jordanie. Soupçons portés sur Abou Mous'ab al Zarqawi.
1ᵉʳ mai 2004	Selon Cofer Black, coordinateur de la lutte antiterroriste au département d'État américain, Zawahiri serait devenu le premier chef opérationnel d'Al Qa'ida.
6 mai 2004	Ben Laden met à prix les têtes de responsables de l'Onu, dans un message audio visant Kofi Annan et son émissaire spécial en Irak, Lakhdar Brahimi.
8 juin 2004	Arrestation à Milan de « Mohammed l'Égyptien », considéré comme l'un des cerveaux des attentats de Madrid.

CHAPITRE 4 : L'ARABIE DANS L'ŒIL DU CYCLONE

622	Hégire (*hijra*) du prophète Mohammed de La Mecque à Médine.
XVIe siècle	Conquête ottomane.
XVIIIe siècle	Muhammad Ibn Abd Al Wahbab prêche en Arabie une doctrine fondée sur une pratique rigoriste de l'islam, le wahhabisme, qui prône le *jihad*.
1745	Alliance entre le chef tribal Muhammad Ibn Saoud et le prédicateur Ibn Abd Al Wahhab. Fondation du premier royaume saoudien.
1811-1834	Expéditions égyptiennes de Méhémet-Ali sur ordre du sultan-calife d'Istanbul et anéantissement du royaume des Saoud.
1902	Abd al-Aziz Ibn Saoud, fondateur de l'actuelle branche régnante, part à la conquête de son royaume.
1912	Création par les wahhabites de la milice militaire de l'Ikhouan.
1915	Signature du traité de Qatif par lequel les Britanniques reconnaissent la souveraineté d'Abd al-Aziz sur les territoires du Nejd, Hasa, Qatif et Jubayl.
1916	Importante révolte arabe conduite par le chérif Hussein de La Mecque contre la domination ottomane.
14 octobre 1924	Prise de La Mecque par Abd al-Aziz Ibn Saoud.
28 mars 1926	Abd al-Aziz proclamé roi dans la Grande Mosquée de La Mecque.
1929	Anéantissement de l'Ikhouan par Abd al-Aziz Ibn Saoud avec le soutien britannique.
23 septembre 1932	Proclamation du royaume d'Arabie saoudite après la fusion des deux royaumes du Hedjaz et du Nejd.
20 mai 1934	Traité de Taif avec le Yémen plaçant les provinces d'Assir, Nedjran et Djizan sous le contrôle du royaume d'Arabie saoudite.

3 mars 1938	Découverte des premiers gisements de pétrole à Dammam.
14 février 1945	À bord du croiseur *USS Quincy*, pacte entre le président Franklin D. Roosevelt et Ibn Saoud, roi d'Arabie saoudite.
9 novembre 1953	Décès d'Abd al-Aziz Ibn Saoud et accession au trône de Saoud Ibn Abd al-Aziz.
1952-1967	Les Frères musulmans d'Égypte, de Syrie, d'Irak, d'Algérie et d'ailleurs trouvent refuge en Arabie et y déploient leurs activités.
1964	Prise du pouvoir par le prince héritier Faysal.
Octobre 1973	L'Arabie saoudite participe à l'embargo pétrolier. Politique de développement économique financée par la rente.
25 mars 1975	Assassinat du roi Faysal par l'un de ses neveux. Lui succède son demi-frère Khaled.
20 novembre 1979	Prise de la Grande Mosquée de La Mecque par des militants salafistes radicaux.
27 décembre 1979	Invasion de l'Afghanistan par l'Armée rouge et début du *jihad*, auquel participeront de nombreux jeunes Saoudiens.
Janvier 1980	Exécution de 64 rebelles ayant investi la Grande Mosquée.
1981	Création du Conseil de coopération du Golfe (CCG).
13 juin 1982	Décès de Khaled et accession de son demi-frère Fahd Ibn Abd al-Aziz au trône.
1990-1991	L'Arabie saoudite prend le parti de la coalition onusienne opposée à l'Irak.
7 août 1990	Le roi Fahd sollicite l'intervention des forces américaines, cautionnée par une fatwa de l'Instance des grands oulémas.
1991-1992	Mise en cause du pouvoir à travers deux pétitions de mai 1991 et mars 1992 revendiquant l'islamisation complète de la législation.
8 mars 1993	Création par le roi Fahd de quatorze régions administratives avec des conseils locaux.
20 août 1993	Nomination d'un Comité consultatif (*Majliss al-Shura*).

Avril 1994	Ben Laden, en exil au Soudan, est déchu de sa nationalité saoudienne.
Septembre 1994	Arrestation des cheikhs Salman al Auda et Safar al Hawali après une remise en cause virulente du gouvernement. Remis en liberté en juin 1999.
4 octobre 1994	Création d'un haut conseil islamique présidé par le ministre de la Défense.
Novembre 1995	Attentat à Riyad.
Janvier-février 1996	Régence du prince Abdallah à la suite de l'embolie pulmonaire du roi Fahd.
25 juin 1996	Attentat contre les locaux d'une base aérienne américaine à Khobar, dans la zone pétrolière.
Septembre 1997	Souhait officiel du départ des troupes américaines.
Mai 1999	Décès d'Ibn Baz, grand mufti d'Arabie saoudite.
11 septembre 2001	Quinze ressortissants saoudiens parmi les auteurs des attentats aux États-Unis.
Octobre 2001	Condamnation du terrorisme par Safar al Hawali, soupçonné d'avoir cautionné les attentats du 11 septembre dans le testament d'Al Haznawi al Ghamdi.
17 février 2002	Proposition saoudienne pour relancer le processus de paix au Proche-Orient.
2003	Remise d'une pétition pour la réforme par des libéraux et islamistes « modérés ».
12-13 mai 2003	Série d'attentats suicides à Riyad : 35 morts.
8 novembre 2003	Nouvel attentat à la voiture piégée dans une résidence à Riyad : 17 morts, 120 blessés.
17 janvier 2004	Forum économique de Djedda. La femme d'affaires Loubna Olayan y apparaît sans voile.
21 avril 2004	Attentat suicide contre le quartier général de la police à Riyad, revendiqué par le groupe des Brigades al-Haramain : 4 morts, une cinquantaine de blessés.

29-30 mai 2004	Prise d'otages et attentats dans la ville pétrolière de Khobar, dans l'est du royaume, revendiqués par Al Qa'ida : 22 morts, dont 19 étrangers.
15 juin 2004	Enlèvement et décapitation d'un ressortissant américain. Capture et exécution d'Abd al Aziz al-Moqrin présenté comme le représentant d'Al Qa'ida en Arabie saoudite.

CHAPITRE 5 : LA BOÎTE DE PANDORE IRAKIENNE

637	Conquête de la Mésopotamie par les Arabes. Bataille de Qadissiga.
680	Mort de l'imam Hussein, petit-fils du Prophète, lors de la bataille de Kerbala, entérinant la division de l'islam en deux courants, sunnisme et chiisme.
762	Bagdad devient la capitale du califat abbasside.
1258	Invasion mongole, Bagdad tombe entre les mains de Hulagu Khan.
1534	L'Irak sous la domination du sultan ottoman Soliman le Magnifique.
11 mars 1917	La Grande-Bretagne prend possession de Bagdad.
10 août 1920	Les Britanniques obtiennent de la SDN un mandat sur la Mésopotamie lors de la conférence de San Remo.
13 août 1921	Faysal est couronné roi du protectorat après la fin de la révolte chiite.
1923	Kemal Atatürk rejette la décision de la SDN de créer un Kurdistan autonome. Seul l'État irakien est alors créé et placé sous mandat britannique.
3 octobre 1932	Indépendance de l'Irak. Traité d'alliance avec la Grande-Bretagne.
3 avril 1941	Coup d'État qui conduit l'armée britannique à intervenir et à installer Faysal II au pouvoir.
1951	Création du parti Baas en Irak.

24 février 1955	Pacte de Bagdad par lequel l'Irak affirme ses positions proaméricaines.
14 juillet 1958	Coup d'État militaire d'Abdel Karim Qassem et proclamation de la première République irakienne. Rapprochement avec l'URSS. Lancement de vastes réformes.
8 février 1963	Assassinat de Qassem par des baassistes et panarabes : Abd al-Salem Aref au pouvoir.
Novembre 1963	Abd al-Salem Aref élimine les baassistes.
13 avril 1966	Mort accidentelle d'Aref, remplacé par son frère.
17 juillet 1968	Deuxième coup d'État baassiste : Ahmad Hassan al Bakr au pouvoir, Saddam Hussein numéro deux.
1969	Accord d'exploitation pétrolière avec l'URSS.
Juin 1972	Nationalisation de l'Iraq Petroleum Company (IPC).
1975	Répression dans le sang de la rébellion kurde dirigée par Moustapha Barzani. Accord avec l'Iran sur la frontière du Chott al 'Arab entre les deux pays.
1ᵉʳ février 1979	Retour de Khomeyni à Téhéran. Proclamation de la République islamique.
16 juillet 1979	Démission d'Ahmad Hassan al Bakr sous la pression de Saddam Hussein.
Avril 1980	Assassinat par le régime de Baqir al Sadr, principale figure du chiisme politique irakien.
22 septembre 1980	Saddam Hussein déclare la guerre à l'Iran. Offensive des troupes irakiennes.
Mars 1988	Répression et épuration ethnique contre les Kurdes à la fin de la guerre Irak-Iran. Gaz chimiques utilisés contre des civils dans la ville de Halabja.
20 août 1988	Cessez-le-feu avec l'Iran, après une guerre de huit ans, d'où l'Irak sort exsangue.
2 août 1990	Invasion du Koweït par l'Irak.
6 août 1990	Résolution 661 du conseil de sécurité de l'Onu : embargo contre l'Irak.

Printemps 1991	Écrasement de la rébellion chiite dans le sud de l'Irak.
14 avril 1995	Résolution 986, dite « pétrole contre nourriture », autorisant Bagdad pour des raisons humanitaires à procéder à des ventes limitées de pétrole dans le cadre de l'embargo.
3 septembre 1996	Déclenchement par les États-Unis d'opérations aériennes pour faire respecter la zone d'exclusion aérienne.
Février 1999	Assassinat de Sadiq al Sadr, cousin de Baqir al Sadr, principale figure du chiisme politique des années 1990, par le régime irakien.
26 janvier 2000	Hans Blix président de la commission de contrôle, de vérification et d'inspection des Nations unies (Cocovinu).
11 septembre 2001	Attentats aux États-Unis.
29 janvier 2002	George W. Bush déclare que l'Irak, l'Iran et la Corée du Nord constituent un « axe du Mal ».
12 septembre 2002	Au cours de la 57ᵉ session de l'assemblée générale de l'Onu, Bush met en demeure Saddam Hussein de procéder au désarmement de l'Irak.
17 septembre 2002	L'Irak accepte un retour inconditionnel des experts en désarmement des Nations unies.
8 novembre 2002	Résolution 1441 enjoignant à Saddam de détruire ses programmes d'armes de destruction massive sous peine d'un recours à la force.
27 janvier 2003	Publication du rapport final de Hans Blix.
5 février 2003	Incrimination par Colin Powell, aux Nations unies, de l'Irak pour sa possession supposée d'ADM.
15 février 2003	Près de 10 millions de personnes manifestent dans le monde contre la guerre en Irak.
20 mars 2003	Début des bombardements américains sur Bagdad et invasion de l'Irak par les troupes de la coalition sous direction américaine.
1ᵉʳ mai 2003	Le président Bush annonce la fin des opérations militaires en Irak.

6 mai 2003	Paul Bremer administrateur civil provisoire en Irak.
10 mai 2003	Retour d'exil de l'ayatollah Mohamed Baqir al Hakim, figure de l'opposition chiite.
30 mai 2003	Rapport de la Cocovinu sur les armes de destruction massive en Irak.
Juin 2003	Série d'opérations militaires américaines contre la guérilla sunnite en Irak.
22 juillet 2003	Mort des fils de Saddam Hussein, tués lors d'un raid des forces américaines.
14 août 2003	Résolution 1500 de l'Onu approuvant la création du Conseil de gouvernement transitoire de l'Irak.
19 août 2003	Attentat contre le quartier général de l'Onu en Irak. Mort de l'envoyé spécial Sergio Vieira de Mello.
29 août 2003	Mort de l'ayatollah al Hakim lors d'un attentat à Najaf.
1er septembre 2003	Formation du premier gouvernement irakien, le Conseil de gouvernement transitoire, constitué de 25 membres respectivement chiites, sunnites, kurdes, chrétien, turkmène.
15 novembre 2003	Plan prévoyant le transfert du pouvoir à un gouvernement provisoire fin juin 2004.
13 décembre 2003	Capture par les forces de la coalition de l'ancien dictateur irakien Saddam Hussein.
2 mars 2004	Série d'attentats suicides dans les lieux saints de l'islam chiite à Bagdad et à Kerbala : plus de 170 morts, 500 blessés.
8 mars 2004	Adoption de la Constitution provisoire en Irak par le Conseil intérimaire de gouvernement irakien (CIG).
31 mars 2004	Mort dans le « triangle sunnite », à Fallouja, de quatre civils américains, dont les cadavres mutilés sont exhibés. Imposantes manifestations à l'appel de l'imam chiite radical Mouqtada al Sadr, fils de Sadiq, appuyé sur l'« armée du Messie ».

Avril 2004	Soulèvement des chiites radicaux et multiplication des prises d'otages.
17 mai 2004	Assassinat d'Ezzedine Salim, président du Conseil intérimaire de gouvernement.
Mai 2004	Scandale des exactions commises par les forces de la coalition sur des prisonniers irakiens dans la prison d'Abou Ghraib, dont les photos circulent sur Internet. Enlèvement et décapitation, attribués à Abou Mous'ab al Zarqawi, de l'otage américain Nicholas Berg.
1er juin 2004	Désignation par le Conseil intérimaire de gouvernement de Ghazi al-Yaour (sunnite), nouveau président de l'Irak. Iyad Allaoui (chiite) nommé Premier ministre.
9 juin 2004	Vote à l'Onu de la résolution 1546 qui avalise le transfert de souveraineté en Irak et la formation d'un gouvernement intérimaire irakien souverain le 30 juin 2004.
Juin 2004	Flambée de violences avant le transfert de souveraineté, multiplication des attentats et assassinats. Enlèvement et décapitation d'un otage coréen.
28 juin 2004	Transfert, avec quarante-huit heures d'avance, de crainte d'attentats terroristes, de la souveraineté au gouvernement provisoire irakien. Le proconsul Paul Bremer quitte le pays.
30 juin 2004	Remise de Saddam Hussein et de onze autres ex-dirigeants au Tribunal spécial irakien.

CHAPITRE 6 : LA BATAILLE D'EUROPE

Décembre 1983	Expulsion des étudiants « dans la ligne de l'imam » iraniens de France.
1984-1988	Enlèvements de ressortissants de pays européens et occidentaux au Liban par les activistes chiites. Attentats en France.
14 février 1989	Fatwa de l'ayatollah Khomeyni condamnant à mort le citoyen britannique Salman Rushdie, auteur des *Versets sataniques*.

Automne 1989	Première affaire de voile islamique en France à Creil. L'UOIF devient Union des organisations islamiques *de* France. En Algérie, création officielle du Front islamique du salut (FIS), parti islamiste à forte composante salafiste.
1992-1997	Guerre civile en Algérie, relayée par les publications islamistes du « Londonistan » (Abou Qatada, Abou Hamza). Attentats en France liés aux Groupes islamiques armés (GIA) algériens.
Juillet 2001	En Espagne, à Tarragone, réunions de coordination financière et opérationnelle des cellules locales d'Al Qa'ida.
9 septembre 2001	Assassinat par deux faux journalistes tunisiens de Belgique du commandant Massoud.
11 septembre 2001	Attentats aux États-Unis. La « cellule de Hambourg » constitue la « base » opérationnelle principale.
14 septembre 2001	Arrestation aux États-Unis du Français d'origine marocaine Zacarias Moussaoui.
Automne 2001	Capture en Afghanistan et emprisonnement à Guantanamo de ressortissants européens.
Novembre 2001	Emprisonnement du Syrien naturalisé espagnol Abou Dahdah.
23 décembre 2001	Arrestation du Britannique Richard Reid après une tentative d'attentat à la chaussure piégée sur un vol Paris-Miami.
Décembre 2002	Réunion du Conseil français du culte musulman (CFCM) à l'initiative du ministre de l'Intérieur Nicolas Sarkozy. L'UOIF en position dominante dans la nouvelle instance.
Juillet-décembre 2003	Sessions de la commission Stasi en France.
15 novembre 2003	Attentats contre deux synagogues d'Istanbul : 17 morts, 215 blessés.
20 novembre 2003	Nouveaux attentats, contre le consulat britannique et le siège de la banque britannique HSBC, à Istanbul.

Hiver 2003-2004	Campagne d'agitation des milieux islamistes et téléprédicateurs sur les chaînes arabes contre la législation française prohibant le port de signes religieux à l'école.
11 mars 2004	Attentats suicides à Madrid dans des trains de banlieue, revendiqués par les brigades d'Abou Hafs al-Masri (Al Qa'ida) : 191 morts, 1 400 blessés.
Mars 2004	Découverte dans la banlieue de Londres de stocks d'explosifs. Arrestation de plusieurs jeunes Britanniques d'origine pakistanaise.
Avril 2004	Expulsion puis retour en France de l'imam salafiste de Vénissieux M. Bouziane.
3 avril 2004	Mise en cause par la Commission pour l'égalité raciale du Royaume-Uni de la doctrine du multiculturalisme britannique.
7 avril 2004	En Allemagne, report du procès de Mounir al Motassadeq, soupçonné d'avoir aidé à commettre les attentats du 11 septembre 2001.
14 avril 2004	Exécution d'un otage italien en Irak par la « phalange verte de Mohammad ».
15 avril 2004	Ben Laden propose une « trêve » à certains pays européens, dans un enregistrement diffusé par les chaînes arabes Al Arabiyya et Al Jazeera.
8 juin 2004	Arrestation à Milan de « Mohammed l'Égyptien », considéré comme l'un des cerveaux des attentats de Madrid.

SOURCES ET BIBLIOGRAPHIE

PROLOGUE :
LA FAILLITE DE LA PAIX D'OSLO

Ouvrages

Brown, Nathan J., *Palestinian Politics after the Oslo Accords : Resuming Arab Palestine*, Berkeley, University of California Press, 2003.

Dieckhoff, Alain, Leveau, Rémy (dir.), *Israéliens et Palestiniens : la guerre en partage*, Paris, Balland, 2003.

Laurens, Henry, *L'Orient arabe à l'heure américaine : de la guerre du Golfe à la guerre d'Irak*, Paris, Armand Colin, 2004.

Little, Douglas, *American Orientalism : The United States and the Middle East since 1945*, University of North California Press, 2002.

Parsons, Nigel Craig, *From Oslo to Al Aqsa : The Politics of the Palestinian Authority*, Londres, Routledge, 2003.

Quandt, William B., *Peace Process : American Diplomacy and the Arab-Israeli Conflict since 1967*, Washington D.C., Brookings Institution Press ; Berkeley, 2001.

Ross, Dennis, *The Missing Peace : A Comprehensive Look at the Middle East Peace Process*, Farrar, Straus & Giroux, New York, 2004.

Rothstein, Robert L., Ma'oz, Moshé, Shiqaqi, Khalil, *The Israeli-Palestinian Peace Process : Oslo and the Lessons of Failure : Perspectives, Predicaments and Prospects*, coll. Studies in peace politics in the Middle East, Brighton ; Portland, Sussex Academic Press, 2002.

Said, Edward W., *The End of the Peace Process : Oslo and After*, New York, Pantheon, 2000.

Usher, Graham, *Dispatches from Palestine : The Rise and Fall of the Oslo Peace Process*, Londres, Pluto Press, 1999.

Articles

Celso, Anthony N., « The death of the Oslo Accords : Israeli security options in the post-Arafat era », in *Mediterranean Quarterly*, vol. 14, n° 1, hiver 2003, pp. 67-84.

Dieckhoff, Alain, « Israël-Palestine : du processus de paix au processus de guerre (1991-2003) », in *Questions internationales*, n° 1, mai-juin 2003, pp. 24-34.

Halkin, Hillel, « Does Sharon have a plan ? », in *Commentary*, vol. 117, n° 6, juin 2004.

« The Israeli-Palestinian conflict », in *International Affairs*, vol. 80, n° 2, mars 2004, pp. 191-255.

Kristol, William, « A new approach to the Middle East », in *Daily Standard*, 22 mai 2002.

« Proche-Orient : le naufrage », in *Critique internationale*, n° 16, juillet 2002, pp. 31-56.

Schattner, Marius, « De la paix manquée d'Oslo à la marche vers l'abîme », in *Politique étrangère*, n° 3, juillet-septembre 2002, pp. 587-600.

Zunes, Stephen, « The United States and the breakdown of the Israeli-Palestinian peace process », in *Middle East Policy*, vol. 8, n° 4, décembre 2001, pp. 66-85.

CHAPITRE 1 :

LA RÉVOLUTION NÉOCONSERVATRICE

Mouvance néoconservatrice

Ouvrages

DeMuth, Christopher C., Kristol, William, *The Neo-Conservative Imagination : Essays in Honor of Irving Kristol*, Washington D.C., AEI Press, 1995.

Dorrien, Gary J., *The Neo-Conservative Mind : Politics, Culture, and the War of Ideology*, Philadelphia, Temple University Press, 1993.

Ehrman, John, *The Rise of Neo-Conservatism : Intellectuals and Foreign Affairs, 1945-1994*, New Haven, Yale University Press, 1995.

Gerson, Mark, *The Neo-Conservative Vision : from the Cold War to the Culture Wars*, Lanham, Madison Books, 1996.

Kagan, Robert, Kristol, William, *Present Dangers : Crisis and Opportunity in American Foreign and Defense Policy*, San Francisco, Encounter Books, 2000.

Kristol, Irving, *Neo-Conservatism : The Autobiography of an Idea*, New York, Free Press, 1995.

Kristol, Irving, *Reflections of a Neo-Conservative : Looking Back, Looking Ahead*, New York, Basic Books, 1983.

Podhoretz, Norman, *My Love Affair with America : The Cautionary Tale of a Cheerful Conservative*, New York, Free Press, 2000.

Steinfels, Peter, *The Neo-Conservatives : The Men who are Changing America's Politics*, New York, Simon & Schuster, 1979.

Articles

Boot, Max, « Neocons », *Foreign Policy*, janvier-février 2004, n° 140, pp. 20-28.

Kristol, Irving, « The Neoconservative Persuasion », *Weekly Standard*, vol. 8, n° 47, 25 août 2003.

Kristol, William, Lenzner, Steven, « What was Leo Strauss up to ? », *Weekly Standard*, 9 septembre 2003.

Interview of Paul Wolfowitz with Sam Tannenhaus, *Vanity Fair*, 9 mai 2003.

Muravchik, Joshua, « The neoconservative cabal », *Commentary*, vol. 116, n° 2, septembre 2003.

Podhoretz, Norman, « Neoconservatism : a eulogy », *Commentary*, vol. 101, n° 3, mars 1996, pp. 19-27.

Attentats du 11 septembre 2001, guerre d'Irak, politique étrangère américaine

Ouvrages

Buckley, Mary, Fawn, Rick, *Global Responses to Terrorism : 9/11, the War in Afghanistan and Beyond*, Londres, Routledge, 2003.

Clarke, Richard A., *Against All Enemies : Inside America's War on Terror*, New York, Free Press, 2004.

Crotty, William, *The Politics of Terror : The U.S. Response to 9/11*, Boston, Northeastern University Press, 2004.

Frum, David, Perle, Richard, *An End to Evil : How to Win the War on Terror*, Random House, 2003.

Hayden, Patrick, Lansford, Tom, Watson, Robert P., *America's War on Terror*, Aldershot, Burlington, Ashgate, 2003.

Kellner, Douglas, *From 9/11 to Terror War : The Dangers of the Bush Legacy*, Lanham, Rowman & Littlefield, 2003.

Lewis, Bernard, *The Crisis of Islam : Holy War and Unholy Terror*, Londres, Weidenfeld & Nicolson, 2003.

Mann, James, *Rise of the Vulcans : the History of Bush's War Cabinet*, Viking Books, 2004

Murtha, John P., *From Vietnam to 9/11 : On the Front Lines of National Security*, University Park, Pennsylvania State University Press, 2002.

Articles

« 9/11 and after », *Foreign Affairs*, vol. 80, n° 6, novembre-décembre 2001, pp. 2-58.

Burke, Anthony, « Just war or ethical peace ? : moral discourses of strategic violence after 9/11 », *International Affairs*, vol. 80, n° 2, mars 2003, pp. 329-353.

Kagan, Robert, Kristol, William, « The Bush doctrine unfolds », *Weekly Standard*, 4 mars 2002.

Kagan, Robert, Kristol, William, « The Bush era », *Weekly Standard*, 11 février 2002.

Leffler, Melvyn P., « 9/11 and the past and future of American foreign policy », *International Affairs*, vol. 79, n° 5, octobre 2003, pp. 1045-1063.

Lewis, William Hubert, « The war on terror : a retrospective », in *Mediterranean Quarterly*, vol. 13, n° 4, automne 2003, pp. 21-37.

Lombardi, Ben, « The "Bush doctrine" : anticipatory self-defence and the new US national security strategy », *International Spectator*, avril 2002.

Stein, Kenneth W., « La doctrine Bush de l'engagement sélectif ou la continuité de la politique étrangère au Moyen-Orient », *Politique étrangère*, janvier 2002.

« The "war on terror" », *Intelligence and National Security*, vol. 17, n° 4, hiver 2002, pp. 31-76.

Rapports

« A Clean Break : A New Strategy for Securing the Realm », Institute for Advanced Strategic and Political Studies, Jerusalem-Washington, 1996 (Richard Perle, David and Meyrav Wurmser, Douglas Feith *et alii*).

« Joint inquiry into Intelligence community activities before and after the Terrorist Attacks of September 11, 2001 », Report of the US Senate Select Committee on Intelligence & US House Permanent Select Committee on Intelligence, décembre 2002.

« The 9/11 Commission Report. » Rapport de la commission d'enquête nationale sur les attentats terroristes contre les États-Unis (*National Commission on Terrorist Attacks Upon the United States / 9-11 Commission*), juillet 2004.

CHAPITRES 2 et 3 :
FRAPPER L'ENNEMI LOINTAIN,
TRAQUE ET RÉSILIENCE D'AL QA'IDA

Ouvrages

Abd al-Rahim, Ali, *Hilf al-Irhab [Le pacte de la terreur], Abdallah Azzam, Ayman al-Zawahiri, Oussama Ben Laden* (documents), 3 volumes, Dar Mahroussa, Le Caire, 2004.

Al-Zayyat, Montasser, *Ayman al-Zawahiri kama 'ariftuhu [Ayman al-Zawahiri comme je l'ai connu]*, Le Caire, 2002 (trad. anglaise : *The Road to Al-Qaeda : The Story of Osama bin Laden's Right-Hand Man*, Londres, Pluto, 2003).

Bergen, Peter L., *Guerre sainte, multinationale* (trad. de *Holy War, Inc. : Inside the Secret World of Osama bin Laden*), Londres, Weidenfeld & Nicolson, 2001.

Burke, Jason, *Al-Qaeda : Casting a Shadow of Terror*, Londres, I.B. Tauris, 2003.

Clark, Wesley K., *Winning Modern Wars : Iraq, Terrorism, and the American Empire*, New York, Public Affairs, 2003.

Fouda, Yosri, Fielding, Nick, *Les cerveaux du terrorisme : rencontre avec Ramzi Binalchibh et Khalid Cheikh Mohammed, numéro 3 d'Al Qa'ida* (trad. de *Masterminds of Terror*), Arcade, New York, 2003.

Gunaratna, Rohan, *Al Qa'ida : au cœur du premier réseau terroriste mondial* (trad. de *Inside Al-Qaeda : Global Network of Terror*), Londres, C. Hurst, 2002.

Levitt, Matthew, *Targeting Terror : US Policy toward Middle Eastern State Sponsors and Terrorist Organizations Post-September 11*, WINEP, Washington DC, 2002.

Moore, Robin, *The Hunt for Bin Laden*, Random House, 2003.

Through our Enemies' Eyes : Osama bin Laden, Radical Islam, and the Future of America, Washington DC, Brassey's, 2002.

Articles

Bergen, Peter L., « The Bin Laden trial : what did we learn ? », *Studies in Conflict and Terrorism*, vol. 24, n° 6, novembre-décembre 2001, pp. 429-434.

Doran, Michael, « The pragmatic fanaticism of al Qaeda : an anatomy of extremis », *Middle East Policy*, in *Political Science Quarterly*, vol. 117, n° 2, 2002.

« Interrogation of al-Zawahiri's deputy revealed the Jihad and Al-Qaeda secrets », *Al-Hayat*, 18 mars 1999.

« Interview with Ayman Al-Zawahiri », in *Al-Zaman*, Jamal Ismail (ed.), *Al Jazeera, Bin Ladin, and I*, juillet 2000.

Kepel, Gilles, « Les stratégies islamistes de légitimation de la violence », *Raisons politiques*, n° 9, février-avril 2003, pp. 81-95.

Raafat, Amir, « The world's second most wanted man », *The Star* (Amman), 22 novembre 2001.

Raphaeli, Nimrod, « Ayman Muhammad Rabi' Al-Zawahiri : the making of an arch terrorist », *Terrorism and Political Violence*, vol. 14, n° 4, hiver 2002, pp. 1-22.

Wiktorowicz, Quintan, Kaltner, John, « Killing in the name of islam : Al-Qaeda's justification for September 11 », *Middle East Policy*, vol. 10, n° 2, été 2003.

Wright, Lawrence, « The man behind Bin Laden : how an Egyptian doctor became a master of terror », *The New Yorker*, 16 septembre 2002.

Mémoire

Tourabi, Abdellah, *Les attentats du 16 mai 2003 à Casablanca. Anatomie d'un suicide collectif*, mémoire de DEA, Sciences Po, Paris, 2003.

CHAPITRE 4 :

L'ARABIE DANS L'ŒIL DU CYCLONE

Ouvrages

Al-Rasheed, Madawi, *A History of Saudi Arabia*, New York, Cambridge University Press, 2002.

Benthall, Jonathan, Bellion-Jourdan, Jérôme, *The Charitable Crescent : Politics of Aid in the Muslim World*, Londres, I.B. Tauris, 2003.

Champion, Daryl, *The Paradoxical Kingdom : Saudi Arabia and the Momentum of Reform*, Londres, Hurst, 2003.

Cordesman, Anthony H., *Saudi Arabia : Guarding the Desert Kingdom*, Boulder, Westview, CSIS (Washington DC), 1997.

Cordesman, Anthony H., *Saudi Arabia Enters the Twenty-first Century : The Military and International Security Dimensions*, Londres, Praeger, CSIS (Washington DC), 2003.

Cordesman, Anthony H., *Saudi Arabia Enters the Twenty-first Century : The Political, Foreign Policy, Economic, and Energy Dimensions*, Westport, Praeger, CSIS (Washington DC), 2003.

Fandy, Mamoun, *Saudi Arabia and the Politics of Dissent*, Basingstoke, Macmillan, 1999.

Gause, Gregory F., *Oil Monarchies : Domestic and Security Challenges in the Arab Gulf States*, New York, Council on Foreign Relations Press, 1994.

Heller, Mark A., Safran, Nadav, *The New Middle Class and Regime Stability in Saudi Arabia*, Cambridge, Center for Middle Eastern Studies, 1985.

Helms, Christine Moss, *The Cohesion of Saudi Arabia : Evolution of Political Identity*, Londres, Croom Helm, 1981.

Kechichian, Joseph Albert, *Succession in Saudi Arabia*, New York, Palgrave, 2001.

Kostiner, Joseph, *The Making of Saudi Arabia : 1916-1936, from Chieftaincy to Monarchical State*, New York, Oxford University Press, 1993.

Kostiner, Joseph, *Middle East Monarchies : the Challenge of Modernity*, Boulder, Rienner, 2000.

Peterson, J. E., *Saudi Arabia and the Illusion of Security*, Londres, International Institute for Strategic Studies, Adelphi Papers, 2002.

Vassiliev, Alexei, *The History of Saudi Arabia*, Londres, Saqi Books, 2000.

Articles

Abou El Fadl, Khaled, « The orphans of modernity and the clash of civilizations », *Global Dialogue*, vol. 4, n° 2, printemps 2002, pp. 1-16.

Ahrari, Ehsan, « Political succession in Saudi Arabia : systemic stability and security implications », *Comparative Strategy*, vol. 18, n° 1, janvier-mars 1999, pp. 13-29.

« L'Arabie saoudite et la péninsule après le 11 septembre : défis et enjeux d'une région en crise », *Maghreb-Machrek*, n° 174, octobre-décembre 2001, pp. 3-74.

Azzam, Maha, « Al-Qaeda : The misunderstood wahhabi connection and the ideology of violence », Royal Institute of International Affairs, Middle East Program, Briefing Paper n° 1, février 2003.

Bradley, John R., « Are the Saudis sunk ? The Wahhabi-Saud Pact has held the desert kingdom together since the 1920s ; now it's pulling apart », *Prospect Magazine*, septembre 2003.

Bromley, Simon, « Oil and the Middle East : the end of US hegemony ? », *Middle East Report*, n° 208, automne 1998, pp. 19-22.

Byman, Daniel L., Green, Jerrold D., « The enigma of political stability in the Persian Gulf monarchies », *MERIA Journal*, vol. 3, n° 3, septembre 1999, pp. 1-20.

Dekmejian, Richard H., « The liberal impulse in Saudi Arabia », *Middle East Journal*, vol. 75, n° 3, été 2003, pp. 400-413.

Gause, Gregory F. III, « Be careful what you wish for : the future of US-Saudi relations », *World Policy Journal*, printemps 2002.

Gause, Gregory F. III, « The persistence of monarchy in the Arabian Peninsula : a comparative analysis », in Kostiner, Joseph (ed.), *Middle East Monarchies : The Challenge of Modernity*, Londres, Westview Press, 2000, pp. 167-186.

Jehl, Douglas, « Holy war lured Saudis as rulers looked away », *New York Times*, 27 décembre 2001.

Jones, Toby, « Seeking a "social contract" for Saudi Arabia », *Middle East Report*, automne 2003, n° 228, pp. 42-48.

Judis, John B., « Who will control Iraq's oil ? Over a barrel », *New Republic*, 20 janvier 2003.

Kechichian, Joseph Albert, « Testing the Saudi "will to power" : challenges confronting Prince Abdallah », *Middle East Policy*, vol. 10, n° 4, hiver 2003, pp. 100-115.

Morse, Edward L., « Is the energy map next on the neo-conservative cartography agenda ? », *Middle East Economic Digest (MEED)*, vol. XLVI, n° 33, 18 août 2003.

Nonneman, Gerd, « Saudi-European relations 1902-2001 : a pragmatic quest for relative autonomy », *International Affairs*, vol. 77, n° 3, 2001, pp. 631-661.

Okruhlik, Gwenn, « Dissidence et réforme en Arabie saoudite : de la religion, de l'État et de la famille », *La Pensée*, n° 335, juillet-septembre 2003, pp. 21-33.

Pollack, Josh, « Saudi Arabia and the United States, 1931-2002 », *MERIA Journal*, septembre 2002.

Russell, James A., « In defense of the nation » : terror and reform in Saudi Arabia », *Strategic Insights*, 3 octobre 2003.

Sennott, Charles M., « Driving a wedge : Bin Laden,The US and Saudi Arabia », *Boston Globe*, mars 2002.

Seznec, Jean-François, « Stirrings in Saudi Arabia », *Journal of Democracy*, vol. 13, n° 4, octobre 2002, pp. 33-40.

Teitelbaum, Joshua, « The "desert democracy" », *Jerusalem Report*, 15 décembre 2003.

Tucker, Robert, « Oil : the issue of American intervention », *Commentary*, janvier 1995.

Unger, Craig, « Saving the Saudis », *Vanity Fair*, octobre 2003.

« The United States and Saudi Arabia : American interests and challenges to the kingdom in 2002 », *Middle East Policy*, vol. 9, n° 1, mars 2002, pp. 1-32.

Vitalis, Robert, « Black gold, white crude. An essay on American exceptionalism, hierarchy, and hegemony in the Gulf », *Diplomatic History*, vol. 26, n° 2, printemps 2002, pp. 185-213.

Travaux universitaires

Al-Hawali, Safar Bin Abd al-Rahman, *Zahirat al-Irja' fi al-Fikr al-Islami* [*Le phénomène de l'Irja' dans la pensée islamique*], thèse pour le doctorat en *chari'a* (dir. Mohammed Qotb), université Umm al-Qura, La Mecque, 1406 h
Lacroix, Stéphane, *Le champ intellectuel saoudien après le 11 septembre*, mémoire de DEA, Sciences Po, Paris, 2003.

CHAPITRE 5 :

LA BOÎTE DE PANDORE IRAKIENNE

Ouvrages

Baram, Amatzia, Rubin, Barry M., *Iraq's Road to War*, New York, St Martin's Press, 1993
Braude, Joseph, *The New Iraq : Rebuilding the Country for its People, the Middle East, and the World*, New York, Basic Books, 2003.
Clawson, Patrick, *How to Build a New Iraq after Saddam*, Washington DC, WINEP, 2002.
Cordesman, Anthony H., *The Iraq War : Strategy, Tactics, and Military Lessons*, Westport, Praeger, CISS, Washington, DC, 2003.
Dodge, Toby, *Inventing Iraq : The Failure of Nation-building and a History Denied*, New York, Columbia University Press, 2003.
Dodge, Toby, Simon, Steven, *Iraq at the Crossroads : State and Society in the Shadow of Regime Change*, Adelphi Papers, n° 354, Oxford University Press for the International Institute for Strategic Studies (ISS), février 2003.
Jabar, Faleh A., *The Shi'ite Movement in Iraq*, Londres, Saqi Books, 2003.
Kaplan, Lawrence F., Kristol, William, *The War over Iraq : Saddam's Tyranny and America's Mission*, San Francisco, Encounter Books, 2003.
Luizard, Pierre-Jean, *La formation de l'Irak contemporain : le rôle politique des ulémas chiites à la fin de la domination ottomane et au moment de la création de l'État irakien*, CNRS, Paris, 1991.
Luizard, Pierre-Jean, *La question irakienne*, Paris, Fayard, 2002.
Nakash, Yitzhak, *The Shi'is of Iraq*, Princeton University Press, 2003.
Simons, Geoffrey Leslie, *Future Iraq : US Policy in Reshaping the Middle East*, Londres, Saqi Books, 2003.

Articles

Ajami, Fouad, « Iraq and the Arab's future », *Foreign Affairs*, vol. 82, n° 4, janvier-février 2003, pp. 2-18.

Ayoob, Mohammed, « The war against Iraq : normative and strategic implications », *Middle East Policy*, vol. 10, n° 2, été 2003.

Barnett, Jon, Eggleston, Beth, Webber, Michael, « Peace and development in post-war Iraq », *Middle East Policy*, vol. 10, n° 3, automne 2003.

Byman, Daniel, « After the storm : US policy toward Iraq since 1991 », *Political Science Quarterly*, vol. 115, n° 4, janvier 2001.

Cirincione, Joseph, « Why we are in Iraq », conférence à l'American University, Washington DC, 23 mars 2003.

Cirincione, Joseph, Mathews, Jessica T., Perkovich, George, « Iraq : what next ? », Carnegie Endowment for International Peace, janvier 2003.

Dawisha, Adeed et Karen, « How to build a democratic Iraq », *Foreign Affairs*, vol. 82, n° 3, mai 2003, pp. 36-50.

« From victory to success : afterwar policy in Iraq », *Foreign Policy*, juillet 2003.

Gerecht, Reuel Marc, « Why we need a democratic Iraq », *Weekly Standard,* 24 mars 2003.

Hayes, Stephen F., « Saddam's Al-Qaeda connection », *Weekly Standard*, vol. 8, n° 48, septembre 2003.

Isherwood, Michael W., « US strategic options for Iraq : easier said than done », *Washington Quarterly*, printemps 2002.

Kagan, Robert, Kristol, William, « Why we went to war », *Weekly Standard*, 20 octobre 2003.

Kristol, William, « The Iraq-al Qaeda connection », *Daily Standard*, 12 décembre 2002.

Luizard, Pierre-Jean, « Les fatwas "politiques" de l'ayatollah Al-Sistâni (septembre 2002-octobre 2003) », *Maghreb-Machrek*, n° 178, hiver 2003-2004, pp. 109-122.

Luizard, Pierre-Jean, « Irak : comment éviter la partition ? », *Politique internationale*, n° 103, printemps 2004, pp. 141-160.

Marr, Phebe, « Iraq "the day after" : internal dynamics in post-Saddam Iraq », *Naval War College Review*, vol. 56, n° 1, hiver 2003, pp. 13-29.

« The Middle East after Saddam », *Washington Quarterly*, vol. 26, n° 3, été 2003, pp. 117-203.

Nakash, Yitzhak, « The Shi'ites and the future of Iraq », *Foreign Affairs*, vol. 82, n° 4, juillet-août 2003, pp. 17-26.

Nye, Joseph S., « US power and strategy after Iraq », *Foreign Affairs*, vol. 82, n° 4, juillet-août 2003.

« Origins of regime change in Iraq », *Proliferation Brief*, vol. 6, n° 5, 19 mars 2003.

Ottaway, Marina, Yaphe, Judith, « Political reconstruction in Iraq : a reality check », Carnegie Endowment for International Peace, 27 mars 2003.

Samii, Abbas William, « Shia political alternatives in postwar Iraq », *Middle East Policy*, vol. 10, n° 2, été 2003, pp. 93-101.

Schanzer, Jonathan, « Ansar Al-Islam : Iraq's Al-Qaeda connection », Washington DC, WINEP, 17 janvier 2003.

Vulliamy, Ed, Connolly, Kate, « The Iraqi connection », *Guardian Unlimited*, archives, 2003.

Wimmer, Andreas, « Democracy and ethno-religious conflict in Iraq », *Survival*, vol. 45, n° 4, hiver 2003-2004, pp. 111-133.

Document

Zarqaoui, Abou Mou'sab al (attribué à), mémorandum (en arabe), 17 pages, n.d. (déc. 2003 ?).

CHAPITRE 6 :

LA BATAILLE D'EUROPE

Ouvrages

Abd al Malik, *Qu'Allah bénisse la France*, Paris, Albin Michel, 2004.

Abdelkrim, Farid, *Na'al bou la France ? !*, La Courneuve, Éditions Gedis, 2002.

Adjir, Dalila, Baghezza Addelaali, *Entrée interdite aux animaux et aux femmes voilées. Lettre ouverte aux nouveaux hussards noirs de la République*, préf. de F. Burgat, Valenciennes, Éditions Akhira Distribution, 2004.

Babès, Leila, Oubrou, Tareq, *Loi d'Allah, loi des hommes : liberté, égalité et femmes en islam*, Paris, Albin Michel, 2003.

Ben Halima, Abderraouk, *Le Tabligh : étape IV*, Saint-Étienne, Le Figuier, 2000.

Benzine, Rachid, *Les nouveaux penseurs de l'islam*, Paris, Albin Michel, 2004.

Bouzar, Dounia, Kada, Saïda, *L'une voilée, l'autre pas*, Paris, Albin Michel, 2003.

Ibn Baz, Abd al Aziz, Albani, Nasr al Din, Ibn Utheimin, Mohammed, *Fatawa al 'ulama al akabir / fima ahdira min dima' fi-l jaza'ir* [fatwas des oulémas les plus grands / sur le sang versé en Algérie inutilement], Ed. Maktabat al furqan, Ajman, 1422 h. (Le titre arabe est rédigé en prose rimée, ou *saj'*, caractéristique du style rhétorique religieux.)

Le foulard islamique en questions, Paris, Nordmann, Charlotte (dir.), Éditions Amsterdam, 2004.

Ramadan, Tariq, *Les musulmans d'Occident et l'avenir de l'islam,* Paris, Sindbad, 2003.

Ramadan, Tariq, *Arabes et musulmans face à la mondialisation : le défi du pluralisme,* 2003, Lyon, Tawhid.

Ramadan, Tariq, *Globalisation : muslim resistances = La mondialisation : résistances musulmanes = La globalización : resistencias musulmanas,* Lyon, Tawhid, 2003.

Ramadan, Tariq, *De l'islam,* Lyon, Tawhid, 2002.

Ramadan, Tariq, *Jihad, violence, guerre et paix en islam,* Lyon, Tawhid, 2002.

Ramadan, Tariq, *Musulmans d'Occident : construire et contribuer,* Lyon, Tawhid, 2002.

Ramadan, Tariq, Gresh, Alain, *L'islam en questions,* Arles, Actes Sud, 2002.

Ramadan, Tariq, Neirynck, Jacques, *Peut-on vivre avec l'islam?,* Lausanne, Favre, 2004.

Venel, Nancy, *Musulmans et citoyens,* Paris, PUF, 2004.

Venel, Nancy, *Musulmanes françaises : des pratiquantes voilées à l'université,* Paris-Montréal, L'Harmattan, 1999.

Weibel, Nadine B., *Par-delà le voile. Femmes d'islam en Europe,* Bruxelles, Complexe, 2000.

Entretiens d'Auxerre (2002), *L'avenir de l'islam en France et en Europe,* Michel Wieviorka (dir.), Paris, Balland, 2003.

Articles

Kechat, Larbi, « Pour un islam humaniste », *Esprit,* janvier 1998, n° 239, pp. 77-98.

Khedimmellah, Moussa, « La carrière religieuse des jeunes prédicateurs de la Tabligh Jama'at en France : de la galère des banlieues à la dignité retrouvée par la jet-society », *Islam,* n° 1, janvier-mars 2002.

Oubrou, Tareq, « Introduction théorique à la *shari'a* de minorité », *Islam de France,* n° 2, L'Harmattan, mai-juin 1998, pp. 27-41.

Ramadan, Tariq, « Islam et démocratie », *Pouvoirs,* n° 204, 2003

Document

Abd al Malik, *Le face-à-face des cœurs,* disque de rap avec un « *bonus track* » intitulé « Que Dieu bénisse la France [existentiel] », 2004.

INDEX

*Le terme arabe est transcrit « Ibn » ou « Ben » selon l'usage courant..

Composé et achevé d'imprimer
par la Société Nouvelle Firmin-Didot
à Mesnil-sur-l'Estrée, le 13 août 2004.
Dépôt légal : août 2004.
Numéro d'imprimeur : 68941.
ISBN 2-07-071297-4/Imprimé en France.

126598